LUTE COMO UMA GAROTA

Laura Barcella
Fernanda Lopes

LUTE COMO UMA GAROTA

60 feministas que mudaram o mundo

Tradução
Isa Mara Lando

Editora
Cultrix
SÃO PAULO

Título do original: *Fight Like a Girl*.
Copyright © 2016 Laura Barcella.
Copyright das ilustrações © 2016 Summer Pierre.
Copyright da edição brasileira © 2018 Editora Pensamento-Cultrix Ltda.
Copyright das ilustrações da edição brasileira © 2018 Carolina Mylius.
1ª edição 2018.
3ª reimpressão 2021.
Todos os direitos reservados. Nenhuma parte desta obra pode ser reproduzida ou usada de qualquer forma ou por qualquer meio, eletrônico ou mecânico, inclusive fotocópias, gravações ou sistema de armazenamento em banco de dados, sem permissão por escrito, exceto nos casos de trechos curtos citados em resenhas críticas ou artigos de revistas.

A Editora Cultrix não se responsabiliza por eventuais mudanças ocorridas nos endereços convencionais ou eletrônicos citados neste livro.

Editor: Adilson Silva Ramachandra
Editora de texto: Denise de Carvalho Rocha
Gerente editorial: Roseli de S. Ferraz
Preparação de originais: Alessandra Miranda de Sá
Produção editorial: Indiara Faria Kayo
Editoração eletrônica: Join Bureau
Revisão: Bárbara Parente

Dados Internacionais de Catalogação na Publicação (CIP)
(Câmara Brasileira do Livro, SP, Brasil)

Barcella, Laura
    Lute como uma garota: 60 feministas que mudaram o mundo / Laura Barcella, Fernanda Lopes; tradução Isa Mara Lando. – São Paulo : Cultrix, 2018.

    Título original: Fight like a girl.
    Bibliografia.
    ISBN 978-85-316-1442-2

    1. Ciências sociais 2. Feminismo 3. Feminismo – História 4. Memórias 5. Mulheres – Biografia I. Lopes, Fernanda. II. Título.

18-12433   CDD-305.42

Índices para catálogo sistemático:
1. Feministas: História: Sociologia 305.42

Direitos de tradução para a língua portuguesa adquiridos com exclusividade pela
EDITORA PENSAMENTO-CULTRIX LTDA., que se reserva a
propriedade literária desta tradução.
Rua Dr. Mário Vicente, 368 – 04270-000 – São Paulo, SP
Fone: (11) 2066-9000
http://www.editoracultrix.com.br
E-mail: atendimento@editoracultrix.com.br
Foi feito o depósito legal.

SUMÁRIO

Apresentação: Nana Queiroz 9

Prefácio à Edição Brasileira: Mary Del Priore 11

Introdução 17

1. Mary Wollstonecraft 21
2. Sojourner Truth 25
3. Elizabeth Blackwell 30
4. Marie Curie 34
5. Amy Jacques Garvey 39
6. Frida Kahlo 44
7. Simone de Beauvoir 50
8. Pauli Murray 55
9. Rosa Parks 61
10. Florynce Kennedy 66
11. Shirley Chisholm 71
12. Maya Angelou 75
13. Yayoi Kusama 80
14. Faith Ringgold 85

15. Yoko Ono 90

16. Audre Lorde 95

17. Jane Goodall 100

18. Judy Blume 105

19. Judy Chicago 112

20. Wilma Rudolph 117

21. Wangari Maathai 121

22. Frances M. Beal 126

23. Angela Davis 130

24. Alice Walker 135

25. Shirin Ebadi 139

26. Hillary Clinton 144

27. Kate Bornstein 150

28. Leslie Feinberg 155

29. Sally Ride 159

30. Bell Hooks 165

31. Cindy Sherman 169

32. Oprah 174

33. Geena Davis 179

34. Anita Hill 183

35. Poly Styrene 187

36. Madonna 192

37. Wendy Davis 199

38. Kathleen Hanna 203

39. Margaret Cho 209

40. Queen Latifah 214

41. Ani DiFranco 218

42. Roxane Gay 222

43. Beyoncé 227

44.	Tavi Gevinson	232
45.	Malala Yousafzai	237

Brasileiras que Foram à Luta – 15 Perfis Biográficos para Entender a História do Feminismo no Brasil

46.	Nísia Floresta	243
47.	Francisca Senhorinha	247
48.	Chiquinha Gonzaga	251
49.	Anália Franco	255
50.	Bertha Lutz	259
51.	Eugênia Moreira	263
52.	Adalzira Bittencourt	267
53.	Pagu	270
54.	Clarice Lispector	275
55.	Rose Marie Muraro	279
56.	Heleieth Saffioti	283
57.	Leila Diniz	287
58.	Maria da Penha	291
59.	Sueli Carneiro	296
60.	Djamila Ribeiro	300

Bibliografia 305

Agradecimentos.. 367

APRESENTAÇÃO

Uma das autoras deste livro nasceu a meio continente de distância de mim. E, mesmo assim, compartilhamos um certo tipo de ancestralidade. Uma multidão de mulheres, uma massa infinita delas, veio antes de nós nos abrindo caminho para ser. Para votar, para transar, para usufruir (ou não) da maternidade como bem entendermos. Para trabalhar, para vivermos livres de violência. Para escrevermos livros e celebrá-las. Elas nos deram o presente incalculável da voz. Devolveram-nos o direito inalienável de olhar os homens nos olhos, de enfrentá-los como um gesto corajoso de amor pela humanidade.

Algumas delas são a renda que borda este livro que você tem nas mãos. São as mulheres que se atreveram a intelectualizar-se à custa de serem consideradas damas de pouca respeitabilidade. São as costas chicoteadas e o corpo maltratado de quem enfrentou a escravidão da cor e do gênero. São os pezinhos teimosos que se recusaram a dar passagem ao preconceito e deixar seu valor ser determinado pela cor da sua pele. São os pincéis cheios de cores de rebeldia e libertação que pregavam uma nova maneira de ver a beleza e a mulher. São a ousadia de atravessar o oceano em busca de inspiração, de lutar pelo direito ao voto. São a perda da voz de uma menina que teve que assistir à mãe minguar após um terrível estupro e depois se tornou uma das vozes mais sonoras e fortes pela justiça de gênero. São o sacrifício de quem deu a própria mobilidade para dizer: "Não, as mulheres não mais sofrerão violência doméstica".

Celebrar o passado é responsabilidade de quem está comprometido com a construção do futuro. Essas mulheres sofreram, e seu sofrimento é hoje o nosso festejo para podermos nelas nos inspirar. Elas são as artistas que souberam transformar suas lamúrias em conquistas. E nos dizem, nas páginas deste livro: você também pode ser heroica. Porque ser uma mulher que transforma o mundo, hoje, não exige nada menos que heroísmo.

Da escolha corajosa da roupa com que iremos ao trabalho, passando pelo assédio enfrentado no transporte público, os salários reduzidos e a jornada dupla de trabalho, até a decisão de levar nossa luta feminista às urnas, às ruas e, por que não?, às arenas virtuais das nossas redes sociais – todos esses são pequenos atos de heroísmo. Somos nós as herdeiras dessas mulheres. Cabe a nós levar adiante seu legado no pequeno e no grande espaço a ser preenchido por nós. Cabe a nós abdicar do direito de desistir. Cabe a nós não aceitar sermos definidas por nada menos que a liberdade.

Há ainda o (não) direito ao aborto. Há ainda a violência que mata oito mulheres ao dia. Há ainda o estupro que acontece a cada 11 minutos em nosso país (um deles talvez antes de você terminar de ler esta apresentação). Há os 30% de diferença salarial, há os míseros 10% de assentos para mulheres no Congresso Nacional. Há essa injustiça dos homens que amamos e que nos escravizam, sim, a trabalhar o dobro em tarefas domésticas todos os dias. Há a violência obstétrica, os opressivos padrões de beleza. Há a expectativa de vida de 35 anos para mulheres transexuais. Há o racismo que leva as mulheres negras à base da pirâmide social em todos os levantamentos honestos. Há muitas oportunidades para que cada uma de nós "lute como uma garota".

Uma felicidade: o maior desafio de livros como este, de perfis de mulheres extraordinárias, é que não existem páginas suficientes para fazer caber todas aquelas que se encaixam nessa categoria. Fica de fora ainda um mundo a ser explorado. Este livro é só um aperitivo para provocar em nós a fome de saber quem somos e quem essas precursoras nos fizeram ser. Que essa fome continue voraz até fazermos parte, nós mesmas, dessa ancestralidade comum a mulheres que viverão, graças à nossa luta, num mundo muito melhor que o nosso.

Nana Queiroz, no entardecer de 2017.

PREFÁCIO À EDIÇÃO BRASILEIRA

Jornalista focada na cultura pop, em assuntos femininos, estilo de vida, saúde e bem-estar para conhecidas revistas e jornais americanos como *New York Times*, *Vanity Fair* ou *Rolling Stone*, Laura Barcella é feminista desde pequenina. E como demonstra neste livro, a história do feminismo tem muitos momentos e protagonistas, valendo a pena, portanto, recordar alguns deles, para melhor entender a obra que o leitor tem nas mãos.

A palavra que designa a luta pela igualdade cívica e civil entre homens e mulheres, além da libertação das mulheres do modelo patriarcal, apareceu, curiosamente, pela primeira vez, na pena do escritor francês Alexandre Dumas Filho, autor do conhecido romance *A Dama das Camélias*, e do texto, "A Questão da Mulher", para a associação para a Emancipação Progressiva da Mulher. Em 1872, ele cravou: *"As feministas dizem: todo mal vem do fato de que não reconhecemos a mulher como igual do homem"*. Até então, e mesmo entre filósofos iluministas como Voltaire ou Rousseau, apóstolos da liberdade, achava-se que sustentar a igualdade entre os sexos era se perder em vãs declamações. Como veremos em *Lute Como uma Garota*, outras vozes, desde sempre, se levantaram em favor dos "Direitos da Mulher". Mas a palavra "feminismo" chegou depois.

Vivia-se, então, o que os historiadores denominam "a primeira onda feminista", que vai do século XIX ao início do século XX, e cujas principais reivindicações se relacionavam ao direito ao voto, às melhores condições de trabalho e ao direito à educação para meninas e moças. É sempre bom lembrar que os ideais femininos estavam relacionados exclusivamente ao casamento, à maternidade e à vida doméstica. Era preciso lutar, portanto, não só contra as injustiças, mas, também, contra uma forma de vida considerada típica, única e ideal. Os chamados "livros de conduta", adotados na Inglaterra, empenhavam-se em encapsular as mulheres em tais modelos de comportamento ditos "do lar". Mas "feminismo" também designava, no vocabulário médico, os homens cuja virilidade havia se desenvolvido "mal" ou pouco. Apenas dez anos mais tarde, o termo foi definido pela francesa Hubertine Auclert com um sentido positivo: ele designaria a luta para melhorar a condição feminina. Popularizado num congresso em 1892, ele reapareceu nos Países Baixos, numa carta da atriz e feminista Mina Jacoba Kruseman a Dumas Filho, na Inglaterra em 1894 e nos Estados Unidos em 1902. Ali, nos anos 1910, ele abrangeria duas ideias dominantes: a da emancipação da mulher e a da mulher como ser humano sexuado. As vozes que então se levantavam ora defendiam a melhoria da condição feminina em nome da igualdade humana, ora constatavam as diferenças, pedindo respeito pelas particularidades femininas. Eram as correntes igualitarista e dualista em ação.

Ao longo do século XIX, as militantes não estiveram sós. Juntaram-se a elas outras vozes que, sem falar em "feminismo", denunciaram a situação de violência psicológica e física, a exploração da menoridade legal e os abusos contra as mulheres: de John Stuart Mill a Ernest Legouvé, das irmãs Brontë a Louise May Alcott até o dramaturgo norueguês Henrik Ibsen, todos descreveram os horrores a que eram submetidas as mulheres. Nos Estados Unidos, feministas foram mais longe e se embrenharam na luta contra a escravidão: Lucretia Mott e Elizabeth Stanton se destacaram como pioneiras. Vale lembrar que tais precursoras eram majoritariamente brancas e burguesas e a elas se associavam as socialistas somente quando havia causas comuns.

Depois da I Guerra Mundial, o movimento perdeu fôlego, pois a maior parte dos países ocidentais permitiu o voto feminino. Mas e a igualdade? Essa continuava longe. A segunda onda, que vai de 1960 a 1980, denunciava as desigualdades legais, mas também as culturais, e questionava o papel da mulher na sociedade. Entravam na pauta outros assuntos: divórcio, direito à propriedade, sexualidade, família, trabalho e procriação, pois a pílula anticoncepcional chegara ao mercado. *O Segundo Sexo*, de Simone de Beauvoir, lançado em 1949, é o livro-marco da crítica ao determinismo biológico e ao imaginário masculino em que a mulher é o "outro". Nos anos 1970, falava-se muito em libertação da mulher e nasceu um movimento com esse nome. Seu combate: o aborto livre e gratuito e o reconhecimento do trabalho doméstico. Vitórias coroaram essas lutas: na França, por exemplo, cotas para mulheres foram garantidas nos concursos públicos e admitiu-se o divórcio por consentimento mútuo. Nos Estados Unidos, obtinham-se vitórias legislativas sobre a igualdade dos salários, descriminalizou-se a proibição da contracepção e, em praça pública, queimaram-se sutiãs, cintas, cílios postiços e tudo mais que identificava a mulher a uma boneca doméstica. Surgiu também a preocupação com as identidades étnicas, e várias feministas negras sublinharam a exploração e opressão que esmagavam suas irmãs, em sua grande maioria mergulhadas na pobreza. Violências sexistas se associavam ao racismo para feri-las.

A terceira onda, que vai do fim dos anos 1980 aos anos 2000, é percebida como uma continuação da segunda, mas também uma resposta ao fracasso das propostas nela contidas. Nesse ponto, o "feminismo negro", incluindo "chicanas" e orientais, teve fundamental importância. Ele se caracterizou por conectar problemáticas como o sexismo, o racismo e a opressão de classes. A essa onda se uniram os coletivos lésbicos e diversos grupos que rejeitavam o essencialismo da mulher, toda e qualquer biologização do gênero, focando, em particular, questões como as análises econômicas e políticas das diversas formas de dominação. Graças a essa agenda, o feminismo ganhou novas frentes e protagonistas na luta pela igualdade, reforçando o conceito mesmo de "feminismo": ele não só deveria promover as mulheres, sua imagem e liberdade, como passava a designar as desigualdades impostas às mulheres. Mas se o dia 8 de março foi consagrado internacionalmente aos Direitos das Mulheres, a luta se enriqueceu e se complicou. De um lado a outro do Atlântico, as feministas passaram a se digladiar em torno dos estudos de gênero, da teoria *queer*, da tomada de posição frente à pornografia, à prostituição, ao casamento homossexual, à questão religiosa em geral, ao islamismo e ao porte do véu, entre outros. E a questão que não queria calar era: "O que é ser feminista num mundo pós-gênero e multicultural?"

A característica de todo movimento social é informar a sociedade e os poderes políticos sobre questões ignoradas ou subestimadas. O feminismo tem, entre outras, essa função, que cumpre, aliás, muito bem. Mas ele não está imune às polêmicas. Há autores que atribuem a Terceira Onda exclusivamente às feministas americanas, afirmando que o feminismo em outras partes do mundo teria características diferentes, pois, desde o início do século XX, ele teria se inspirado nos movimentos ocidentais para se desenvolver com um sabor local. Ou seja, em função do período, da cultura, credo ou país, feministas, no mundo inteiro, defenderiam objetivos diferentes. Há mesmo controvérsias em torno do emprego do termo "feminista". A maior parte dos historiadores ocidentais considera que ele recobre todos os movimentos e esforços na luta pelos Direitos da Mulher. Outros, contudo, só o referem ao feminismo moderno e seus afins.

Cada período de mobilização do movimento feminista viu avançar causas, sem conseguir, entretanto, apagar as disparidades ou eliminar velhos estereótipos sexistas e as consequências que eles impõem à mulher. Sem dúvida, pois tratar discriminações, de maneira global, é muito difícil. Vivemos num mundo complexo em que as diferenças e singularidades são ajustadas como bens preciosos, expressões de identidade e de cultura. É preciso reconhecer, contudo, que o feminismo irrigou a sociedade, contribuiu para fazer avançar os Direitos da Mulher assim como difundiu uma nova e consistente sensibilidade frente à sua imagem e as desigualdades de que ela é vítima nos planos nacionais e internacionais.

O combate não acabou, e livros como *Lute Como uma Garota*, com retratos originais e interessantes de tantas feministas estrangeiras e brasileiras, ajudam a pensar que, se a igualdade de Direitos foi adquirida em países desenvolvidos, não se pode deixar de ser vigilante frente às regressões sempre possíveis. Por meio de perfis biográficos, Laura Barcella e Fernanda Lopes nos apresentam uma galeria de feministas, assim como suas histórias de vida, que ajudam na compreensão do que foi e é o movimento até os dias de hoje. Mais. Numa escolha sensível de nomes, elas nos convidam a ouvir as vozes que narram suas vidas e nos revelam suas formas de ver e pensar. Vozes que demonstram a verdade dos indivíduos, sua determinação em caminhar na direção de um mundo melhor, onde as relações entre homens e mulheres sejam complementares e igualitárias. Uma ótima escolha para o leitor que terá, assim, a oportunidade de conhecer e valorizar suas histórias, personalidades e lutas. E de compreender que o "feminismo" ou os "feminismos" em sua diversidade e riqueza continuarão, sempre, sempre, atuais e necessários.

Mary Del Priore, primavera de 2017.

INTRODUÇÃO

Sou feminista desde que me entendo por gente – ou, pelo menos, desde antes de compreender plenamente o que essa palavra significava. Tudo começou por volta dos 12 anos de idade. Não me lembro qual de nós foi picada primeiro pelo "bichinho" do direito ao aborto, mas eu e algumas amigas começamos a participar com entusiasmo de comícios sobre o assunto em nossa cidade natal, Washington (EUA).

Usávamos roupas roxas, levávamos cartazes feitos à mão e gritávamos junto com a massa vibrante de manifestantes, a maioria mulheres, em geral mais velhas, exigindo coisas como "Aborto liberado, e sem pedir desculpas!". Com 12 anos, eu não entendia bem todos os detalhes (nem mesmo os pontos básicos, sem ter dado ainda sequer um beijo na boca). Mas sabia o suficiente para acreditar, do fundo da minha alma, na liberdade de opção da mulher, na liberdade de escolher o que acontece com seu corpo, seja qual for o acidente ou a força externa que venha interferir nele.

Não recordo todos os detalhes desses comícios (foi há muito tempo...), mas lembro vividamente de como me sentia ao participar deles. Era como um vício – eu ali arrebatada por aquela onda poderosa, por todas aquelas mulheres apaixonadas pela causa, em uma massa compacta, no National Mall. Adorava aquela sensação poderosa de afirmação da vida, ao ouvir dezenas de milhares de pessoas recitando em uníssono fortes palavras de ordem. Ficava maravilhada com a grandiosidade daquilo, com como tudo aquilo era real, tangível e... importante.

Veio daí minha paixão pelo feminismo, que ao longo dos anos só fez crescer. No ensino médio, eu e minha melhor amiga lançamos um fanzine, e na faculdade fui atingida em cheio pelo movimento das *riot grrrls* (leia a respeito no perfil de Kathleen Hanna). Mergulhei de cabeça na música e no mundo dos fanzines, para poder elaborar minha vida e também o mundo ao redor. Na faculdade, lancei um novo zine e comecei a trabalhar como editora de assuntos relacionados à mulher no jornal universitário.

Depois da faculdade, continuei sempre explorando o jornalismo feminista e a mídia independente. Fiquei obcecada por este objetivo: usar minha voz como escritora para ajudar a divulgar as ideias de uma porção de mulheres poderosas que existem e já existiram, que fazem e dizem coisas incríveis – coisas que nem sempre são notadas, pelo simples fato de terem sido criadas por alguém que não era um homem branco.

Há anos sonho em escrever um livro sobre essas heroínas, algumas das mulheres mais valentes do mundo. E agora me pareceu ser o momento certo para fazer isso. Por quê? Bem, para começar, há um verdadeiro excedente de mulheres fantásticas – de todas as idades, raças, religiões e culturas – fazendo coisas fantásticas.

Além disso, como você talvez tenha percebido, o feminismo vive um grande momento na mídia nos últimos tempos. Trata-se de uma ocasião única para ser feminista – caramba, trata-se de uma ocasião única para ser mulher! –, porque o movimento dos anos 1970, bem definido pelos direitos das mulheres, já não existe mais. O feminismo de hoje é mais abrangente em relação ao que aborda, e às vezes parece um tanto fragmentado e amorfo. Além disso, há mais pessoas confrontando, e com razão, a questão de saber a favor de quem é e deveria ser o feminismo. A professora Kimberlé Crenshaw cunhou o termo "interseccionalidade" ainda em 1989, escrevendo: "Os padrões culturais de opressão não são apenas inter-relacionados, como também são ligados e influenciados pelos sistemas intersetoriais da sociedade. Entre os exemplos estão raça, sexo, classe, saúde física e etnia".

O feminismo não é, e não deve ser, algo tipo "tamanho único" – hoje em dia há mulheres de todas as religiões, raças, porte físico, etnia, origem e orientação sexual em sintonia com o feminismo, e é assim que deve ser. Para ajudar a realizar mudanças para todas as mulheres, o feminismo precisa ser amplo e inclusivo ao máximo. Precisa alcançar muito além das preocupações das mulheres brancas de classe média, de corpo saudável e cisgênero.

Todos os movimentos têm seus defeitos, e ainda temos um longo caminho a percorrer. Mas fico animada ao ver cada vez mais mulheres poderosas defendendo publicamente os direitos da mulher, ou mesmo apenas falando a respeito. Ser feminista não significa assinar certa revista ou participar de marchas de protesto três vezes por ano. Não significa ouvir certo tipo de música, ou namorar certo tipo de pessoa, ou ler certo tipo de livro, ou se obrigar a *não* assistir o reality show *The Bachelorette*. Você mesma pode definir qual é o seu feminismo.

E eu também. Teria devorado um livro como este quando era adolescente. O problema é que eu não conseguiria encontrar um livro assim. É por isso que desejei escrever este livro, como uma espécie de beabá das "heroínas feministas".

As mulheres que escolhi viveram em diversas épocas, desde o início do movimento sufragista até os nossos dias. Há nomes populares que você vai reconhecer de imediato (oi, Beyoncé!), e outros menos conhecidos que também têm histórias riquíssimas e fascinantes. Essas figuras não tão famosas também realizaram grandes avanços sociais e políticos em benefício das mulheres, embora nem sempre tenham sido reconhecidas pela sociedade em geral.

Eu não queria que este livro fosse apenas um cursinho de atualização sobre fatos bem conhecidos e pessoas bem conhecidas (por esse motivo alguns nomes de peso não foram incluídos, como Gloria Steinem). Queria, sim, escrever um livro amplo, mostrando o valioso trabalho das pessoas que não são nada famosas, ao lado de outras que são ícones de poder. E – não vou mentir – em alguns momentos segui meu gosto pessoal. Por exemplo, Madonna e Kathleen Hanna estão aqui porque ambas foram muito importantes na formação pessoal do meu feminismo.

Nem todas as mulheres neste livro se identificam como feministas ativas (Yayoi Kusama, por exemplo), e nem todas estão vinculadas de modo específico ao movimento das mulheres (como Jane Goodall ou Rosa Parks). Decidi incluí-las mesmo assim, pois, embora algumas delas hesitassem em usar uma camiseta com os dizeres "Eis aqui uma feminista!", todas as mulheres desta seleção abriram caminho e, a seu modo, mudaram o mundo a seu redor. Para mim, é isso o que importa.

Agora, siga em frente e venha conhecer estas grandes feministas!

1. MARY WOLLSTONECRAFT (1759-1797)

Não desejo que as mulheres tenham poder sobre os homens, mas sim sobre si mesmas.

Por que ela merece a fama
Escritora, filósofa e defensora dos direitos das mulheres

País de origem
Inglaterra

Seu legado
Mary Wollstonecraft foi uma filósofa, teórica e escritora feminista liberal (até já foi chamada de "a primeira feminista"), cujos textos revolucionários causaram grande comoção no século XVIII. Escreveu uma série de livros sugerindo que as mulheres deveriam ser criaturas autônomas e decidir o próprio destino.

A seu ver, era errado que as mulheres fossem tratadas como pouco mais que brinquedinhos bonitos e serviçais do marido. Ela acreditava que fazer as mulheres ficarem em casa como "convenientes escravas domésticas" era um desperdício de seu talento, levando-as a se tornarem mães e esposas por obrigação, e não por escolha própria (sob o alto custo da própria felicidade). Confinar mulheres em papéis tão rígidos era destrutivo para a sociedade, argumentava ela; proporcionar-lhes mais educação só tornaria as mulheres – e, por extensão, todas as pessoas! – mais fortes e mais felizes, tanto em casa como no mundo lá fora.

Sua história

Mary Wollstonecraft foi criada em Londres com um pai alcoólatra e abusivo, que batia nela e também na mãe. O pesadelo que vivia em casa acirrou seu desejo de fugir da família e abrir o próprio caminho no mundo. Embora não tivesse educação formal, era inteligente e desembaraçada, e aos 19 anos começou a se sustentar trabalhando como professora, governanta e "dama de companhia". Teve a ideia de fundar uma escola junto com a irmã, Eliza, e sua melhor amiga, Fanny; mas em pouco tempo a escola foi à falência.

Depois de viver na Irlanda por três anos, voltou a Londres e começou a trabalhar como tradutora para Joseph Johnson, que publicava livros radicais. Contribuiu para a publicação da *Analytical Review* e, quatro anos mais tarde, publicou *Reivindicação dos Direitos da Mulher* (depois de lançar um folheto político chamado *A Vindication of the Rights of Men*, uma resposta ao livro de Edmund Burke, *Reflexões sobre a Revolução na França*.

Mary Wollstonecraft percebeu que, na Inglaterra da época, os meninos tinham acesso a um sistema educacional de abrangência nacional. Por que as meninas não poderiam ter as mesmas oportunidades de uma educação de alta qualidade? Reconhecendo essa hipocrisia, ela argumentou publicamente que privar as mulheres de ter um *status* cívico pleno era algo que retardava o avanço da sociedade como um todo. Defendeu ainda o direito de a mulher se sustentar por meio das mesmas profissões que os homens (direito, medicina etc.), e julgava que as mulheres também deveriam participar do Parlamento. Em uma época em que as mulheres tinham muito menos direitos que hoje, essas ideias sobre igualdade entre os sexos eram, para dizer o mínimo, revolucionárias.

Em dezembro de 1792, foi para a França e se inseriu nos círculos intelectuais e filosóficos que ali floresciam. Um deles era a escola de pensamento iluminista, centrada na razão, na ciência e no individualismo, em vez de cultuar os velhos costumes, a tradição e a fé cega. Participou também dos Rational Dissenters, grupo religioso que não acreditava em pecado nem em "danação eterna".

Muitos a criticaram pelo seu estilo de vida pouco convencional e convicções progressistas, interpretando-os como ódio contra os homens. Alguns desses críticos sentiram a necessidade de dar sua opinião mesmo após a morte dela, entre eles autores como Ferdinand, Farnham e Lundberg, que lamentou em um livro de 1949, chamado *Modern Woman: The Lost Sex*: "Mary Wollstonecraft era uma neurótica radical e compulsiva". Felizmente, a História acabou dando razão a ela.

Suas grandes realizações

* Mary Wollstonecraft foi uma das primeiras pessoas a propor o livre-pensamento na esfera religiosa. Julgava que as mulheres deveriam viver de modo independente e formar as próprias opiniões, não baseadas em uma fé cega em uma divindade.

* Foi mãe de Mary Wollstonecraft Shelley, autora pioneira que escreveu *Frankenstein*.

* Quando Mary Wollstonecraft decidiu seguir a carreira literária, já começou sonhando grande. Não queria que seus livros desaparecessem da consciência do público. Em vez disso, pretendia tornar-se "o primeiro exemplar de uma nova categoria", como disse em uma carta de 1787 à sua irmã.

Frases famosas

"Basta tornar as mulheres criaturas racionais e cidadãs livres, e elas logo se tornarão boas esposas; isto é, se os homens não negligenciarem seus deveres como pais e maridos."

"Ensinada desde a infância que a beleza é o cetro da mulher, a mente se molda ao corpo e, perambulando em torno de sua gaiola dourada, procura apenas enfeitar sua prisão."

"Independência – há muito eu a considero a grande bênção da vida, a base de todas as virtudes..."

2. SOJOURNER TRUTH
Nascida: Isabella Baumfree
(1797-1883)

Não sou eu uma mulher?

Por que ela merece a fama
Abolicionista, escritora, ativista pelos direitos da mulher

País de origem
Estados Unidos

Seu legado
Sojourner Truth foi uma escrava liberta que realizou coisas extraordinárias. A primeira, e mais importante: conseguiu escapar da escravidão. Mas não se libertou para afundar-se em uma vida de silêncio e isolamento. Pelo contrário, todos os horrores que havia testemunhado lhe serviram de motivação, e ela dedicou o resto da vida a acabar com a instituição da escravidão. Tornou-se uma renomada abolicionista, militou pelos direitos da mulher e teve importância fundamental no movimento sufragista, que acabaria, por fim, dando às mulheres o direito ao voto.

Era famosa por sua mescla ardorosa de religião e ativismo quando trabalhou em favor dos escravos libertados na fase da Reconstrução (época após a Guerra Civil norte-americana em que os Estados Unidos tentaram compensar o flagelo da escravidão e suas consequências políticas, sociais e econômicas). Falava também sobre a importância de trabalhar para se conseguir uma sociedade justa para todas as pessoas, e não apenas para os poucos afortunados que haviam nascido brancos e sob o sexo masculino. Seu discurso "Não sou eu uma mulher?", que apresentou em uma convenção feminina em Ohio em 1851, é considerado um dos discursos feministas mais importantes de todos os tempos, sempre citado em inúmeras outras obras.

Sua história

Sojourner Truth nasceu escrava no final do século XVIII, no condado de Ulster, estado de Nova York. Seu nome de nascimento era Isabella Baumfree, mas em 1843 ela o mudou para Sojourner, que significa "caminhante" ou "peregrina". Na infância e adolescência só falava holandês, e nunca aprendeu a ler nem a escrever (algo proibido para os escravos).

Foi comprada e vendida como escrava quatro vezes, tendo "pertencido" a várias famílias, algumas delas violentas. Em 1827, a lei do estado de Nova York enfim emancipou os escravos, mas naquela época ela já havia fugido rumo à liberdade com sua filhinha ainda bebê, depois que seu dono voltou atrás na promessa de libertá-la. Logo depois da fuga, soube que seu filho de 5 anos, Peter, fora vendido ilegalmente a uma pessoa do estado do Alabama. Ela levou o caso aos tribunais e acabou vencendo, ficando muito emocionada quando Peter lhe foi devolvido. Esse foi um dos primeiros casos em que uma mulher negra lutou com sucesso contra um homem branco em um tribunal dos Estados Unidos.

Em 1843, Sojourner Truth tornou-se pregadora religiosa itinerante; havia adotado o metodismo depois de uma intensa experiência espiritual ao meditar em um bosque. Viajou pelo país defendendo a abolição, os direitos humanos, os direitos da mulher, a reforma do sistema penitenciário, a temperança e a proibição da pena de morte.

Em suas viagens, conheceu e algumas vezes fez amizade com figuras importantes do abolicionismo e do sufragismo, entre elas William Lloyd Garrison, Amy Post, Frederick Douglass, Harriet Beecher Stowe, Lucretia Mott e Susan B. Anthony. Sojourner Truth faz parte de um pequeno número de escravos fugidos, ao lado de Harriet Tubman e Frederick Douglass, que se tornaram grandes líderes abolicionistas. Em 1850, publicou um famoso livro de memórias, *The Narrative of Sojourner Truth*, que difundiu suas convicções para um público mais amplo. Nesse ano, ela discursou na primeira Convenção Nacional dos Direitos da Mulher, em Massachusetts.

Algumas de suas opiniões foram consideradas "muito ousadas", mesmo entre os círculos mais radicais de que fazia parte. Ela defendia a igualdade política para todas as mulheres, de todas as raças, e repreendia os abolicionistas que não lutavam para obter direitos civis para as mulheres negras, assim como para os homens. Preocupava-se com a possibilidade de que o movimento deixaria as mulheres sem apoio e sem seus direitos fundamentais (como o direito ao voto).

Durante a Guerra Civil norte-americana (1861-1865), ela ajudou a recrutar soldados negros para o Exército da União. Teve a chance de se encontrar com mais de um presidente: em 1864 conheceu Abraham Lincoln na Casa Branca e depois teve um encontro com o presidente Ulysses S. Grant, para tentar conseguir que o governo doasse terras aos ex-escravos (infelizmente, suas tentativas não foram bem-sucedidas, embora tenha feito pressão em prol dessa causa durante sete anos).

Sojourner Truth morreu em 1883 na sua casa em Michigan, depois tombada como monumento pelo estado de Michigan. Embora tenha morrido pobre, teve uma vida ao longo da qual quebrou muitas regras e realizou várias mudanças, deixando um legado que é inspiração até hoje.

Suas grandes realizações

* Sojourner Truth não tinha medo de um desafio. Em uma reunião em 1852, Frederick Douglass sugeriu que os negros deveriam usar a força para conquistar sua liberdade. Sojourner, que tinha a não violência como elemento fundamental de sua fé cristã, repeliu as afirmações de Douglass, exclamando: "Deus foi-se embora?".

* Era valente quando tinha que ser. Em 1858, durante um discurso, alguém a interrompeu gritando, de modo grosseiro, que ela era na verdade um homem. Para provar a verdade – e expor sua feminilidade sem vergonha –, ela abriu a blusa e mostrou os seios. (Como tinha voz grave e quase um metro e oitenta de altura, havia alguns imbecis que questionavam se ela era mesmo mulher.)

* Harriet Beecher Stowe, autora de *A Cabana do Pai Tomás*, atestou, certa vez, o poderoso carisma de Sojourner Truth dizendo que nunca havia "conversado com alguém que tivesse esse poder silencioso e sutil, que chamamos de presença pessoal, tanto quanto essa mulher".

Frases famosas

"Se as mulheres querem mais direitos do que já têm, por que simplesmente não tomam esses direitos, em vez de falar a respeito deles?"

"Estou feliz ao ver que os homens estão conseguindo seus direitos, mas quero que as mulheres também consigam os seus, e, enquanto a água se agita, vou entrar nesse lago."

"Não sou eu uma mulher? Olhe para mim! Veja o meu braço! Já manejei o arado, já plantei, já guardei a colheita nos celeiros, e nenhum homem conseguia chegar na minha frente! Não sou eu uma mulher? Podia trabalhar tanto quanto um homem, e comer tanto quanto um homem – isso quando eu tinha o que comer –, e suportar as chicotadas também! Não sou eu uma mulher? Tive treze filhos e vi muitos deles serem vendidos como escravos, e, quando chorei com minha dor de mãe, só Jesus me ouviu e ninguém mais! Não sou eu uma mulher?"

3. ELIZABETH BLACKWELL (1821-1910)

Se a sociedade não admite o livre desenvolvimento da mulher, a sociedade deve ser remodelada.

Por que ela merece a fama
Médica, educadora, abolicionista

País de origem
Inglaterra

Seu legado
O nome de Elizabeth Blackwell talvez não seja muito conhecido, mas deveria ser. A dra. Blackwell foi a primeira mulher a se formar em uma faculdade de Medicina nos Estados Unidos. Ou seja, ela abriu caminho para incontáveis mulheres que seguiriam seus passos dentro de ambientes sacramentados da Medicina, uma profissão masculina por tradição, repleta de machismo e nepotismo. (Para termos uma melhor perspectiva, hoje as mulheres compõem 47% dos estudantes de Medicina e 46% dos médicos-residentes. Há muito mais médicas do que já se pensou ser possível.)

Embora tivesse firme convicção contra o aborto – uma posição com que muitas feministas modernas não concordam –, exerceu enorme impacto sobre as mulheres, a saúde pública e o mundo em geral. Contribuiu para mudar a imagem do que uma mulher era capaz de fazer e de ser, provando que estavam errados todos os que afirmavam ser a Medicina um domínio exclusivamente masculino. Lutou também pelos direitos da mulher, ajudando outras mulheres a entrar em faculdades de Medicina e realizar o sonho de seguir essa profissão. Disse ela sobre a causa que a motivava com ardor: "A ideia de obter um diploma de médica foi assumindo aos poucos o aspecto de uma grande luta moral, e a luta moral tinha imensa atração para mim".

Sua história

Elizabeth Blackwell nasceu perto de Bristol, na Inglaterra, mas sua família mudou-se para os Estados Unidos quando ela tinha 11 anos, em parte porque o pai queria fazer parte da luta para acabar com a escravidão no país. Sua família tornou-se muito ativa na comunidade abolicionista e tinha laços de amizade e parentesco com várias pessoas proeminentes nesse mundo (por exemplo, entre suas cunhadas se incluíam as sufragistas Antoinette Brown Blackwell e Lucy Stone, e, entre suas amigas, a romancista antiescravidão Harriet Beecher Stowe, de *A Cabana do Pai Tomás*).

Elizabeth nem sempre quis ser médica. De fato, na juventude sentia repugnância pelo corpo humano e suas complexidades bizarras: "Meus estudos favoritos eram história e metafísica, e a simples ideia de me concentrar na estrutura física do corpo e em suas diversas doenças me enchia de repulsa". Isso mudou depois que uma amiga que estava morrendo de câncer implorou-lhe que estudasse Medicina. A amiga acreditava que teria sofrido menos dores se estivesse sob os cuidados de uma médica. "Se eu pudesse ser tratada por uma médica, teria sido poupada dos meus piores sofrimentos", dissera ela.

Quando decidiu candidatar-se à escola de Medicina, foi, é evidente, impedida por ser mulher. Um professor da maior escola da Filadélfia lhe disse que "poderia entrar caso se disfarçasse de homem". Foi rejeitada por todas as escolas onde se candidatou... exceto uma, a Geneva Medical College, no estado de Nova York. Esta a aceitou – mas, vejam que absurdo, a escola presumiu que se tratasse de uma brincadeira (o reitor deixou a decisão para os 150 alunos do sexo masculino, que votaram "sim" por unanimidade – embora não pelas razões certas!). Houve um grande choque quando ela chegou ao *campus*, ansiosa para aprender, e sua integração causou um verdadeiro tumulto.

Suas experiências na faculdade de Medicina foram marcadas pelo machismo. Em uma aula sobre anatomia reprodutiva, o professor lhe pediu que saísse da sala, para lhe poupar o constrangimento de aprender sobre os próprios órgãos; ela o convenceu a deixá-la ficar. Em 1849, formou-se em primeiro lugar da turma. Mudou-se então para Paris, onde trabalhou dois anos em uma maternidade-escola. Em 1851, foi para Nova York, onde se candidatou a vários cargos na área de Medicina e de novo foi rejeitada por ser mulher. Decidiu então tomar as rédeas da situação e abriu a própria clínica, onde atendia mulheres pobres em uma saleta alugada. Quem veio fazer-lhe companhia foi sua irmã, Emily, a terceira mulher a se formar em Medicina no país! Mais tarde, as duas fundaram a Enfermaria e Faculdade para Mulheres de Nova York, dirigida com exclusividade por mulheres e direcionada a elas, servindo à população carente.

Elizabeth se comprometeu cada vez mais com os direitos da mulher, o planejamento familiar e o direito da mulher de estudar Medicina, tendo percorrido a Europa com campanhas em prol dessas causas. Continuou sempre orientando outras mulheres para entrar em escolas de Medicina. Por fim voltou à Inglaterra e, em 1875, tornou-se professora de ginecologia na Nova Escola Londrina de Medicina para Mulheres.

A dra. Elizabeth Blackwell morreu depois de um acidente vascular cerebral, do qual não se recuperou plenamente. Ela marcou a Medicina de uma maneira que sentimos até hoje, fazendo-nos lembrar de como as mulheres já avançaram nessa área – e quanto caminho temos ainda a percorrer.

Suas grandes realizações

* A dra. Blackwell teve papel central na fundação da National Health Society, instituição focada na saúde pública. Foi também a primeira mulher a ser incluída no registro oficial dos médicos da Grã-Bretanha.

* Lecionou na primeira faculdade de medicina da Inglaterra dirigida a mulheres.

* Escreveu vários livros que até hoje são uma referência, como *Medicine as a Profession For Women* (1860) e *Address on the Medical Education of Women* (1864).

Frases famosas

"Não é fácil ser pioneira – mas, ah, é fascinante! Eu não trocaria nem um momento, nem mesmo meu pior momento, por todas as riquezas do mundo."

"Uma muralha de antagonismo social e profissional confronta a mulher médica, criando uma situação de singular e dolorosa solidão, deixando-a sem apoio, respeito e aconselhamento profissional."

4. MARIE CURIE
Nascida: Maria Salomea Sklodowska
(1867-1934)

Sempre me ensinaram que o caminho do progresso não era rápido nem fácil.

Por que ela merece a fama

Física e química

País de origem

Polônia

Seu legado

Marie Curie é um dos nomes mais famosos de toda a história da ciência, estando entre os cientistas mais célebres de sua época. Embora seja conhecida sobretudo por descobrir dois elementos, o rádio e o polônio, Marie Curie é autora de outros avanços científicos importantes, inclusive chegando à conclusão de que a radioatividade é uma propriedade atômica intrínseca da matéria. Durante sua carreira enfrentou muitos obstáculos, tanto internos como externos – entre eles, a depressão crônica e o machismo intenso do ambiente –, mas acabou sendo a primeira mulher a ganhar um Prêmio Nobel.

Sua história

Marie Curie foi criada em Varsóvia, a capital polonesa, em uma época em que a Polônia não era um país independente, mas sim dividida entre a Áustria, a Prússia e a Rússia czarista. Ela vivia com a família na parte governada pelo czar da Rússia, que julgava que as mulheres não deveriam ter permissão para cursar a faculdade. Mas, como o pai e a mãe eram professores, a educação e o estudo tinham prioridade na família. Seus pais eram poloneses nacionalistas e apoiavam os motins que visavam tornar a Polônia independente da Rússia.

Aos 10 anos de idade, Marie Curie perdeu a mãe. Ela depois recordaria essa morte como "a primeira grande tristeza" de sua vida, que "a lançou numa profunda depressão". Embora fosse excelente aluna, em certo momento teve que sair da escola devido a um "distúrbio nervoso" (mais tarde compreendido como depressão, contra a qual teve de lutar durante toda a vida). Planejava continuar os estudos e se tornar médica, mas a faculdade de Medicina da Universidade de Varsóvia ainda não aceitava mulheres. Em 1891, porém, a Universidade de Paris (Sorbonne) a aceitou, com bolsa de estudos. "Foi então, em novembro de 1891", disse ela mais tarde, "aos 24 anos de idade, que consegui realizar o sonho que mantinha constante em minha mente há tantos anos".

Embora temesse não estar preparada para um programa tão rigoroso, em 1893, ela concluiu em primeiro lugar o mestrado em Física e um ano depois terminou em segundo lugar em Matemática. Antes de diplomar-se em Matemática, foi encarregada de fazer um estudo sobre os aspectos magnéticos de diferentes tipos de aço. Procurando um laboratório para realizar o trabalho, conheceu Pierre Curie, cientista e chefe de laboratório, que também pesquisava sobre magnetismo. Começaram a trabalhar juntos, apaixonaram-se e se casaram em 1895. Quando se casou, Marie Curie já tinha dois mestrados!

Depois de publicar com sucesso algumas pesquisas, Madame Curie, como ficou sendo conhecida, decidiu fazer doutorado – façanha que nenhuma mulher de ciência havia conseguido realizar. Sua tese de doutorado centrou-se na radiação do urânio e, no decorrer do trabalho, ela formulou uma hipótese que revolucionaria o mundo da ciência: a emissão de radiação pelos compostos do urânio poderia ser uma propriedade atômica do elemento urânio – ou seja, algo inerente à estrutura básica de seus átomos. Como na época ninguém compreendia a complexa estrutura interna dos átomos, suas teorias foram de fato revolucionárias. Depois, Curie descobriu dois outros elementos naturais, o polônio e o rádio, e formulou, basicamente, o conceito de radioatividade, que passou a ser um novo campo científico.

Marie Curie e seu eterno amor
pelo aprendizado (e pelo ensino)

Os pais de Marie Curie valorizavam a educação, e ela sempre foi a melhor da turma (formou-se no ensino médio aos 15 anos!). Faz sentido, portanto, ter passado boa parte da vida derrubando barreiras, tanto na sala de aula quanto no laboratório.

Quando era adolescente na Polônia, começou a trabalhar com uma espécie de faculdade independente, gerida pelos próprios alunos, chamada Universidade Flutuante. Como na época os russos desencorajavam os poloneses de estudar, esse grupo itinerante de oito a dez cidadãos se reunia em segredo para compartilhar seus conhecimentos. Na Universidade Flutuante, Curie assistia com grande interesse palestras sobre temas como história natural e anatomia, e também dava aulas para mulheres pobres da área.

Em 1903, terminou seu doutorado e sucedeu o marido, Pierre Curie, como chefe do Laboratório de Física da Sorbonne. Depois que Pierre morreu atropelado por uma carroça de cavalos, em 1906, Madame Curie tornou-se a primeira mulher a lecionar Física Geral na Faculdade de Ciências da Sorbonne.

Sua carreira, embora brilhante, foi sempre obstruída pelo machismo. Em 1911, recebeu o Prêmio Nobel de Química por seu trabalho anterior com o polônio e o rádio, mas um escândalo empanou o brilho dessa notícia fantástica. Um jornal publicou cartas que supostamente comprovavam um caso de Marie Curie com Paul Langevin, um colega físico que era casado. Quando um membro do comitê do Prêmio Nobel lhe pediu que não comparecesse à cerimônia de premiação por causa disso, Curie revidou dizendo que "não há conexão entre meu trabalho científico e os fatos da minha vida particular". No início do ano havia suportado uma grande decepção, quando lhe negaram um lugar na Academia Francesa de Ciências por uma margem de dois votos, por ser polonesa e (é claro) mulher. Um membro da Academia, Émile Hilaire Amagat, disse-lhe: "As mulheres não podem fazer parte do Instituto da França". Ela nunca mais se apresentou como candidata.

Com quase 70 anos, Curie morreu de uma rara doença sanguínea. Sua morte foi causada pela excessiva exposição à radiação; na época, não se sabia que a radiação oriunda de elementos radioativos podia ser fatal.

Suas grandes realizações

* Como já dissemos, Marie Curie foi a primeira mulher a ganhar um Prêmio Nobel (em Física, junto com o marido Pierre Curie). Também foi uma das poucas pessoas (e a única mulher!) a ganhar dois Prêmios Nobel – em 1911, ela conquistou o de Química.

* O casamento de Marie com Pierre Curie não teve cerimônia religiosa. Não houve troca de alianças, e ela usava um traje azul-marinho em vez de vestido branco. Todas essas atitudes feministas foram notáveis para a época.

* Ela foi a primeira e única mulher a ser sepultada no Panteão, o mausoléu nacional da França, fato que se deveu unicamente às suas extraordinárias conquistas.

* Albert Einstein, seu amigo de longa data, disse que Marie Curie era uma das duas figuras da ciência que ele mais respeitava. Ele mencionou: "Ela não só realizou um trabalho excepcional durante sua vida, e não só ajudou muito a humanidade com suas pesquisas, como também instilou em todo o seu trabalho a mais alta qualidade moral. Tudo isso ela conseguiu com grande força, objetividade e discernimento. É muito raro encontrar todas essas qualidades em um só indivíduo".

Frases famosas

"Seja menos curioso sobre as pessoas e mais curioso sobre as ideias."

"Muitos já me perguntaram, especialmente as mulheres, como eu consigo conciliar a vida familiar com uma carreira científica. Bem, não tem sido nada fácil."

"A vida não é fácil para nenhum de nós. Mas e daí? Devemos ter perseverança e, sobretudo, confiança em nós mesmos. Devemos acreditar que temos um dom para alguma coisa e que essa coisa deve ser alcançada."

5. AMY JACQUES GARVEY
Nascida: Amy Euphemia Jacques
(1895-1973)

Nenhum campo de atividade permanece fechado por muito tempo para a mulher moderna.

Por que ela merece a fama
Escritora, ativista

País de origem
Jamaica

Seu legado
Amy Jacques Garvey foi uma líder radical do feminismo comunitário e do movimento pan-africano na década de 1920, dedicado a lutar contra o racismo e os estereótipos negativos sobre os negros. Muitos pan-africanistas julgavam que os cidadãos de ascendência africana deveriam viver juntos em um país à parte, já que eram tão maltratados e marginalizados pela população não negra.

Embora Amy seja mais famosa por ser a segunda esposa de Marcus Garvey (nacionalista negro que se tornou um ícone do movimento pelos direitos civis), ela merece renome por si mesma, devido aos grandes avanços que proporcionou à sua comunidade. Amy trabalhou como secretária e chefe do escritório da *Universal Negro Improvement Association and*

African Communities League (UNIA – Associação Universal pelo Progresso Negro e Liga das Comunidades Africanas), mantendo-a em funcionamento enquanto seu marido estava preso. Com grande coragem, expressou ideias ousadas sobre raça e nacionalidade, que no futuro viriam a beneficiar as mulheres negras por muitos anos.

Sua história

Amy Jacques nasceu na Jamaica e ali se criou em uma família de classe alta. Ainda muito jovem mergulhou nos livros, frequentou ótimas escolas e, com o incentivo e a ajuda do pai, passou a se interessar por política, questões internacionais e assuntos da atualidade.

Em 1917, mudou-se para o bairro de Harlem, em Nova York, e entrou para a UNIA depois de ouvir Marcus Garvey discursar sobre a desigualdade racial. Nos anos seguintes, a UNIA viria a tornar-se uma de suas paixões – talvez a maior delas. A missão do grupo era capacitar e empoderar os negros do mundo todo, criando oportunidades profissionais e educacionais para todas as pessoas de ascendência africana. Fundada em 1914, a organização demorou um pouco para decolar, mas, em 1918, já tinha várias filiais, sendo que o número de simpatizantes não parava de crescer.

Em 1923, houve uma reviravolta: Marcus Garvey foi preso por acusações de fraude postal. Amy Jacques assumiu o comando e serviu como representante pessoal do marido, viajando por todo o país para discursar nas divisões locais da UNIA e fazendo reuniões com autoridades para continuar difundindo a mensagem do grupo. De 1924 a 1927, Amy Jacques trabalhou como editora associada do *The Negro World*, jornal da UNIA, na época a maior publicação mundial com proprietários negros. Nesse jornal, ela lançou uma nova seção chamada "Nossas mulheres e o que elas pensam", focada em feminismo, nacionalismo negro e perfis de mulheres negras famosas.

Seu trabalho como jornalista foi notável porque ela escrevia sobre as mulheres negras como seres políticos em si – conceito nada popular na época. A seu ver, os homens negros deveriam defender as mulheres negras, e não reprimir as opções e opiniões delas. Embora defendesse algumas ideias que outras feministas futuramente iriam rejeitar – como a noção de que cabia aos homens sustentar a família –, suas contribuições para o discurso público sobre essas questões foram um passo fundamental no avanço do feminismo negro. Em seus discursos e artigos, defendia com ardor a ideia de que as mulheres deveriam se esforçar para evoluir tanto na esfera intelectual quanto na política e pessoal.

Quando Marcus Garvey foi libertado da prisão e deportado, Amy o acompanhou; voltaram à Jamaica, país natal de ambos. Depois que ele faleceu, em 1940, Amy continuou a avançar na luta pela independência dos países africanos e pelos direitos da mulher. Em 1944, escreveu *A Memorandum Correlative of Africa, West Indies and the Americas*, em que instava os representantes da Organização das Nações Unidas (ONU) a lançar uma Carta pela Liberdade Africana. Mais tarde escreveu um livro, *Garvey and Garveyism* e publicou duas coletâneas de ensaios, *Black Power in America* e *The Impact of Garvey in Africa and Jamaica*.

Amy morreu em 1973, em Kingston, Jamaica, mas sua luta ferrenha em prol das mulheres negras, para que tivessem mais força e poder, garantiu seu lugar nos livros de História.

Suas grandes realizações

* Amy Jacques passou por um "renascimento político" após a morte do marido. Começou a expandir seus horizontes e a interessar-se pelo trabalho escravo e outras questões importantes.

* Após a morte do marido, tornou-se colaboradora do *The African*, um jornal nacionalista negro.

* No final dos anos 1940, Amy fundou, na Jamaica, o African Study Circle of the World, para pesquisar a história africana.

Frases famosas

"Nenhum campo de atividade permanece fechado por muito tempo para a mulher moderna."

"As mulheres do Oriente, tanto amarelas quanto negras, imitam, de maneira lenta mas constante, as mulheres do mundo ocidental; e, da mesma forma como as mulheres brancas escoram uma civilização branca decadente, assim também as mulheres das raças mais escuras avançam para ajudar seus homens a estabelecer uma civilização de acordo com os próprios padrões e a lutar pela liderança mundial."

"A mulher tipo 'bonequinha' é coisa do passado; a mulher bem desperta está avançando, preparada para todas as emergências e pronta para atender a qualquer chamado, mesmo que seja para enfrentar os canhões no campo de batalha."

"Os negros, em todos os lugares, devem ser independentes, tendo Deus como nosso guia. Senhor Negro, veja onde pisa! As rainhas da Etiópia voltarão a reinar, e suas Amazonas protegerão seus litorais e sua gente."

6. FRIDA KAHLO

Nascida: Magdalena Carmen Frieda Kahlo y Calderón

(1907-1954)

Pés, para que eu preciso de vocês, se tenho asas para voar?

Por que ela merece a fama

Artista plástica

País de origem

México

Seu legado

Entre todas as pintoras, Frida Kahlo é a mais lendária e, sem dúvida, a mais revolucionária da história. Embora alguns questionem se seria considerada feminista pelos padrões de hoje, ela estava à frente do seu tempo ao desafiar as ideias tradicionais sobre a feminilidade. E conseguiu isso em uma época em que as mulheres eram muito reprimidas, tanto no âmbito pessoal como profissional, sendo também capaz de transcender outras normas da época. Sua arte explorava tópicos tabu, como a desigualdade entre os sexos, o aborto, a sexualidade, a morte. Também se rebelou contra os ideais tradicionais de beleza feminina; não só se recusava a depilar as sobrancelhas e o buço, como ainda os escurecia com lápis preto.

Sua história

Frida Kahlo nasceu em Coyoacán, no México, em 1907. A mãe era mexicana e o pai, um imigrante judeu alemão. Desde muito jovem sofreu com doenças e problemas de saúde, que mais tarde se tornaram temas predominantes em seus quadros. Com apenas 6 anos contraiu poliomielite e ficou com a perna direita atrofiada (para deleite dos cruéis coleguinhas de classe). Isso a fez mergulhar profundamente na sua imaginação em busca de consolo.

Ao estudar na Escola Nacional Preparatória de Medicina (onde era uma das poucas mulheres), entrou para um grupo estudantil socialista e começou a atuar na política de esquerda. No entanto, aos 18 anos, foi vítima de um terrível acidente de ônibus, quando foi empalada pelo tubo de um corrimão. Frida teve que suportar 32 cirurgias. Os médicos não sabiam se ela voltaria a caminhar (felizmente, voltou); o acidente também a tornou estéril, sendo que suas gestações resultaram em vários abortos espontâneos. Foi enquanto estava acamada que seu pai, Guillermo Kahlo – também pintor –, sugeriu que ela experimentasse pintar.

Durante a longa recuperação, Frida criou quadros coloridos, principalmente autorretratos, em um estilo que se tornaria sua marca registrada. Certa vez, ela explicou: "Retrato a mim mesma porque fico muito tempo sozinha, porque sou o assunto que conheço melhor". Seu trabalho nessa época era bastante movido pelas emoções; alguns quadros são até difíceis de se contemplar. Outros mostravam sua recuperação – imagens de Frida deitada, sozinha, em uma série de camas hospitalares; outros ainda focavam-se no parto e na fertilidade.

Poucos anos depois de começar a pintar, casou-se com o famoso muralista mexicano Diego Rivera, artista que se tornaria uma das fontes mais intensas e contínuas de sua vida, tanto de dor como de inspiração. O relacionamento entre os dois era ardente e tempestuoso. Embora haja muitos relatos das infidelidades frequentes de Diego, Frida também teve seus casos extraconjugais, com homens e também mulheres. Diego Rivera escreveu certa vez sobre a esposa: "Eu a recomendo a você, não como marido, mas como um entusiasmado admirador do seu trabalho, ácido e terno, duro como o aço, delicado e suave como a asa da borboleta, adorável como um lindo sorriso, e tão profundo e cruel quanto a amargura da vida".

Frida vende bem

Frida Kahlo não é apenas uma pintora – é praticamente uma figura mítica. Mesmo hoje, mais de sessenta anos após sua morte, sua vida e obra, ambas tão dramáticas, continuam a fascinar os admiradores pelo mundo afora. Um *marchand* disse certa vez à revista *Vanity Fair*: "Frida foi picada em pedacinhos. Cada pessoa tira de lá um pedaço que significa algo especial para si". É verdade – e muitas empresas astutas aproveitam-se do poder da pintora em render bons dólares. Eis aqui algumas das muitas maneiras pelas quais Frida Kahlo se mantém viva, e bem viva:

* Ela apareceu em anúncios da Volvo. Claro, uma fábrica de automóveis sueca e uma pintora mexicana comunista têm *tuuudo* a ver, não é mesmo?

* Está em um selo postal dos Estados Unidos. Em 2001, o Serviço Postal norte-americano transformou um autorretrato de 1933 em um selo comemorativo. O México também lançou sua versão. Legal – são selos que eu gostaria de comprar!

* Sua vida já virou ópera. Em 1991, quando o compositor Robert Xavier Rodriguez teve a chance de transformar a vida turbulenta de Frida Kahlo em uma ópera, foi obrigado a dizer sim! A obra final em dois atos, intitulada *Frida* e encomendada pelo American Music Theater Festival, foi festejada pela crítica.

* Sua história foi tema de um filme de 2002, *Frida*, interpretada por Salma Hayek.

* A casa onde ela morou foi transformada em museu. A casa azul--cobalto onde viveu por muito tempo, na Cidade do México, conhecida como Casa Azul, hoje é museu e atração turística. Foi ali que Frida Kahlo passou a infância e a juventude; ali morou com Diego Rivera, e também foi ali que faleceu. A casa abriga tanto quadros quanto objetos pessoais, e todos os dias centenas de pessoas formam fila para admirá-los.

Frida e Diego tinham a mesma paixão pela política, e ambos pertenciam ao movimento comunista mexicano. Suas convicções tinham firme base na teoria marxista (o marxismo é uma teoria social elaborada pelo filósofo Karl Marx, que trata da maneira como a luta de classes domina a sociedade). Na juventude, Frida lia e discutia os escritos de Nietzsche, Hegel e Kant. Ao longo da vida lutou por diversas questões sociais, representando-as muitas vezes em suas obras; para Frida, a esfera pessoal realmente se amalgamava à esfera política. Entre outras coisas, sua arte questionava com insistência a dinâmica de poder entre os países do Primeiro Mundo e do Terceiro, além do papel das mulheres na sociedade patriarcal.

Desde 1926 até morrer, em 1954, de embolia pulmonar, Frida Kahlo criou quase duzentos quadros. É uma verdadeira lenda: uma mulher valente e de temperamento forte, com uma capacidade de resiliência suprema, que assumiu riscos e desafiou as normas da época para ser apenas ela mesma, sem nenhum pedido de desculpas.

Sua arte continua sendo uma grande inspiração para mulheres do mundo todo.

Suas grandes realizações

* Tendo nascido na verdade em 6 de julho de 1907, ela sempre informava a data como 7 de julho de 1910 – o início da Revolução Mexicana, mostrando o quanto desejava que sua história pessoal estivesse unida à história do México moderno.

* Frida foi prolífica: ao longo da vida, criou cerca de duzentas obras entre pinturas, desenhos e esboços; pintou 143 quadros, dos quais 55 eram autorretratos.

* Havia gente no mundo todo que adorava Frida Kahlo. Ela manteve laços de amor e amizade com diversas pessoas notáveis, como o surrealista francês André Breton e Pablo Picasso, com quem conviveu em Paris.

Frases famosas

"Costumava pensar que eu era a pessoa mais estranha do mundo; depois refleti: há tanta gente no mundo, deve haver alguém como eu, alguma pessoa que se sinta tão esquisita e defeituosa como eu

me sinto. Daí eu imaginava essa pessoa e imaginava que ela também devia estar por aí em algum lugar, pensando em mim."

"Nasci valente. Nasci pintora."

"Nada vale mais que o riso. É um ato de força rir e abandonar-se ao riso, ser leve."

"Tenho que lutar com todas as minhas forças para que as pequenas coisas positivas que minha saúde me permite fazer possam se concentrar em ajudar a revolução. É a única verdadeira razão para viver."

"Minha pintura traz consigo a mensagem da dor. [...] A pintura completou minha vida. [...] Creio que a melhor coisa que existe é o trabalho."

7. SIMONE DE BEAUVOIR
Nascida: Simone Ernestine Lucie Marie Bertrand de Beauvoir
(1908-1986)

Sou inteligente demais, exigente demais e autossuficiente demais para que alguém possa me assumir por completo. Ninguém me conhece totalmente, nem me ama totalmente. Tenho apenas a mim mesma.

Por que ela merece a fama

Escritora, filósofa, ativista política, feminista, teórica social

País de origem

França

Seu legado

Alguns consideram Simone de Beauvoir a "avó" da segunda onda do feminismo, e seu monumental livro de 1949, *O Segundo Sexo*, foi apelidado de "bíblia feminista". Na introdução da edição norte-americana do livro, Judith Thurman afirma que nenhuma escritora antes dela tinha se aberto de maneira tão ousada sobre "os segredos íntimos de seu sexo". Simone de Beauvoir foi uma figura extremamente polêmica, tendo escrito sobre assuntos bastante polêmicos, e até hoje as pessoas ainda debatem suas ideias feministas (a meu ver, qualquer pessoa que exerça um impacto tão poderoso e duradouro sobre as atitudes culturais relativas às mulheres é alguém que vale a pena conhecer a fundo).

Autora muito produtiva de romances, biografias e poemas, Simone não se considerava necessariamente uma filósofa (embora fosse), nem mesmo uma feminista. Mas está incluída, por consenso geral, entre os intelectuais mais influentes do século XX – e com certeza entre os pensadores mais célebres da França –, com ideias bem à frente de seu tempo. Por exemplo, foi franca em suas críticas ao essencialismo de gênero (a noção de que os homens e as mulheres são diferentes devido a certos traços inatos), argumentando em *O Segundo Sexo* que "ninguém nasce mulher, torna-se mulher". Ela explicou mais tarde: "Não existe um destino biológico ou psicológico que defina uma mulher como tal. [...] Desde bebês, as meninas são moldadas para se tornarem mulheres".

Sua história

Simone de Beauvoir nasceu em Paris, em 1908, em uma família descendente da aristocracia. Seu pai era ateu e a mãe, católica devota – Simone, que aprendeu a ler aos 3 anos de idade, em certa fase quis ser freira. Seus pais acabaram enfrentando grandes problemas financeiros, o que levou a família a viver em apartamentos esquálidos e seguir a regra do "desperdício zero". Isso gerou o desprezo que Simone sentiu durante toda a vida pelo materialismo.

Já aos 14 anos, Simone voltou-se para o ateísmo, convicção que conservou para sempre e que despertou seu interesse pela filosofia. Estudou na Sorbonne, em Paris, tendo sido a nona mulher a se diplomar por essa renomada universidade. Aos 21 anos, tornou-se a professora de filosofia mais jovem da França.

Ainda na juventude, apaixonou-se por Jean-Paul Sartre, o famoso filósofo existencialista que durante cinquenta anos foi seu companheiro intelectual e romântico. Os dois nunca moraram juntos, nunca tiveram filhos, tampouco se casaram de modo formal. Ele propôs casamento, mas ela rejeitou porque desaprovava a instituição do matrimônio. Em vez disso, os dois assinaram um pacto de "transparência" que permitia a ambos terem amantes (Simone era bissexual e namorou várias mulheres).

Ela obteve certo sucesso após escrever o romance *A Convidada* e publicar ensaios sobre a ética existencialista, mas foi só com a publicação da sua obra-prima, *O Segundo Sexo,* que disparou para a fama. O livro era revolucionário em suas ideias sobre a opressão feminina, dizendo que ao longo da História os homens sempre relegaram as mulheres ao *status* de "o Outro", uma segunda classe à parte, inferior e profundamente incompreendida. O livro foi saudado com entusiasmo e também criticado, por afirmar que a mulher é tratada como inferior devido a atitudes e costumes sociais equivocados, e não a características inatas de inferioridade.

Simone de Beauvoir foi uma escritora muito prolífica e continuou ativa tanto no feminismo quanto no existencialismo durante os anos 1970. Embora tivesse mantido a fama pelo resto da vida, alguns menosprezavam suas contribuições intelectuais, alegando que ela plagiava as teorias de Sartre. No entanto, diversas feministas de renome reconheceram sua importância. Gloria Steinem certa vez disse: "Se há um único ser humano que merece o crédito de ter inspirado o atual movimento internacional das mulheres, essa pessoa é Simone de Beauvoir".

Suas grandes realizações

* Em 1971, quando o aborto ainda era ilegal na França, Simone assinou o pioneiro "Manifesto das 343", uma lista de mulheres famosas que atestavam ter feito aborto. Muitos anos depois, vemos mulheres relatando, abertamente, que fizeram aborto, algo que hoje tem poder político e se tornou mais comum – embora o aborto seja ainda um assunto polêmico; mas Simone foi das primeiras a se manifestar sem amarras a respeito do assunto.

* Quando Simone de Beauvoir morreu de pneumonia em 1986, aos 78 anos, uma manchete de jornal bradou: "Mulheres, vocês devem tudo a ela!".
* Ela foi amiga de muita gente célebre, desde Che Guevara e Albert Camus até Kate Millett.

Frases famosas

"Nunca ocorreria a um homem escrever um livro sobre a situação singular dos homens na humanidade. Se eu quiser me definir, primeiro devo dizer: 'Sou mulher'. Todas as outras afirmações surgirão a partir dessa verdade básica."

"Ela [a mulher] é o inessencial diante do essencial. Ele é o Sujeito, ele é o absoluto. Ela é o Outro."

[Sobre a futilidade do casamento:] *"A classe média [...] inventou um estilo épico de expressão em que a rotina assume a aparência de aventura; a fidelidade, de uma paixão sublime; o tédio se torna sabedoria e o ódio na família é a forma mais profunda de amor."*

"Para mim, meus livros foram uma realização verdadeira; assim, me libertaram da necessidade de me afirmar de qualquer outra maneira."

"Sou uma intelectual, dou valor às palavras e à verdade."

8. PAULI MURRAY
Nascida: Anna Pauline Murray
(1910-1985)

Estou decidida a fazer com que meu país ocupe seu lugar entre as nações como líder moral da humanidade. Não há lei que aprisione meu corpo, nem costume que atinja meu espírito, que seja capaz de me impedir.

Por que ela merece a fama
Advogada, escritora, ativista dos direitos civis americanos e dos direitos das mulheres

País de origem
Estados Unidos

Seu legado
Pauli Murray foi ativista, advogada, escritora e sacerdotisa afro-americana, apelidada de "Movimento pelos Direitos Civis em uma Só Mulher". Mas seu nome não é lembrado como um dos mais famosos da época, o que é uma injustiça, pois seu legado feminista é impressionante – na verdade, hoje ela é considerada uma pioneira de sua época.

Pauli exerceu papel fundamental como ponte entre os direitos civis e os direitos da mulher, lutando para que as mulheres negras fossem incluídas em ambos os movimentos. Como escreveu em seu livro *Words of Fire*: "Assumindo um papel de liderança no crescente movimento feminista, a mulher negra pode ajudar a fazer dele um aliado dos objetivos da libertação negra, e ao mesmo tempo promover os interesses de todas as mulheres".

Murray lutou por diversos direitos humanos, todos inter-relacionados. Embora não se identificasse publicamente como "lésbica" durante a maior parte da vida, amigos e colegas sabiam de seus longos relacionamentos românticos com mulheres. O fato é que ela lutou com ardor por diversas causas relativas ao movimento LGBT. Talvez tenha sido transgênero, embora esse termo ainda não existisse na época. Ao que parece, ela se identificava como homem heterossexual e certa vez disse que "estava convencida de que era mesmo um homem forçado [...] a ocupar um corpo de mulher". Pauli Murray foi uma das fundadoras da National Organization for Women (NOW) e de uma organização de direitos civis extremamente importante, o Congress of Racial Equality (CORE), um dos "Quatro Grandes" grupos de direitos civis da época.

Sua história

Nascida e criada em Baltimore, no estado de Maryland, Pauli Murray mudou-se depois para Durham, na Carolina do Norte, a fim de viver com os avós (os pais morreram quando ela era bem jovem). Durham era uma cidade segregada racialmente, de onde ela ansiava escapar. E de fato o fez, assim que se formou no ensino médio com distinção.

Depois de diplomar-se em Inglês no Hunter College, em Nova York, em 1938 ela se candidatou a um curso de pós-graduação na Universidade da Carolina do Norte, na época só para brancos. Foi-lhe negada a admissão por ser negra, apesar de que seu bisavô era branco e tinha sido membro do conselho da universidade. Embora tenha sido rejeitada, sua tentativa ousada ganhou publicidade nacional, graças ao apoio da National Association for the Advancement of Colored People (NAACP).

Depois de se formar com distinção na Escola de Direito de Howard, fez mestrado em Direito em Boalt Hall, na Universidade da Califórnia, e por fim foi a primeira mulher afro-americana a tornar-se vice-procuradora-geral do estado da Califórnia. Por fim mudou-se para Nova York e foi contratada pelo escritório de advocacia Paul, Weiss, Rifkind, Wharton e Garrison. Ali havia apenas três mulheres advogadas, e ela era a única negra.

A dedicação de Murray ao ativismo foi o fio condutor mais duradouro de sua vida. Foi detida e presa por se recusar a se sentar na parte de trás de um ônibus – isso em 1940, quinze anos antes de Rosa Parks fazer o mesmo (ela chegou a inventar a expressão *Jane Crow*, que seria o feminino de Jim Crow, para descrever como era a vida das mulheres negras sob as normas racistas e também machistas da época). Também organizou protestos e manifestações contra a segregação racial em Washington, empregando técnicas de resistência não violenta popularizadas por Mahatma Gandhi.

Embora tivesse a mesma visão de Martin Luther King Jr. – uma sociedade justa e equitativa para todos os norte-americanos –, ela não julgava que Martin Luther King ou qualquer outra pessoa estivesse acima de críticas. Assim, foi uma das várias ativistas negras que expressaram sua indignação pela falta de mulheres na liderança da histórica Marcha sobre Washington de 1963, uma grande manifestação em prol das lutas políticas e sociais dos afro-americanos. Nunca se contentando em ficar de braços cruzados assistindo às injustiças, Pauli Murray declarou que a falta de inclusão de mulheres na preparação para a Marcha foi "uma amarga humilhação" e censurou os homens envolvidos, dizendo em um discurso: "Há muita disputa pelas posições de poder, com homens ambiciosos se acotovelando para chegar aos papéis de liderança. Nem uma única mulher foi convidada a fazer um dos discursos principais, tampouco a participar da delegação de líderes que foi à Casa Branca. Essa omissão foi deliberada".

Em 1961, o presidente Kennedy nomeou Pauli Murray para a Comissão Presidencial sobre a Situação da Mulher, parte da Comissão dos Direitos Civis e Políticos. Em 1965, ela publicou um artigo, em coautoria com Mary Eastwood, também uma das fundadoras da NOW: "Jane Crow and the Law: Sex Discrimination and Title VII.[1] As autoras observavam

---

[1] O artigo VII (*Title* VII) da Lei dos Direitos Civis de 1964, que acabou com a segregação racial nos Estados Unidos, proíbe a discriminação no emprego com base em etnia, cor, religião, sexo, idade ou nacionalidade. (N.T.)

que na época "a discriminação mais grave contra as mulheres e os negros" ocorria no local de trabalho, e que a discriminação sexual no emprego era tão prejudicial quanto a discriminação racial. A histórica Lei dos Direitos Civis de 1964, assinada pelo presidente Lyndon Johnson, proibia a discriminação no emprego baseada em raça, cor, religião e nacionalidade – mas não incluía o sexo. Pauli Murray e outros ativistas pressionaram para que a discriminação sexual também fosse incluída no artigo VII da lei, e seus esforços tiveram sucesso.

As realizações inovadoras não terminaram aí. Pauli escreveu muitos artigos e livros, entre eles, no início dos anos 1950, *Proud Shoes*, uma biografia impactante da jornada de sua família da escravidão à emancipação. E, aos 66 anos, Pauli Murray tornou-se a primeira mulher afro-americana a ser ordenada sacerdotisa episcopal!

Pioneira transgênero?

Pauli Murray batalhou muito pelos direitos civis e LGBT. Não era conformista em relação ao próprio sexo; às vezes apresentava-se como homem e escreveu, em vários textos, sobre seu "desejo de ser homem". Alguns acreditam que ela foi punida por essas primeiras tendências trans, entre eles, Brittney Cooper, professora-assistente da Universidade Rutgers, que participou do programa HuffPost Live em 2015, dizendo que Pauli Murray foi penalizada por não parecer suficientemente feminina.

Disse Cooper nesse programa: "Quando ela desafiou a segregação racial em um ônibus [...], a NAACP não assumiu o caso porque, quando ela foi retirada do veículo, estava com outra mulher que talvez fosse sua companheira".

Cooper também disse que, quando Pauli Murray foi presa, "sua maneira de agir era masculina e declarou chamar-se Oliver. No final da vida, viveu como lésbica e não trans, porque, na época em que já tínhamos palavras para definir a identidade trans, ela era uma advogada em prol dos direitos civis muito respeitada, e a política de respeitabilidade não teria permitido [...] que ela voltasse a adotar as atitudes trans que tanto procurou nos anos 1930 e 1940".

Suas grandes realizações

* Foi grande amiga de Eleanor Roosevelt e também manteve longa correspondência com o poeta e ativista social Langston Hughes.

* Em 1947, foi nomeada Mulher do Ano pela revista *Mademoiselle*.

* Foi a primeira afro-americana a diplomar-se e fazer doutorado na Escola de Direito de Yale.

* Thurgood Marshall, chefe do Departamento Jurídico da NAACP, definiu o livro de Pauli Murray, *States' Laws on Race and Color*, como a Bíblia dos advogados de direitos civis.

Frases famosas

"Uma só pessoa mais uma máquina de escrever já constitui um movimento."

"Como americana, herdei a magnífica tradição de uma marcha sem fim rumo à liberdade e à dignidade de toda a raça humana."

"Falo em nome da minha raça e do meu povo – a raça humana e as pessoas justas."

[Carta ao presidente Franklin Roosevelt, 1938:] *"Os negros são a parte mais oprimida e mais negligenciada da sua população. Doze milhões dos seus cidadãos têm que suportar insultos, injustiças e uma tal degradação de espírito que parece impossível acreditar."*

9. ROSA PARKS
Nascida: Rosa Louise McCauley
(1913-2005)

Gostaria de ser lembrada como uma pessoa que queria ser livre [...] para que outras pessoas também fossem livres.

Por que ela merece a fama
Ativista do movimento pelos direitos civis dos negros nos Estados Unidos

País de origem
Estados Unidos

Seu legado
Rosa Parks, também chamada de "Primeira-Dama dos Direitos Civis", é um verdadeiro ícone, conhecida em todo o mundo por aquele famoso incidente de 1955, quando se recusou a ceder seu assento para um passageiro branco em um ônibus, em Montgomery, estado do Alabama. Mas essa simples atitude teve uma importância tremenda, iniciando um enorme boicote. Embora essa ex-costureira tenha sido sempre descrita como uma mulher tranquila e humilde – uma espécie de ativista acidental, com interesses mais tradicionais e domésticos –, essa não é a realidade. Rosa Parks tem um histórico muito mais rico em ativismo e audácia do que em geral se reconhece (como disse alguém no blog da revista *Ms.*: "Rosa Parks fez mais do que

sentar em um ônibus!!!"). Por exemplo, ela criou um grupo, o Alabama Committee for Equal Justice, com o intuito exclusivo de investigar o brutal estupro coletivo de uma mulher negra do Alabama chamada Recy Taylor, e nos anos 1930 participou de reuniões secretas para ajudar a defender os garotos de Scottsboro (ver mais detalhes do caso adiante).

Sua história

Rosa Parks nasceu em Tuskegee, Alabama, em uma época em que grassava uma terrível violência, injustiça e desigualdade para os afro-americanos. Quando criança, foi ensinada a dormir vestida, para o caso de ter que fugir da Ku Klux Klan durante a noite. Mais tarde, ela comentou: "Naquela época, não tínhamos direitos civis. Tudo era apenas uma questão de sobrevivência, de continuar vivo no dia seguinte. Lembro-me de que, quando criança, passei a noite ouvindo a Ku Klux Klan fazendo incursões a cavalo pela cidade. Ouvi um linchamento e senti muito medo de que ateassem fogo à minha casa".

Seus avós, ex-escravos, eram firmes defensores da igualdade racial, e as experiências da família com o racismo prepararam o cenário para o futuro ativismo de Rosa Parks. No primeiro ano do ensino médio, teve que sair da escola para cuidar da mãe e da avó doentes; depois foi trabalhar como costureira em Montgomery (conseguiu formar-se no ensino médio mais tarde, em 1934). Após se casar com Raymond Parks, que era membro da NAACP, tornou-se a primeira mulher a entrar na NAACP de Montgomery. Ali foi líder da juventude e também secretária do presidente da organização.

Na década de 1930, Parks participou de reuniões secretas para ajudar a derrubar as sentenças de morte impostas aos garotos de Scottsboro, nove adolescentes afro-americanos condenados pela falsa acusação de estuprar duas mulheres brancas. E, em 1943, doze anos antes do famoso incidente no ônibus, ela se recusou a ceder seu assento em outro ônibus, tendo sido posta para fora. No mesmo ano, tentou se registrar para votar, mas foi rejeitada. Em 1945 conseguiu, enfim, seu título de eleitora, depois de três tentativas.

Em 1º de dezembro de 1955, Rosa Parks voltava de ônibus do trabalho para casa, em Montgomery, quando o motorista lhe pediu que passasse para a parte de trás do ônibus, reservada a pessoas "de cor", para ceder seu lugar a um passageiro branco. "Quando ele viu que eu continuava sentada, perguntou se iria me levantar, e eu disse: 'Não, não vou'", lembrou ela. "E ele disse: 'Bem, se não se levantar, vou ter que chamar a polícia, e você vai ser presa'. E eu disse: 'Pode chamar'." Quando os policiais chegaram e lhe perguntaram por que ela não tinha se levantado, ela explicou com calma: "Não achei que deveria me levantar".

Essa ação de Rosa Parks levou ao Boicote dos Ônibus de Montgomery, quando os afro-americanos protestaram contra a segregação nos assentos, recusando-se a andar de ônibus na cidade durante mais de um ano. E não foi só isso: a ação de Rosa Parks lançou ainda um movimento de âmbito nacional para acabar com a segregação nas áreas públicas em geral. Ela foi presa e declarada culpada de desordem pública, mas apelou da sentença, desafiando formalmente a legalidade da segregação racial como um todo. O boicote aos ônibus durou 381 dias. Por fim, o Supremo Tribunal dos Estados Unidos mudou de rumo, declarando que a lei da segregação era inconstitucional, e assim os ônibus voltaram a ser usados.

Rosa Parks continuou comprometida com a militância, desafiando o racismo, a violência e a opressão, tanto em grande escala como na intimidade. Por exemplo, em um ensaio que consta ter sido escrito nos anos 1950, mas que veio a público apenas em 2011, ela descreve uma época em que quase foi estuprada por um homem branco, a quem chamou de sr. Charlie. Ela escreveu: "Nunca iria ceder à bestialidade desse homem branco. Estava pronta para morrer, mas dar meu consentimento, nunca [...]. Se ele quisesse [...] estuprar um cadáver, tudo bem, mas teria que me matar primeiro".

Rosa Parks recebeu várias homenagens em vida, como a Medalha de Spingarn, o mais alto prêmio da NAACP para realizações extraordinárias de uma afro-americana, e o prestigiado Prêmio Martin Luther King Jr., por sua liderança discreta, porém poderosa, na comunidade negra. Recebeu também a Medalha de Ouro do Congresso, o mais laureado prêmio concedido a um civil pelo Legislativo norte-americano, pelo impacto duradouro que exerceu sobre a sociedade.

Rosa Parks será recordada para sempre, não só por se recusar a ceder seu assento em um ônibus a um homem branco, mas também por passar tantos anos de sua vida liderando com bravura a luta contra o ódio e a opressão do racismo. Em 2010, a revista *Time* a incluiu entre as 25 mulheres mais influentes do século XX.

Suas grandes realizações

* Em 1996, o presidente Bill Clinton concedeu a Rosa Parks a Medalha Presidencial da Liberdade. Ao lado da Medalha de Ouro do Congresso, aquela é considerada a maior honraria concedida a um civil nos Estados Unidos. Na cerimônia de premiação, Rosa Parks foi chamada de "Primeira-Dama dos Direitos Civis" e "Mãe do Movimento pela Liberdade".

* Durante sua vida, escreveu quatro livros: *Rosa Parks: My Story*; *Quiet Strength: The Faith, the Hope, and the Heart of a Woman Who Changed a Nation*; *Dear Mrs. Parks: A Dialogue with Today's Youth*; *I Am Rosa Parks*.

* Em 1998 foram inaugurados o Museu e a Biblioteca Rosa Parks, no local de sua prisão em Montgomery, em homenagem ao seu ativismo e espírito de bravura.

Frases famosas

"Cada pessoa deve viver sua vida como um modelo para os demais."

"Saber o que deve ser feito acaba com o medo."

"Gostaria de ser lembrada como uma pessoa que queria ser livre [...] para que outras pessoas também fossem livres."

"Já tinha cedido meu lugar antes, mas naquele dia eu estava especialmente cansada. Cansada do meu trabalho de costureira e cansada da dor no meu coração."

"Defenda alguma coisa, senão você sucumbirá a qualquer coisa. O poderoso carvalho de hoje é a noz de ontem que conseguiu resistir."

10. FLORYNCE KENNEDY
Nascida: Florynce Rae Kennedy
(1916-2000)

Você tem que sacudir as grades da sua gaiola. Tem que mostrar a eles que está ali e que quer sair. Tem que fazer barulho. Causar um reboliço. Talvez você não vença de imediato, mas com certeza vai se divertir mais.

Por que ela merece a fama
Advogada, ativista, política, palestrante

País de origem
Estados Unidos

Seu legado
Florynce Kennedy foi uma rebelde feminista afro-americana e renomada advogada dos direitos civis, conhecida por suas posições corajosas e radicais no tribunal – sem mencionar as botas de caubói, os óculos de sol cor-de-rosa e sua tendência a dizer tudo o que pensava, sem restrições (a revista *People* certa vez a chamou de "a boca mais atrevida do campo de batalha [feminista]"). Embora não tenha recebido muito reconhecimento nos livros de História, foi uma das feministas negras mais proeminentes dos anos 1960 e 1970.

Florynce ajudou a revogar as leis restritivas ao aborto em Nova York; lançou um novo partido político, o Partido Feminista; e empenhou-se na luta pelos direitos civis no movimento do Poder Negro e na defesa do consumidor (bem antes de Ralph Nader fazer disso sua plataforma). Gloria Steinem assim escreveu sobre essa mulher poderosa na revista *Ms.*: "Tal como houve apenas uma Eleanor (Roosevelt) e um único Winston (Churchill) [...] houve apenas uma única Flo".

Sua história

Nascida em Kansas City, Missouri, em 1916, Florynce via seu pai, Wiley Kennedy, como exemplo de força e determinação. Wiley era dono de uma empresa de táxis e comprou uma casa em um bairro onde a população era quase toda branca. A Ku Klux Klan certa vez apareceu na casa exigindo que a família saísse da cidade. Como lembrou Flo Kennedy em sua autobiografia: "Papai foi pegar sua arma [...] e disse: 'Agora, o primeiro pé que pisar neste degrau é do homem que eu vou matar. Depois disso, vocês podem decidir quem vai me matar'. Eles foram embora e nunca mais voltaram".

Ela deu aos pais o crédito por incutir nas filhas autoestima, autoconfiança e certa tendência contra o autoritarismo, observando: "Meus pais nos deram uma sensação fantástica de segurança e valor próprio. Quando chegaram os racistas para nos dizer que não éramos ninguém, já sabíamos que éramos, sim, alguém".

Flo Kennedy sabia que queria ser advogada desde a infância, antes mesmo de começar a escola, e lutou para ser admitida na prestigiosa Escola de Direito Columbia. Quando se candidatou pela primeira vez foi rejeitada, supostamente porque a cota de estudantes mulheres definida pela faculdade já havia sido preenchida, porém é bem mais provável que se devesse ao fato de ser negra. Mas Flo Kennedy se recusou a aceitar uma resposta negativa: era uma mente brilhante e merecia ser admitida. Ameaçou abrir processo por discriminação racial, e a universidade a aceitou de imediato. Era a única pessoa negra da turma.

Lições de vida de Flo

"Não agonize, organize" foi seu lema durante toda a vida – um lema que lhe serviu bem. Era conhecida por sua mente afiada, inteligência brilhante e frases inesquecíveis. Eis aqui algumas pérolas de sabedoria de uma mulher que sabia viver:

* "Se não estiver vivendo à beira do abismo, então está só ocupando espaço."

* "Se quiser chegar à sala da chefia, comece nas ruas."

* "Descobri que, quanto mais alto você mira, melhor você atira."

* "O maior pecado é ficar sentada sobre o seu traseiro."

* "Creio que a maneira como vivo é a melhor forma de viver. Não conheço ninguém que se divirta mais que eu."

* "Sou apenas uma senhora de cor de meia-idade, com uma boca muito falante, várias vértebras deterioradas e um metro de intestino faltando, e muita gente acha que sou louca..."

Já formada, em 1954 abriu seu escritório, sendo uma das poucas mulheres negras a praticar advocacia na cidade de Nova York. Ganhando reconhecimento, passou a representar influentes músicos afro-americanos, como Billie Holiday e Charlie Parker, bem como mulheres da Frente de Libertação Negra e dos Panteras Negras.

Desiludida com as leis como ferramenta útil para a mudança, Flo Kennedy voltou-se para a sua verdadeira paixão: o ativismo político (embora continuasse a assumir defesas de causas em que acreditava). Em 1968, processou a Igreja Católica por interferir nas leis do aborto. Liderou campanhas contra políticos poderosos, como o presidente Richard Nixon, o governador do Alabama George Wallace e o prefeito de Nova York,

Edward Koch. Em 1966 fundou uma organização, a Media Workshop, para combater o racismo na publicidade.

Entusiasmada com o movimento feminista incipiente, Flo Kennedy foi uma das fundadoras do National Women's Political Caucus (NWPC – Fórum Político Nacional das Mulheres). Também foi uma das fundadoras da NOW, embora tenha se afastado depois por julgar que o grupo era pouco radical. Disse ela certa vez: "Quando vi como a NOW era atrasada, pensei: 'Meu Deus, quem precisa disso?'" O partido político lançado por ela, o Partido Feminista, nomeou como candidata à presidência da república Shirley Chisholm, famosa política afro-americana. Flo Kennedy também foi uma das fundadoras da National Black Feminist Organization (Organização Nacional do Feminismo Negro).

Em 1968, Florynce protestou contra o concurso de Miss América. Mais tarde, foi coautora (com a advogada feminista Diane Schulder) de um livro inovador, *Abortion Rap*, reunindo histórias de mulheres que haviam feito aborto clandestino ou ilegal. Nos anos 1970, começou a dar palestras ao lado de pessoas famosas, como Gloria Steinem. Esta lembrou, enquanto dava entrevista ao *The New York Times*, que ela própria costumava ser a primeira a falar quando as duas se apresentavam juntas. Mas não porque Gloria Steinem julgasse que merecia o lugar principal, e sim porque, se falasse "depois de Flo, não causaria nenhum impacto".

Suas grandes realizações

* Florynce Kennedy passou toda a vida em militâncias de diversas causas. Sua primeira ação na área da justiça social, quando bem jovem, foi organizar um boicote à Coca-Cola, depois que uma engarrafadora local se recusou a contratar motoristas de caminhão afro-americanos. Em 1978, inaugurou seu programa de TV a cabo em Nova York, *The Flo Kennedy Show*. Com mais de 80 anos de idade, continuava ativa em vários movimentos.

* Ainda falando de TV, Flo fez pontas como atriz em diversos filmes! Apareceu em *Amor sem Barreiras*, de 1970; *Negras Raízes*, de 1970; *Who Says I Can't Ride a Rainbow!*, de 1971; e o clássico feminista *Nascidas em Chamas*, de 1983.

* Foi uma grande artista, prolífica e extremamente criativa. Ao longo da carreira, criou neologismos divertidos, como *jockocracia* (governo dos atletas,[1] dos fortões) e *Pentagonorreia*.

Frases famosas

"Se homens ficassem grávidos, o aborto seria um sacramento."

"Nunca parei para pensar por que não sou como as outras pessoas. Para mim, o mistério é saber por que mais pessoas não são como eu."

"Ser mãe é uma condição nobre, certo? Então, por que isso muda quando se coloca junto a essa palavra o complemento "solteira" ou "dependente de assistência social"?

"Há pouquíssimos empregos que de fato exijam um pênis ou uma vagina. Todos os demais empregos deveriam estar abertos a qualquer pessoa."

---

[1] Em inglês, *jock* é um termo pejorativo para designar atletas. (N.T.)

11. SHIRLEY CHISHOLM
Nascida: Shirley Anita St. Hill Chisholm
(1924-2005)

Espero que o fato de ter conseguido sucesso da maneira mais difícil possa ser uma inspiração, em particular para as mulheres.

Por que ela merece a fama
Política, educadora, escritora

País de origem
Estados Unidos

Seu legado
Em 1968, Shirley Chisholm tornou-se a primeira mulher negra a ser parlamentar no Congresso norte-americano. Sempre foi muito elogiada pelos demais políticos, e, em sua comunidade, pela paixão em defender as causas nas quais acreditava – por exemplo, os direitos da mulher, os direitos civis e o fim da pobreza. Shirley Chisholm se identificava como feminista, tendo sido muito ativa e também a primeira mulher negra a concorrer à presidência. Ficava aborrecida ao ver que muitos viam sua candidatura como algo simbólico, e não sério; desejava ser considerada uma "candidata legítima e viável" pelos próprios méritos.

Sua história

Nascida em Nova York, com pais imigrantes que davam valor ao trabalho duro e à educação acima de tudo, passou vários anos morando com a avó em Barbados, uma ilha do Caribe. Voltou a Nova York para estudar no Brooklyn College, onde se formou com distinção em 1946. Logo depois foi trabalhar em uma escola infantil, enquanto estudava para o mestrado em educação fundamental na Universidade de Columbia.

Nos seus tempos de professora, envolveu-se com grupos políticos, como o Partido Democrata de Nova York, a League of Women Voters e o Seventeenth Assembly District Democratic Club. Em 1960, ajudou a criar o Unity Democratic Club e, em 1964, decidiu concorrer ao seu primeiro cargo estadual, conquistando um assento na Assembleia dos Deputados do Estado de Nova York. Quatro anos depois, pôde ascender à esfera nacional ao derrotar, por uma margem expressiva, o líder dos direitos civis James Farmer, que concorria pelo Partido Liberal, com apoio dos republicanos. Shirley conquistou um assento na Câmara dos Deputados Federais e se tornou, assim, a primeira mulher negra no Congresso norte-americano, além de ídolo para meninas de todo canto do mundo.

Incansável defensora dos direitos da mulher, Shirley Chisholm contratava apenas mulheres como assessoras. Era uma expressão natural de sua firme convicção de toda a vida: o machismo era a "forma de preconceito mais sutil, mais predominante e mais institucionalizada que existe. A discriminação contra as mulheres, unicamente com base em seu sexo, é tão generalizada que para muitos parece normal, natural e justa". Na política, ela ganhou fama assumindo posições firmes em questões relativas a mulheres e minorias, expressando-se contra a Guerra do Vietnã e desafiando o sistema do Congresso de promoção por tempo de serviço.

Em 1972, fez campanha para ser indicada como candidata do Partido Democrata à presidência, com o incrível *slogan* "Ninguém me compra, ninguém manda em mim" (a expressão original é "*Unbought and Unbossed*"). Mais tarde, esse veio a ser título de sua autobiografia. Disse ela sobre a motivação de suas aspirações políticas: "O número de mulheres envolvidas na política nunca foi grande, mas agora está diminuindo de modo significativo". Embora não tenha conseguido a nomeação como candidata democrata, obteve 151 votos dos delegados, sendo escolhida por votação em catorze estados do país.

Shirley Chisholm foi deputada federal durante sete mandatos, ou seja, catorze anos. Depois disso, continuou ativa política e socialmente, e em 1984 ajudou a formar o National Political Congress of Black Women. Escreveu dois livros sobre sua vida e voltou ao ensino, lecionando política e estudos sobre a mulher no Mount Holyoke College, no estado de Massachusetts. Trabalhou ainda para as campanhas presidenciais de Jesse Jackson em 1984 e em 1988.

Shirley Chisholm sempre será lembrada como pioneira na política e uma das vozes mundiais mais firmes na defesa do feminismo e da igualdade racial. Como escreveu em sua autobiografia sobre o legado que esperava deixar: "Quero que a história se lembre de mim não só como a primeira mulher negra a ser eleita para o Congresso, nem como a primeira mulher negra a concorrer à presidência dos Estados Unidos, mas sim como uma mulher negra que viveu no século XX e ousou ser ela mesma".

Suas grandes realizações

* Em 1969, Shirley Chisholm tornou-se uma das fundadoras do Congressional Black Caucus. O grupo servia como voz do Congresso para as pessoas de cor de todo o país, visando "garantir que cada pessoa nos Estados Unidos tenha a oportunidade de realizar sua versão do sonho americano".

* Em 1971, foi cofundadora do National Women's Political Caucus.

* Em 1993, o presidente Bill Clinton indicou Shirley Chisholm para o cargo de embaixadora na Jamaica, mas ela teve que declinar, por problemas de saúde.

Frases famosas

"Não se consegue progresso só assistindo ao jogo de fora da quadra, choramingando e reclamando. Consegue-se progresso implementando ideias."

"A imposição de estereótipos emocionais, sexuais e psicológicos nas mulheres começa quando o médico diz: 'É uma menina'."

"No fim das contas, ser antinegro, antimulher e todas as formas de discriminação equivalem à mesma coisa: anti-humanismo."

"Há uma quantidade enorme de talento desperdiçada em nossa sociedade só porque esse talento usa saias."

"Atualmente nosso país precisa do idealismo e da determinação das mulheres, talvez mais na política do que em qualquer outra esfera."

12. MAYA ANGELOU
Nascida: Marguerite Annie Johnson
(1928-2014)

Sou feminista. Já sou mulher há muito tempo. Seria tolice não defender meu lado.

Por que ela merece a fama
Escritora, poetisa

País de origem
Estados Unidos

Seu legado
Ao escrever sobre racismo, pobreza, poder, machismo, a situação da mãe solteira, sexualidade e muitos outros temas com segurança, elegância e toneladas de compaixão, Maya Angelou foi registrando a história – tanto a própria quanto a do mundo exterior – durante seus muitos anos de dedicação às artes e à defesa das causas que lhe foram mais caras. Embora seja mais conhecida por sua obra como escritora, ela foi em primeiro lugar uma ativista radical, que lutou pelos direitos civis e por várias causas de justiça social, tendo registrado em seus livros a agitação racial e política que ocorria na época, em particular no sul do país, que antes de 1964 ainda estava legalmente segregado.

E não foi *apenas* ativista e escritora. Embora a fama tenha lhe chegado com sua autobiografia de 1969, *Eu Sei Por Que o Pássaro Canta na Gaiola*, primeiro *best-seller* de não ficção de uma mulher afro-americana, foi também bem-sucedida como poeta, cantora, diretora, autora teatral, roteirista e muito mais. Como mencionou o jornalista John Nichols: "ela dançou com Alvin Ailey, fez um bom disco de calipso, cantou no Apollo Theatre de Harlem, atuou no elenco itinerante de *Porgy and Bess*, apareceu na minissérie de televisão *Raízes,* escreveu canções com Roberta Flack". É difícil imaginar alguém que personifique melhor a ideia de viver a vida intensamente.

Sua história

Maya Angelou foi criada em Stamps, no estado do Arkansas, tendo vivido principalmente com a avó, seu irmão, Bailey, e o tio, Willie (os pais se separaram quando ela era pequena). Embora a avó fosse carinhosa, Maya vivenciou um ato de violência terrível aos 7 anos, quando o namorado da mãe a estuprou e depois os tios mataram o agressor. Traumatizada, Maya ficou muda durante cinco anos. "Minha simples respiração, ao levar minhas palavras, poderia envenenar as pessoas; elas se encolheriam e morreriam", escreveu ela. Mas, anos depois, Maya felizmente reencontrou a voz ao declamar um poema para uma amiga da família.

Na adolescência, ganhou uma bolsa para estudar dança e teatro em uma escola vocacional, a California Labor School, em San Francisco. Aos 14 anos, saiu da escola e se tornou a primeira mulher afro-americana a conduzir bondes em San Francisco. Mais tarde, concluiu o ensino médio e teve trabalhos temporários como cozinheira e garçonete, mas sua vocação sempre a levou para o universo da arte e do entretenimento. Nos 1950 e 1960, atuou como atriz e cantora em diversas produções por todo o país.

Em 1969 saiu seu primeiro livro de memórias: *Eu Sei Por Que o Pássaro Canta na Gaiola*, tendo grande publicidade. Foi indicado para o National Book Award e durante dois anos manteve um lugar cobiçado na lista dos mais vendidos do *The New York Times*. O livro fala sobre sua infância no Arkansas, o racismo e os conflitos que conseguiu superar. Com ele, Maya se tornou uma estrela – mas não sem sofrer críticas. Algumas pessoas de mentalidade estreita julgaram que o livro era demasiado agressivo ao abordar temas como racismo, gravidez na adolescência e temas sobre a Igreja – por essas razões, foi banido de muitas salas de aula. No estado da Virginia, foi fundada uma organização, a Parents against Bad Books, com a única missão de impedir que os jovens lessem esse livro!

Maya Angelou, artista eclética

Maya Angelou foi uma escritora incrivelmente prolífica e ativista ardorosa durante toda a vida. Foi também uma alma renascentista, com interesses amplos e uma impressionante gama de trabalhos que nada tinham a ver com escrever livros ou organizar ações! Eis aqui alguns exemplos:

- Decapadora de tinta em uma oficina mecânica.
- Editora de revistas.
- Cozinheira em uma lanchonete.
- Professora.
- Auxiliar de escritório.
- Cantora e dançarina de calipso.

Essa controvérsia a perturbava – "Sinto pena dos jovens que nunca vão ler o livro", disse certa vez, mas isso não a impediu de seguir adiante. Maya publicou vários outros livros de memórias e também um de poesia (que lhe valeu uma indicação ao Prêmio Pulitzer), assim como outros tipos de texto. Quando começou a trabalhar no cinema como atriz, roteirista e diretora, abriu novos caminhos em Hollywood para as mulheres afro-americanas.

Maya Angelou se aproximou de Martin Luther King Jr. depois de ouvi-lo falar sobre sua militância. Em 1959, King a nomeou coordenadora da região norte da Southern Christian Leadership Conference (SCLC), importante organização de direitos civis dos afro-americanos. Mais tarde, ela trabalhou com Malcolm X, ativista revolucionário do Movimento Black Power, ajudando-o a fundar a Organization of African American Unity. Ela escreveu sobre Malcolm X: "De perto, ele era um grande arco vermelho, através do qual se poderia passar para a eternidade [...]. Nunca fui tão afetada por uma presença humana". Ela ainda ajudou a fundar a Cultural Association for Women of African Heritage.

Maya atraiu outras figuras culturais muito estimadas para sua órbita pessoal – era amiga do escritor James Baldwin (foi ele quem primeiro a incentivou a escrever uma autobiografia) e muito próxima da amada cantora de jazz Billie Holiday. Mais tarde se aproximou de Oprah Winfrey, que ofereceu festas de aniversário generosas a sua querida amiga. Em 1974, o presidente Gerald Ford nomeou-a para a Comissão do Bicentenário da nação, e, mais tarde, o presidente Jimmy Carter colocou-a na Comissão para a Mulher Internacional do Ano.

Maya Angelou tinha talento para reanimar o espírito das pessoas, em especial o dos oprimidos e humilhados, e muitas frases suas foram imortalizadas em cartazes, cartões, ímãs de geladeira e todo tipo de coisa. Mais tarde, continuou cantando e atuando no cinema. Ganhou três Grammy por seus CDs, nos quais lia seus poemas. Pouco antes de morrer, em maio de 2014, preparava um CD chamado *Caged Bird Songs*, lançado postumamente.

Como extraordinária escritora, ativista e figura pública, sempre obcecada pela verdade e pela justiça, Maya iluminou o próprio caminho, conseguindo sair da escuridão. Inspirou várias gerações de meninas a seguirem seus passos na jornada rumo à transcendência de um passado doloroso, para fazer algo belo com a vida – o que ela fez, e no mais alto grau de excelência.

Suas grandes realizações

* Em 1993, o presidente Bill Clinton convidou-a para sua cerimônia de posse. Maya escreveu um poema e o declamou na ocasião: "On the Pulse of Morning".

* Maya escreveu, produziu, dirigiu e atuou em inúmeras produções para teatro, cinema e televisão.

* Em 2010, o presidente Barack Obama concedeu-lhe a Medalha Presidencial da Liberdade, considerada uma das maiores honrarias civis do país. Disse também que a obra de Maya Angelou "falou diretamente a milhões de pessoas, inclusive minha mãe, e é por isso que minha irmã se chama Maya".

* Maya Angelou foi indicada ao Prêmio Tony por sua atuação na peça *Look Away*, de 1973, e ao Emmy por seu trabalho na minissérie de TV *Raízes* (1977).

Frases famosas

"Não há maior agonia do que suportar dentro de si uma história não contada."

"Se eu não for boa para mim mesma, como posso esperar que alguém seja bom para mim?"

"Amo ver uma garota sair e agarrar o mundo pelos colarinhos. A vida é dura. É preciso sair para a vida e mandar ver."

"Você sozinha já basta. Não tem que provar nada a ninguém."

13. YAYOI KUSAMA (1929-)

Sou apenas mais uma bolinha no mundo.

Por que ela merece a fama

Artista plástica, escritora

País de origem

Japão

Seu legado

Yayoi Kusama é uma artista japonesa de vanguarda que trabalha com diversos meios, como pintura, escultura, colagem, instalação, textos e moda, apenas para citar alguns. Hoje, com mais de 80 anos, é considerada por muitos a maior artista viva do Japão. Embora não se associe de modo consciente ao feminismo, os apreciadores de seu trabalho há muito observam nele fortes temas feministas, como identidade cultural, sexo, sexualidade e raça. Uma professora escreveu que Yayoi, tal como Yoko Ono, parece "obcecada pela remodelação do corpo da mulher japonesa", observando que a obra de ambas as artistas "desarticula qualquer noção fácil ou exageradamente determinada da mulher japonesa transformada em objeto, transformada no 'Outro' [...], tantas vezes [...] visto como exótico, inescrutável, algo pequenino, fofinho". Seu trabalho em artes plásticas é considerado precursor dos movimentos minimalista e pop, tendo influenciado grandes nomes, por exemplo, Andy Warhol.

Muitas jovens consideram Yayoi Kusama um ícone – não só por sua excelência artística, mas também porque tem sido muito aberta quanto à sua luta contra a doença mental, o que ajuda outras pessoas com problemas semelhantes a se sentirem menos sozinhas. Ela incorpora em sua arte sua doença mental, transformando-a em algo realmente belo. Yayoi já disse que seu trabalho se origina em "alucinações que só eu consigo enxergar", e ela traduz essas "imagens obsessivas" em esculturas e pinturas. Lembra-se de ter essas alucinações desde criança: "Um dia, de repente, olhei e descobri que cada violeta tinha a própria expressão facial, individual e semelhante à expressão humana; e, para minha surpresa, todas elas falavam comigo".

Sua história

Yayoi Kusama nasceu na cidade de Matsumoto, no Japão, em uma família rica e conservadora. Sua infância não foi nada idílica. O pai era um mulherengo que pouco ficava em casa. A mãe a maltratava e tentou proibi-la de pintar, chegando a destruir as telas em que trabalhava. Ter uma mãe tão violenta e difícil criou nela um firme traço de antiautoritarismo que persistiria por toda a vida.

Saiu de casa para estudar arte em Quioto, como meio de escapar da turbulenta vida familiar. Ali aprendeu a dominar a pintura Nihonga, um intrincado estilo japonês desenvolvido no período Meiji (1868-1912). Em 1958 mudou-se para Nova York e, depois de um ano e meio, realizou algo impensável no mundo da arte nesse curto período: fez uma exposição individual. A maior parte da exposição consistia de cinco telas enormes cobertas por redes infinitas. A obra foi comparada à do pintor *superstar* Jackson Pollock.

Ela também chama a atenção por suas performances carregadas de sexualidade, apoiando os direitos civis e o amor livre. Em uma delas, pintou bolinhas no corpo de homens e mulheres, todos nus (incluindo ela mesma). Falando em bolinhas, estas são um tema constante em seu trabalho; a repetição delas, disse a artista, ajuda a acalmar sua ansiedade. Ela explica: "Desde a infância, sempre fiz trabalhos com bolinhas. A terra, a lua, o sol e os seres humanos representam pontinhos; cada um é uma partícula única entre bilhões".

Depois de conquistar Nova York nos anos 1960, a artista voltou ao Japão em 1973. Ali começou a escrever romances, poemas e contos surrealistas, entre eles o romance *The Hustler's Grotto of Christopher Street*, de 1983, vencedor do Décimo Prêmio Literário para Novos Autores. Sofrendo de transtorno obsessivo-compulsivo, Yayoi Kusama se internou em um hospital psiquiátrico, onde reside até hoje por vontade própria. Embora

alguns afirmem que ela "finge" a doença para chamar atenção, ela negou essa ideia ofensiva: "Minha obra artística é uma expressão da minha vida, em particular da minha doença mental". Yayoi faz todas as suas obras em seu estúdio, perto do hospital psiquiátrico, e criou uma grande escultura que fica no terreno da instituição. Ela descreveu a escultura como "um barco a remo comprado em loja, totalmente recoberto por protuberâncias estofadas de lona".[1]

Apesar de não se identificar como feminista, Yayoi exerceu uma profunda influência sobre mulheres artistas de todo o mundo. Afirma-se que Yoko Ono a citou como influência, e a banda *electropunk* Le Tigre, de Kathleen Hanna, mencionou-a, junto a dezenas de outras artistas importantes, em sua música "Hot Topic".

Suas grandes realizações

* Yayoi Kusama colaborou com Marc Jacobs, o lendário diretor de criação da Louis Vuitton, na coleção de moda *Louis Vuitton x Yayoi Kusama.*

* Ela foi amiga da lendária pintora norte-americana Georgia O'Keeffe. Depois de encontrar um livro dessa pintora numa livraria em sua cidade natal, Kusama enviou a ela algumas de suas aquarelas, e a artista lhe escreveu em resposta. Georgia O'Keeffe chegou a visitar Kusama quando esta morava em Nova York.

* Em 2006, Yayoi Kusama tornou-se a primeira mulher japonesa a receber o Praemium Imperiale, um dos prêmios mais prestigiados do Japão para artistas reconhecidos em âmbito internacional.

---

[1] Uma das obras de Yayoi Kusama, *Narcissus Garden,* 2009, pode ser encontrada no Centro Cultural Inhotim, em Minas Gerais. (N.E.)

Frases famosas

"Dedico minha energia a contar minha história pessoal de vida e a procurar a auto-obliteração. No entanto, não vou me destruir por meio da arte."

"Pinto desde que eu tinha uns 10 anos de idade e continuo trabalhando todos os dias."

"Na adolescência, diziam-me sempre para me comportar como convém a uma menina. Quando quis tirar carteira de motorista, minha mãe me falou que eu poderia conseguir um carro com chofer se fizesse um bom casamento. Quando falei que queria ser pintora, ela me disse para ser colecionadora de arte. Mas não desanimei, porque sabia que eu tinha talento."

14. FAITH RINGGOLD
Nascida: Faith Willi Jones
(1930-)

Acabo de resolver: quando alguém disser que você não pode fazer alguma coisa, faça mais ainda.

Por que ela merece a fama
Artista, escritora

País de origem
Estados Unidos

Seu legado
Faith Ringgold é uma importante artista e escritora afro-americana que trabalha para promover causas feministas e combater o racismo desde o início dos anos 1960, quando começou a atuar. Embora tenha trabalhado com diversas mídias, Faith Ringgold é mais conhecida por suas colchas de retalho coloridas, ou *quilts*, com imagens que formam histórias. Nesses *quilts* ela politizou uma forma de arte que se costumava considerar "só de mulheres", dando um novo significado ao clássico *slogan* feminista: "A esfera pessoal é política". Ela define seu trabalho como uma "expressão da experiência da mulher afro-americana".

Os intrincados *quilts* de Faith contam histórias por meio de imagens pintadas e costuradas em painéis de tecido, por vezes acompanhadas por textos elaborados, perfeitamente inseridos no conjunto. Muitas obras focam os horrores que os afro-americanos tiveram de suportar ao longo dos anos. "A razão pela qual comecei a fazer *quilts* é que escrevi minha autobiografia em 1980 e não consegui publicá-la. [...] Minha história não parecia adequada para as mulheres afro-americanas [...], e isso me deixou com muita raiva", explicou ela.

A artista já criou, até hoje, em torno de 100 *quilts*, sendo cada seção de cada *quilt* equivalente à página de um livro. Ela explica que as obras que criou nos anos 1960 a excluíram do mundo da arte tradicional porque descreviam "a luta dos negros pela independência e liberdade na época dos direitos civis" – assunto que incomodava muita gente (reação comum a todas as grandes obras de arte!).

Uma cornucópia de livros infantis

Além de ser uma artista famosa, Faith Ringgold escreveu lindos livros infantis. Muitos deles mostram suas famosas colchas com histórias adaptadas para a página impressa. Mesmo sendo livros para crianças, os temas e as histórias são universais, e as ilustrações, maravilhosas. Vale a pena conferir, seja qual for a sua idade.

Tar Beach

O *quilt* de 1988, de mesmo nome, foi a inspiração direta para este livro, que ganhou mais de dez prêmios. Ele conta a história de Cassie Louise Lightfoot, uma menina de 8 anos que mora no Harlem, na época da Depressão (tal como a autora!). Ela tem fantasias vívidas de voar sobre a cidade de Nova York, passando por cima da "praia de piche" – o teto do seu edifício, onde costuma ficar com a família –, e consertar tudo o que está errado em seu mundo – o mundo de 1939.

My Dream of Martin Luther King

Faith Ringgold partiu de um sonho que teve sobre Martin Luther King Jr. como impulso para narrar de maneira criativa a vida do herói dos direitos civis. É uma façanha, mas ela a realiza sem esforço. Sua linguagem é poética e dramática ao narrar o início da vida de King, sua vida familiar e sua militância, bem como o racismo e a segregação, que eram a norma da época. O visual do livro é maravilhoso.

If a Bus Could Talk: The Story of Rosa Parks

Esta biografia repleta de vida e rica em imagens é narrada por um ônibus falante, que conta a história de Rosa Parks para a pequena protagonista Marcie. Tudo começa quando Marcie se encontra, certo dia, em um ônibus estranho, sem motorista, em vez de no ônibus escolar habitual. O ônibus falante conta a Marcie tudo sobre Rosa Parks, sua infância e seu ativismo, bem como sua recusa em ceder seu lugar a um homem branco – um ato singular que acabou gerando uma mudança avassaladora. No final desse louco passeio, Marcie encontra a própria Rosa Parks ao entrar no ônibus.

Sua história

Faith Ringgold nasceu e cresceu no Harlem, bairro negro de Nova York, durante a Grande Depressão dos anos 1920. Herdou o amor por tecidos e materiais têxteis de sua mãe, Willi Posey, que era estilista de moda e costureira. Tendo sofrido de asma quando criança, Faith era obrigada a ficar em casa com a mãe, e assim aprendeu a costurar e ser criativa com os tecidos. A mãe também a levava a museus e eventos culturais, ampliando a visão de mundo da menina.

Depois de fazer mestrado em Artes no City College de Nova York, em 1970 começou a lecionar em uma faculdade nova-iorquina. Seu trabalho nos anos 1960 consistiu sobretudo de quadros sobre o racismo, a injustiça e os direitos civis. No início dos anos 1970, abandonou a pintura tradicional e começou a experimentar diversas mídias, como bonecos e esculturas. Passou então a criar seus famosos *quilts* com a ajuda da mãe. Quando esta morreu, em 1981, Faith comprometeu-se a fazer uma colcha todos os anos, em sua homenagem.

Alguns desses *quilts* são chocantes em suas representações da história de opressão sistemática dos afro-americanos nas mãos dos brancos. Um deles, por exemplo, *Flag Story Quilt*, fala de um veterano de guerra afro-americano, paraplégico e sem braços, que é injustamente acusado de estupro e assassinato. Mas nem todos os seus *quilts* relatam histórias assim dolorosas. Outro, *Picnic on the Grass… Alone*, da sua série de 1997, *The American Collection*, parece oferecer uma mensagem tanto de esperança quanto de solidão – uma reflexão sobre a solidão feminina. Como escreveu o jornalista William Zimmer, a obra apresenta uma jovem chamada Mariena, "uma artista bem-sucedida com riqueza, fama e beleza, fazendo um piquenique sozinha. Está melancólica, talvez, mas parece sorrir de leve, desfrutando de sua solidão".

Ativista desde a década de 1970, Faith Ringgold é uma feminista dedicada. Em 1970, ela formou um grupo com Poppy Johnson e Lucy Lippard especialmente para protestar contra o pequeno número de artistas mulheres selecionadas para as prestigiadas exposições anuais do Museu Whitney de Arte Americana em Nova York. Seu objetivo, disse ela, era que a exposição daquele ano incluísse pelo menos 50% de mulheres entre os artistas. Para protestar, elas deixavam na porta do museu ovos crus ou tampões.

Suas obras se encontram nas coleções permanentes de muitos museus de destaque, como o Museu Metropolitano de Arte (Met), o Museu de Arte Moderna (Moma) e o Museu Guggenheim. Ela também escreveu diversos livros populares para crianças.

Suas grandes realizações

* Foi fundadora do "Where We At" Black Women Artists, um coletivo de artistas mulheres de Nova York vinculado ao Movimento das Artes Negras (um braço artístico do Movimento Black Power).

* Ganhou mais de 75 prêmios de prestígio, entre eles, 22 doutorados honorários em artes plásticas.

* Seu primeiro livro, *Tar Beach*, ganhou mais de trinta prêmios, entre eles, os prêmios Ezra Jack Keats para Novos Autores e o Coretta Scott King para Ilustrações.

Frases famosas

"Há muitos artistas que só querem colorir. Tudo bem. Mas eu não poderia fazer isso. Tenho outras coisas a dizer e quero fazer minha história a respeito delas."

"Tornei-me feminista porque queria ajudar minhas filhas, outras mulheres e a mim mesma a aspirar a algo mais do que ter um lugar atrás de um bom homem."

"Sempre soube que queria ser alguém. Creio que é aí que tudo começa. A pessoa decide: 'Quero ser alguém. Quero dar uma contribuição. Quero deixar a minha marca'. E então entram vários fatores que contribuem para a maneira como você vai realizar aquilo."

"Creio que os Estados Unidos não são mais o centro do mundo. Creio que as mulheres africanas vão liderar o caminho da libertação feminina."

15. YOKO ONO (1933-)

[...] Se tivessem permissão, as mulheres expressariam seu verdadeiro eu, que é forte, talentoso e poderoso. Mas o mundo não queria saber disso. O mundo queria manter as mulheres submissas.

Por que ela merece a fama

Compositora, cantora, artista plástica de vanguarda

País de origem

Japão

Seu legado

Yoko Ono (seu nome significa "Filha do Mar" em japonês) é mais conhecida pelo seu casamento, em 1969, com John Lennon, o amado Beatle. Mas não devemos nos esquecer do legado feminista desta mulher de mais de 80 anos. Yoko Ono é uma artista de vanguarda e musicista multifacetada, que se tornou muito mais do que a sombra do ex-marido. Em hinos feministas como "Sisters, o Sisters", ela protesta contra o patriarcado e exorta as mulheres a "lançar um grito vindo do coração". Yoko Ono já disse que "a arte é um meio de sobrevivência", e ela a emprega como instrumento para abordar a discriminação sexual, assim como a paz, a justiça social e o anticonsumismo.

Apesar de todas essas qualidades, Yoko Ono foi alvo constante de escárnio no cenário musical dos anos 1960 e 1970, em que havia predomínio total de artistas brancos do sexo masculino. Sendo mulher e japonesa, e alguém que sempre se expressou com franqueza e permaneceu firme ao lado de John Lennon, em vez de ficar apagada ao fundo, ela foi atacada, destroçada e arrastada na lama por fãs, críticos... por quase todo mundo. Mas Yoko utilizou esse ódio misógino como combustível para fortalecer ainda mais sua arte e seu ativismo.

Sua história

Na infância, Yoko Ono viajou muito: sua família se mudou de Tóquio para os Estados Unidos e de volta para o Japão várias vezes. Ela entrou no Sarah Lawrence College, mas saiu do curso e mudou-se para o Greenwich Village, lendário bairro artístico nova-iorquino, onde mergulhou em arte e poesia. Começou a criar obras de arte polêmicas que convidavam os espectadores a participar de seu trabalho. Muitos, porém, não eram capazes de captar sua sensibilidade vanguardista – em dado momento, ela adotou uma mosca como *alter ego* –, mas isso não a incomodava.

Uma de suas obras mais populares foi um trabalho de arte conceitual que realizou pela primeira vez em 1964, chamado *Cut Piece*. Os espectadores eram convidados a cortar pedaços da roupa que ela vestia, até que ficasse absolutamente nua. Essa performance pode ser interpretada como uma declaração sobre quem possui o corpo das mulheres, sobre a relação artística entre espectador e criador, ou sobre como se despir do materialismo norte-americano. Assim como ocorre com boa parte do trabalho de Yoko, o significado mais importante da performance era definido por cada pessoa que a vivenciava.

John Lennon era fã do trabalho de Yoko. Depois do casamento, em 1969, a dupla começou a colaborar em muitas obras, além de atuar ativamente nos esforços contra a guerra do Vietnã, que na época tomavam conta do país. Fizeram vários *bed-ins* em prol da paz – sua lua de mel foi um *bed-in* de uma semana! Nessas ocasiões, enfiavam-se em um quarto de hotel, ficavam na cama, deixavam o cabelo crescer e convidavam os jornalistas a entrar no quarto para falar sobre a paz mundial, isso durante doze horas por dia. Os dois lançaram também um minimovimento artístico, o Bagism (de *bag*, "saco"), que consistia em vestir um saco no corpo como protesto contra os "ismos" e estereótipos que dividem as pessoas segundo raça, sexo e aparência.

Yoko Ono desafiou as ideias convencionais sobre o que uma mulher musicista deveria ser, fazer e aparentar, o que lhe valeu muitos insultos; mas ela nunca deixou que esses agressores a reduzissem ao silêncio. Em sua fantástica faixa de 1974, "Yes, I'm a Witch", ela responde aos críticos que tinham acabado com ela cantando: "Eu sou uma bruxa, sou uma megera, não me importa o que você diz. Minha voz é real, minha voz fala a verdade, eu não me encaixo no seu modo de ser".

Desde que John Lennon foi alvejado, em 1980, na porta do edifício onde o casal morava, Yoko Ono vem trabalhando ainda mais incansavelmente para promover a paz, a tolerância, os direitos da mulher e a luta contra o racismo. Em 2002, lançou o LennonOno Grant for Peace, um prêmio da paz de 50 mil dólares dado a duas pessoas a cada dois anos (um fato divertido: a ganhadora de 2012 foi Lady Gaga). Yoko e seu filho, Sean Lennon, fundaram o grupo Artists against Fracking – trata-se da polêmica prática de obter combustível perfurando o solo e injetando fluidos para liberar gás natural das rochas.

O trabalho manteve Yoko ocupada, cheia de entusiasmo e muito realizada. Como ela disse em 2013, aos 80 anos: "Tive uma vida incrível. Não que tenha sido um conto de fadas, mas foi uma vida de trabalho incrível e bem produtiva".

Suas grandes realizações

* Seu álbum de 1980, *Double Fantasy*, no qual canta com John Lennon, lançado três semanas antes da morte dele, chegou a número um nas paradas.

* Depois dos devastadores ataques ao World Trade Center em 11 de setembro de 2001, Yoko Ono colocou um anúncio de página inteira no *New York Times*, sem assinatura. Dizia apenas: *Imagine all the people living life in peace.* Seu agente explicou que o anúncio ficou anônimo porque "ela sentia que seria mais eficaz sem o nome dela".

* Em 1951, Yoko Ono foi a primeira mulher aceita para estudar filosofia na Universidade Gakushuin, em Tóquio.

* Em 2009, em Londres, Yoko foi juíza do primeiro concurso mundial de *haikai* no Twitter. Ela tem presença maciça na mídia social, com quase cinco milhões de seguidores no Twitter e 197 mil no Instagram.

Frases famosas

"A sociedade masculina deixa os homens pensarem que as mulheres são algo bonitinho, suave, esse tipo de coisa... Quis apenas mostrar o que somos. Somos nós, mulheres, que realmente criamos a raça humana."

"O mundo inteiro está começando a perceber que foi a coisa mais insensata para a nossa sociedade ignorar o poder das mulheres, governando a sociedade segundo as prioridades masculinas."

"É um desperdício deixar de dizer alguma coisa com a arte."

16. AUDRE LORDE
Nascida: Audre Geraldine Lorde
(1934-1992)

Sou decidida e não tenho medo de nada.

Por que ela merece a fama
Escritora, feminista radical, ativista dos direitos civis

País de origem
Estados Unidos

Seu legado
Audre Lorde já definiu a si mesma como "mãe guerreira poeta feminista lésbica negra" – uma mescla de identidades variadas e muitas vezes marginalizadas. Um fato admirável em Audre é a maneira como ela celebrou com franqueza todos esses diversos aspectos do seu ser, mesmo enfrentando injustiças sociais flagrantes. Sempre se definindo como "aquela pessoa excluída, sempre de fora" – e, a propósito, seu livro mais conhecido se chama *Sister Outsider* –, Audre Lorde se orgulhava de ser quem era e não tentava se diminuir para agradar a ninguém. Estava decidida a se definir nos próprios termos, longe das restrições rígidas impostas às mulheres de cor. Ela escreveu muito sobre a sexualidade feminina – um assunto tabu, considerado ainda mais delicado vindo de uma lésbica negra. Hoje ela é lembrada como uma das escritoras e educadoras afro-americanas mais

influentes do século XX – alguém que não se limitava a aceitar as diferenças entre as pessoas, mas procurava, ainda, incentivá-las.

Audre recebeu elogios da crítica por abordar temas poderosos com elegância e sensibilidade em seus textos; mas, tal como muitas outras e bravas feministas que ousaram falar contra a opressão, o abuso e a discriminação, também atraiu a ira dos conservadores, como o senador Jesse Helms, um racista de direita. Certa vez ela comentou as críticas de Helms ao seu trabalho dizendo: "As objeções de Jesse Helms ao meu trabalho não se devem à obscenidade [...], nem mesmo ao sexo. Trata-se de revolução e mudança [...]. Helms sabe que meus textos visam destruí-lo e destruir cada uma das coisas que ele defende".

Sua história

Criada no Harlem durante a Grande Depressão por pais imigrantes do Caribe, Audre Lorde nasceu tão míope que foi considerada legalmente cega. Mesmo assim, sua mãe conseguiu lhe ensinar a escrever aos 4 anos, e foi dela que Audre herdou seu amor pela escrita e pela poesia. Ainda no ensino médio, um poema seu foi publicado pela primeira vez na revista *Seventeen*. Lorde sofreu com o racismo nas escolas católicas onde estudou, e a poesia era um refúgio contra esse sofrimento. Ela já declarou que, para ela, seus poemas eram "muito importantes em termos de sobrevivência, em termos de vida".

Depois de fazer bacharelado no Hunter College e mestrado em Biblioteconomia na Universidade de Columbia, Audre trabalhou como bibliotecária nas escolas públicas de Nova York de 1961 a 1968. Casou-se com um homem (mais tarde se divorciaram), teve dois filhos e tornou-se ativa no cenário gay de Greenwich Village. Seu primeiro livro de poemas, *The First Cities*, foi publicado em 1968. No mesmo ano, mudou-se para a Louisiana a fim de ser escritora residente no Toogaloo College. Ali conheceu a mulher que se tornaria sua parceira durante muitos anos, Frances Clayton, tendo ali também se iniciado seu interesse pelo ensino.

A maioria dos poemas iniciais de Audre Lorde focava-se nas complexidades do amor, mas, quando a turbulência social dos anos 1960 passou a tomar conta do país, seu trabalho tornou-se mais politizado. Jerome Brooks relata em *Black Women Writers (1950-1980): A Critical Evaluation*: "a poesia de Audre Lorde repleta de indignação talvez seja seu trabalho mais conhecido". Audre revelou sua identidade sexual como lésbica em seu segundo livro de poemas, *Cables to Rage*, em um poema chamado "Martha". *Cables to Rage* era diferente do primeiro livro por ter uma visão política mais ampla: a essa altura, Audre já tinha visto Martin Luther King Jr. ser assassinado e sofrido uma série de outras dificuldades pessoais e culturais. Sentiu então que não poderia mais guardar sua raiva em silêncio.

Audre Lorde não sentia raiva apenas do racismo e do machismo – embora essas duas coisas a deixassem indignada. Nem sempre concordava com as feministas brancas, que tinham o histórico de banalizar ou ignorar as lutas das mulheres negras e o papel fundamental que haviam tido na luta pelos direitos da mulher. Mas Audre adotou como objetivo pessoal "[convergência] apesar das diferenças", e trabalhou com feministas de diversas origens e culturas, buscando unir todas em prol dos objetivos comuns.

Nos anos 1980, Audre mudou-se com sua companheira para as Ilhas Virgens e ali morreu, em 1992, após uma batalha de catorze anos contra o câncer de mama. Escreveu sobre a doença e seus sentimentos ao enfrentar a morte em um livro intitulado *The Cancer Journals*.

Suas grandes realizações

* Em 1991 e 1992, Audre Lorde foi a Poeta Laureada de Nova York, uma honraria concedida todo ano pela cidade.

* Sua coletânea de textos poderosos, *Sister Outsider: Essays & Speeches* (1988), é muito apreciada e considerada uma leitura feminista essencial, tanto no meio universitário quanto fora dele.

* Como ativista, em 1980, Audre foi uma das fundadoras da Kitchen Table: Women of Color Press, que publicou *This Bridge Called My Back: Writings by Radical Women of Color – A Black Feminist Anthology*. A coletânea se tornou parte do cânone do feminismo.

* Audre participou com entusiasmo do movimento contra o *apartheid*, sendo uma das fundadoras do grupo Sisters in Support of Sisters in South Africa.

Frases famosas

"Se eu mesma não me definisse, seria esmagada pelas fantasias de outras pessoas em relação a mim e devorada viva."

"Tenho o dever de falar a verdade como eu a vejo; tenho o dever de compartilhar não só os meus triunfos, não só as coisas que me deram satisfação, mas também o sofrimento, a dor, que muitas vezes foi intensa e sem tréguas."

"Quando me atrevo a ser poderosa, a usar a minha força a serviço da minha visão, vai ficando cada vez menos importante saber se tenho medo ou não."

"As ferramentas do amo nunca vão derrubar a casa do amo."

"Teu silêncio não vai protegê-lo."

"A linguagem com que fomos ensinadas a nos diminuir e a diminuir nossos sentimentos, considerando-os suspeitos, é a mesma linguagem que usamos para diminuir nossas irmãs e suspeitar umas das outras."

"Passei a acreditar que cuidar de mim mesma não é me mimar. Cuidar de mim mesma é um ato de sobrevivência."

17.

JANE GOODALL
Nascida: Valerie Jane Morris-Goodall
(1934-)

Apenas se compreendermos poderemos nos importar. Apenas se nos importarmos poderemos ajudar. E apenas se ajudarmos seremos salvos.

Por que ela merece a fama
Primatologista, antropóloga, etóloga

País de origem
Inglaterra

Seu legado
Jane Goodall é cientista, conservacionista e educadora ambiental, um dos maiores nomes dessas áreas no nosso tempo. Com seus estudos pioneiros sobre chimpanzés – ela viveu muitos anos na África fazendo profundas pesquisas de campo e criando relações com os animais –, Jane Goodall descobriu muitas coisas que ninguém tinha descoberto antes, tais como a capacidade dos chimpanzés de ter relacionamentos emocionais. Também pesquisou e divulgou uma guerra que já durava quatro anos entre duas comunidades de chimpanzés em Gombe; revelou ainda novas ideias sobre o vínculo entre mães e bebês, e aprendeu que eles têm uma linguagem

primitiva com mais de vinte sons diferentes. Com cada uma das novas descobertas da dra. Goodall, aprendemos mais sobre a conexão íntima entre animais e seres humanos, constatando que somos, de fato, semelhantes.

Sua história

Jane Goodall foi criada na Inglaterra numa família de classe média, quando teve um querido chimpanzé de pelúcia chamado Jubilee – e também grandes sonhos. Ela recorda: "Eu sonhava em ir para a África. Não tínhamos dinheiro e, como eu era menina, todos, exceto minha mãe, riam da ideia". Grande amiga dos animais, ela disse que seu relacionamento com um cão, Rusty, a fez despertar para a ideia de que os animais podem ter sentimentos e personalidade. Aos 12 anos fundou um clube de amantes da natureza, a Alligator Society, dedicada a trabalhar com animais.

Já naquele tempo, Jane Goodall era uma pequena cientista, sempre agachada na terra para examinar os bichos e tentar descobrir como viviam. Certa vez se escondeu em um galinheiro durante horas para saber como as galinhas botavam ovos. Terminado o ensino médio, quis fazer faculdade, mas, como sua família não tinha meios, entrou em uma escola de secretariado, que era mais acessível.

Apesar de engavetar seu ideal por um tempo e cursar secretariado, ela enfim conseguiu a sonhada viagem para a África. Foi primeiro para o Quênia, em 1957, visitar a fazenda de um amigo, e lá conseguiu um emprego de assistente e secretária do famoso antropólogo Louis Leakey, na época curador de um museu de Nairóbi. Começou a ajudar Leakey em suas escavações antropológicas e foi encarregada de estudar o macaco-vervet. Embora não tivesse nenhuma formação científica formal – nem sequer um diploma universitário! –, Leakey decidiu que ela era a candidata certa para uma longa missão na selva de pesquisa sobre os chimpanzés, o segundo primata mais inteligente do mundo. Escolheu Jane Goodall por julgar que o temperamento dela era adequado para ficar sozinha na natureza durante longos períodos. E, felizmente, ele tinha razão. Com 26 anos de idade, ela viajou para o rio Gombe, na Tanzânia, a fim de estudar os chimpanzés; e, como devia levar uma acompanhante, levou a mãe.

De início, os chimpanzés se afastavam, tímidos; levou algum tempo para saírem do interior da mata e confiarem nela, mas acabaram perdendo o medo. Jane Goodall formou laços de camaradagem com eles, imitando suas ações, passando muito tempo com eles entre as árvores e comendo a mesma comida que ingeriam. Com suas observações, fez duas descobertas muito importantes. A primeira é que os chimpanzés comem carne; antes se pensava que eram todos vegetarianos. E eles fazem e utilizam ferramentas, algo que se acreditava estar relacionado apenas ao ser humano (ela viu um chimpanzé usar um galhinho para pegar formigas no chão). Jane observou ainda que eles tinham um sistema de castas, tocavam o companheiro para consolá-lo e atiravam pedras como se fossem armas.

Em 1965, ela voltou para a Inglaterra e estudou na Universidade de Cambridge, fazendo doutorado em etologia, o estudo dos animais na natureza. Antes dela, apenas sete pessoas tinham tido permissão para fazer doutorado em Cambridge sem ter diploma de graduação. Seus colegas a desprezavam, achando que seus métodos de pesquisa eram muito "emocionais" e não científicos. Por exemplo, ela dava nomes aos chimpanzés em vez de identificá-los por números.

Em 1977, ela fundou o Instituto Jane Goodall para aprofundar suas pesquisas; já era então bem famosa. Nos anos 1980, porém, mudou de rumo depois de participar de um congresso em Chicago no qual se falou da ameaça crescente ao hábitat natural dos chimpanzés. Com isso, o objetivo fundamental de sua vida passou da exploração científica para a conservação da natureza e a educação ambiental. Atualmente, ela passa trezentos dias por ano viajando pelo mundo a fim de instruir as pessoas sobre o hábitat dos chimpanzés em vias de desaparecimento e as crueldades cometidas contra eles em nome da pesquisa científica.

Hoje em dia, o trabalho de Jane Goodall continua a centrar-se nas espécies ameaçadas de extinção, em especial dos chimpanzés. Suas ações incentivam todos a entrar na luta e agir para tornar o mundo um lugar mais saudável para as pessoas, os animais e o meio ambiente. Ela se concentra sobretudo em conscientizar a próxima geração sobre a conservação ambiental e as maneiras de ajudar o meio ambiente.

Suas grandes realizações

* Em abril de 2002, Jane Goodall foi nomeada Mensageira das Nações Unidas para a Paz, pelo secretário-geral Kofi Annan. Foi reeleita para o cargo pelo secretário-geral Ban Ki-Moon em junho de 2007. Já ganhou numerosos prêmios, como a Medalha de Ouro da Conservação da Sociedade Zoológica de San Diego e o Prêmio J. Paul Getty de Conservação da Natureza.

* Em 2004, ela recebeu o título de Dama do Império Britânico, equivalente feminino a "cavalheiro" do Império.

* Assim como a maioria dos autores, Goodall recebe direitos autorais pelos seus livros; mas ela própria pagou para que seu livro infantil *The Chimpanzee Family* fosse traduzido para o suaíli e distribuído na África.

* Fundou a Roots & Shoots, organização que incentiva os jovens a trabalhar juntos para encontrar soluções para os problemas de sua comunidade.

Frases famosas

"O mínimo que posso fazer é falar por aqueles que não conseguem falar."

"O maior perigo para o nosso futuro é a apatia."

"Uma mulher pode fazer milhões de cirurgias plásticas e todas essas coisas que as mulheres fazem com o corpo [...], mas eu, pessoalmente: A) não tenho dinheiro para isso, B) não tenho tempo para isso, e C) há coisas mais importantes para mim do que minha aparência."

"Não há muito que uma pessoa possa fazer sozinha, mas, se conseguirmos envolver os jovens, especialmente [...] os de 18 a 24 anos, de modo que saiam para o mundo e sejam os próximos políticos, os próximos advogados, os próximos médicos, os próximos professores, os próximos pais – então talvez tenhamos uma massa crítica de jovens que tenham outros valores."

18. JUDY BLUME
Nascida: Judy Sussman
(1938-)

Não posso deixar que a segurança e a proteção se tornem o foco central da minha vida.

Por que ela merece a fama
Escritora infantojuvenil

País de origem
Estados Unidos

Seu legado
Judy Blume é uma autora muito estimada, com mais de trinta *best-sellers* dirigidos a crianças, jovens e adultos. Foi uma das primeiras autoras de livros para jovens a escrever de modo explícito sobre os detalhes da puberdade e da sexualidade adolescente, com todos os seus momentos gloriosos, difíceis e por vezes dolorosos – sempre da perspectiva de uma garota, o que foi considerado muito avançado. Seus livros venderam mais de 85 milhões de exemplares e já foram traduzidos para mais de trinta línguas.

Além do sexo, entre alguns tópicos que ela explora em seus livros – como *Are You There, God? It's Me, Margaret, Deenie, Blubber,* e *Forever* – estão a menstruação, a masturbação, o racismo, imagem corporal, divórcio, amizade. Apesar do ataque da censura devido à sua sinceridade ao abordar assuntos tabu, ela não permitiu que isso afetasse sua produção, extremamente prolífica. Passou a militar contra a censura e a lutar contra os críticos que tentavam banir seus livros, sobretudo das bibliotecas escolares.

Sua história

Sobre a infância em Nova Jersey, diz Judy que, embora adorasse ler e inventar histórias na cabeça, ela nunca quis ser escritora. Em vez disso: "sonhava em ser caubói, detetive, espiã, ou uma grande atriz, ou ainda uma bailarina. Não dentista, como meu pai, nem dona de casa, como minha mãe". Só começou a escrever na idade adulta. Já casada e com dois filhos no jardim de infância, estava "desesperada para encontrar uma maneira de extravasar a criatividade".

Estudou na Universidade de Nova York e, em 1961, formou-se em educação. Em 1969 publicou seu primeiro livro: *The One in the Middle is the Green Kangaroo*, e nos dez anos seguintes lançou uma rápida sucessão de novos livros, entre eles, algumas de suas obras mais populares, como *Blubber* e *Are You There, God? It's Me, Margaret*. Embora seus livros tenham tocado muitos leitores desde o início, causaram bastante polêmica. Uma mulher telefonou para ela acusando-a de ser comunista por escrever *Are You There, God? It's Me, Margaret*. O livro, porém, não tem nada a ver com política.

Judy Blume foi casada três vezes e fala com absoluta franqueza sobre os problemas pessoais que já enfrentou na vida. Depois de se divorciar do primeiro marido, o advogado John M. Blume, logo se casou de novo, reconhecendo que "não sabia como viver sem ser casada". O segundo casamento também não deu certo; ela se lembra desse relacionamento como um "desastre, desastre total. Depois de alguns anos, caí fora. Eu chorava todos os dias. Se alguém acha que minha vida é um mar de rosas está redondamente enganado". Foi o trabalho que a ajudou a superar esses tempos difíceis: "O trabalho me salvou. Sempre fui capaz de escrever, mesmo quando todo o resto caía aos pedaços". Mais tarde, ela conseguiu superar um câncer de mama e um câncer de colo de útero.

Cinco livros censurados de Judy Blume

Diversos livros de Judy Blume estão na lista dos "100 livros mais contestados" da American Library Association. Estes cinco clássicos de Judy Blume figuraram nessa "honrosa" lista entre 1990 e 1999.

Forever (1975)

A adolescente Katherine perde a virgindade com seu primeiro amor, Michael (e, como por um milagre, não são punidos por sua irresponsabilidade!). Mas logo ela navega por águas mais agitadas, apaixonando-se por outro garoto enquanto ainda está meio envolvida com Michael. O livro fala com honestidade sobre a sexualidade adolescente, e muitas garotas (entre elas, esta que vos fala!) se lembram com carinho, e vividamente, de ter devorado os trechos "sujos" sob o cobertor, lendo com uma lanterna enquanto os pais dormiam. Ah... e, caso você se interesse por esse tipo de coisa, o pênis de Michael é apelidado de Ralph.

Blubber (1974)

Jill, a narradora, está na quinta série e participa do *bullying* feito a uma garota obesa da classe chamada Linda. E faz isso não por ser uma má pessoa, ou porque acredite mesmo que Linda mereça o *bullying* – ela faz isso para se entrosar com a turma e, em particular, ficar numa boa com Wendy, a estereotípica Garota Má que domina a classe das meninas. No final, Wendy não é punida, e parece que isso incomodou alguns leitores adultos. Em 2013, Blume escreveu que *Blubber* foi "proibido no condado de Montgomery, estado de Maryland, por 'falta de um viés moral', e, em tempos mais recentes, em Canton, estado de Ohio, por permitir que o mal permaneça impune". Ugh!

Are You There, God? It's Me, Margaret (1970)

Esse talvez seja o livro mais famoso de Judy Blume, e já ajudou garotas de toda parte a atravessar a fase mais turbulenta da pré-adolescência. Margaret, uma garota de 11 anos, acaba de se mudar para Nova Jersey com a família. Ela faz amizade com uma turma de meninas que falam com franqueza sobre suas esperanças e medos secretos (comprar o primeiro sutiã, começar a menstruar, beijar os meninos). Mas Margaret é diferente delas, porque a mãe é cristã e o pai é judeu... algo que na época era um escândalo.

Deenie (1973)

À primeira vista, este livro não é nada polêmico. Trata-se de uma garota de 13 anos que sonha em ser modelo, mas tem a vida virada de cabeça para baixo quando é diagnosticada com escoliose, sendo forçada a usar uma cinta nas costas. Trata-se de uma adolescente normal em todos os demais aspectos, confrontada com inseguranças comuns. Mas Deenie tinha "uma sensação muito boa" ao tocar seu "lugar especial" – e por ousar, hum... *tocar* nesse assunto, o livro teve problemas com a censura.

Tiger Eyes (1981)

A protagonista é uma garota de 15 anos chamada Davey, que está em crise depois que seu pai foi morto a tiros em um assalto. A mãe logo decide mudar com a família para o Novo México a fim de seguir em frente com a vida, e o mundo de Davey é ainda mais abalado. Felizmente, ela faz uma nova amizade com Wolf, que a ajuda a encontrar seu caminho nessa nova e difícil vida para onde foi empurrada. O livro foi parar na lista da American Library Association por retratar menores de idade envolvidos com alcoolismo, depressão e morte, e foi adaptado para o cinema.

Suas grandes realizações

* Judy Blume ganhou mais de noventa prêmios, entre eles, o Prêmio Lenda Viva da Biblioteca do Congresso e a Medalha da Fundação Nacional do Livro de 2004 por Contribuição Notável às Letras dos Estados Unidos.

* Em 1996, ganhou o Prêmio Margaret A. Edwards, da American Library Association, que homenageia o conjunto da obra de um escritor por sua "contribuição significativa e duradoura à literatura para jovens adultos" e obras que ajudam os "adolescentes a tomar consciência de si mesmos e a refletir sobre seu papel e importância nos relacionamentos, na sociedade e no mundo". Seu livro *Forever*, de 1975, foi especificamente mencionado na premiação: "Ela abriu novos caminhos com seu retrato franco de Michael e Katherine, adolescentes ao fim do ensino médio que se apaixonam pela primeira vez. O amor e a sexualidade deles são descritos de maneira franca, realista e com grande compaixão".

* Blume criou o Kids Fund, organização beneficente e educacional que doa cerca de 40 mil dólares por ano a várias organizações sem fins lucrativos, oferecendo diversos programas para crianças e jovens, como oficinas para lidar com o divórcio dos pais e grupos de apoio para mães adolescentes.

* "Judy Blumesday" é um feriado, comemorado em 17 de junho, criado por duas fãs de Blume que desejavam imitar o "Bloomsday" – dia em que os fãs de James Joyce celebram seu livro *Ulisses*.

Frases famosas

"Ódio e guerra são palavrões. Trepar não é."

"Cada um de nós deve enfrentar seus medos, deve encará-los de frente. A forma como lidamos com nossos medos vai determinar aonde iremos pelo resto de nossa vida. Vamos viver aventuras ou seremos limitados por medo delas?"

"No fundo, creio, tudo depende principalmente da determinação. [...] Eu chorava quando vinham as rejeições das editoras – pelo menos nas primeiras vezes – e ia dormir me sentindo arrasada, mas acordava pela manhã otimista, pensando: 'Bem, talvez eles não gostaram daquele livro, mas espere só até verem o que vou fazer agora!' Creio que o mais importante é continuar, seguir em frente."

"Quando me perguntam se escrever livros mudou minha vida, respondo: 'Sim, mudou minha vida por completo. Escrever me deu a vida."

19. JUDY CHICAGO
Nascida: Judith Sylvia Cohen
(1939-)

Não me tornei uma excluída. O mundo da arte fez de mim uma excluída.

Por que ela merece a fama
Artista feminista, educadora, escritora

País de origem
Estados Unidos

Seu legado
Judy Chicago é artista, escritora e pioneira feminista que dedicou sua carreira a promover a voz das mulheres no mundo das artes. Uma das principais líderes do movimento de arte feminista dos anos 1970, ela definiu como missão pessoal garantir que as obras criativas das mulheres não fossem apagadas da História. Embora seu trabalho inclua formas de arte "feminina" estereotipadas, como bordado e artes têxteis, também incorpora outros tipos de expressão tradicionalmente masculinos, como pirotécnica e soldagem. Judy Chicago é mais conhecida pela sua enorme instalação *The Dinner Party,* de 1979, um banquete elaborado com meticulosidade em uma gigantesca mesa triangular com 39 lugares, cada um designado a

uma figura feminina histórica de importância crucial, entre elas, Virginia Woolf, Sojourner Truth e Susan B. Anthony.

Sua história

A artista (que mudou seu sobrenome nos anos 1960 como uma forma de declaração feminista sobre a identidade pessoal) foi criada em... Chicago, claro!, em uma família que, segundo ela: "acreditava na igualdade de direitos para as mulheres, algo muito raro na época. O lado ruim é que eles nunca se deram o trabalho de me contar que nem todo mundo também acreditava nisso". O ativismo do pai, Arthur, influenciou sua visão de mundo e a formação política e social da filha, que no futuro seriam fundamentais em suas obras de arte. Arthur era um militante sindical marxista, profundamente envolvido com o Partido Comunista, e sofreu investigações do governo, na época em plena agonia do macartismo. Sua mãe, May, era dançarina e transmitiu seu amor pelas atividades artísticas à filha, que, aos 5 anos, já tinha certeza: "Nunca quis fazer mais nada na vida exceto arte". Judy estudou na Universidade da Califórnia em Los Angeles. Formou-se em artes em 1962 e dois anos depois fez mestrado em pintura e escultura.

Na faculdade, começou a desenhar cartazes para a National Association for the Advancement of Colored People (NAACP), passando depois a trabalhar como secretária correspondente nessa associação. Quando jovem, a artista fazia obras mais abstratas do que as que iria criar mais tarde. Na pós-graduação, enquanto se recuperava da morte do marido em um acidente de carro, criou uma série chamada *Bigamy*, que apresentava órgãos sexuais masculinos e femininos. Ela define essas primeiras obras como minimalistas, mas também mencionou que, na faculdade, começou a sentir que "não podia mais fingir em [sua] arte que ser mulher não significava nada".

Enquanto seu trabalho começava a atrair atenção, Judy passou a se sentir cada vez mais inspirada pelo início do movimento feminista. Foi uma das fundadoras do Programa de Arte Feminista da Universidade Estadual da Califórnia, em Fresno, para ajudar jovens artistas do sexo feminino. Ensinava carpintaria às alunas, para que cada uma pudesse construir o próprio estúdio, e as incentivava a usar a própria vida como base para suas criações.

Em 1974, Judy Chicago começou a trabalhar em sua principal obra, *The Dinner Party*, recrutando centenas de mulheres para ajudá-la a criar esse trabalho extremamente intrincado. Cada um dos 39 lugares à mesa tem um prato de porcelana pintado à mão, um cálice de cerâmica, outros pratos e um guardanapo com margens bordadas em fio de ouro. Cada prato tem uma imagem ornamentada de uma vagina. Embora a instalação tenha recebido críticas negativas quando foi exibida pela primeira vez no Museu de Arte Moderna de San Francisco, em 1979, atraiu um enorme público nos Estados Unidos e na Europa Ocidental, sobretudo devido ao boca a boca entre as mulheres, que se apaixonaram pela obra. Houve entusiastas que chegaram a conseguir dinheiro para exibi-la em cidades onde os museus a rejeitaram. *The Dinner Party* provocou também muita polêmica. Algumas mulheres negras disseram ter se sentido sub-representadas na peça – sem dúvida pouco diversificada, destacando sobretudo a contribuição histórica de mulheres brancas. Destacaram ainda o fato de que o prato de Sojourner Truth era o único sem a imagem da vagina. Algumas viram isso como uma negação da feminilidade dessa figura histórica.

The Dinner Party ganhou mais apreço ao longo do tempo – o crítico de arte Arthur Danto o chamou de "um dos principais monumentos artísticos da segunda metade do século XX" –, e o lugar de Judy Chicago também vem crescendo no mundo da arte. Ela continua usando conceitos feministas para apresentar as histórias de mulheres à vanguarda da consciência cultural, e para combater o mundo da arte no tocante à persistência da predominância masculina.

Suas grandes realizações

* O trabalho de Judy Chicago já foi mostrado e celebrado no mundo todo. Ela dá palestras por toda parte e escreveu muitos livros sobre arte, feminismo e a vida.

* Em 1985, ela revelou um trabalho de proporções enormes: *The Birth Project* – uma obra ambiciosa que usa macramê, colcha de retalhos, bordados e outros tipos de artesanato tradicionalmente femininos para reinterpretar o mito da Criação no Gênesis bíblico.

* Dotada de uma fé inabalável em seu talento e trabalho, sempre teve grande autoconfiança, usando palavras como "monumental" e "grandiosa" para descrever suas obras. Já afirmou que sabe que seu trabalho mudou a vida das pessoas. (Ei, se você não acreditar em você mesma, quem vai acreditar?)

Frases famosas

[Por que começou a fazer trabalhos com menos motivação sexual:] *"Acho que se poderia dizer que parei de olhar para minha vagina."*

"Não haveria maneira nenhuma no mundo em que eu pudesse ter filhos e ao mesmo tempo a carreira que tive. Mas quer saber? Não me importo se tive de abrir mão de muita coisa. Fiz o que queria fazer."

"No começo, houve várias coisas que me deram ânimo. Uma delas foi o meu ardente desejo de fazer arte. Outra foi pensar nas mulheres que vieram antes de mim e perceber o que haviam passado para que eu pudesse ter as oportunidades que tive."

20. WILMA RUDOLPH
Nascida: Wilma Glodean Rudolph
(1940-1994)

Os médicos disseram que eu nunca voltaria a andar. Minha mãe disse que eu iria andar. Eu acreditei na minha mãe.

Por que ela merece a fama
Atleta

País de origem
Estados Unidos

Seu legado
Wilma Rudolph foi uma velocista muito premiada, que fez história em 1960 ao tornar-se a primeira mulher norte-americana a conquistar nada menos que três medalhas de ouro nos Jogos Olímpicos. É uma das corredoras mais rápidas da história, um ídolo para os fãs de esportes no mundo inteiro, pela maneira inspiradora como triunfou sobre todas as adversidades, tanto na vida pessoal quanto na profissional. Ela não só transcendeu as aparentes limitações de sua raça e sexo, como mulher afro-americana nos anos 1960, como também triunfou sobre a pobreza e uma série de graves problemas de saúde.

Sua história

Wilma não teve um início de vida fácil. Durante a infância, no Tennessee, sofreu graves problemas de saúde. Começaram no nascimento, quando não se esperava que ela conseguisse sobreviver. Nasceu prematura, com apenas dois quilos e duzentos gramas; devido à segregação, sua mãe foi barrada na porta do hospital quando chegou para dar à luz. Em criança teve pneumonia dupla, escarlatina e depois poliomielite, ficando acamada a maior parte do tempo. Aos 6 anos perdeu o uso da perna esquerda e teve que usar muletas e aparelhos na perna; mas a fisioterapia e muita determinação, além de massagens constantes dos irmãos, ajudaram-na a caminhar de novo. Aos 9 anos, ela conseguiu aposentar o aparelho.

Wilma foi a vigésima dos 22 filhos de seu pai, tendo crescido na pobreza quando a segregação racial ainda era a lei. Na escola secundária, exclusiva para negros, o treinador de basquete deu-lhe o apelido de Skeeter (abreviação de "mosquito") pela sua agilidade na quadra e facilidade para irritar os adversários. Alguns anos depois participou de uma competição na qual perdeu todas as corridas, mas mostrou sem dúvida todo o vigor do seu potencial, pois chamou a atenção de Ed Temple, treinador da Universidade Estadual do Tennessee. Ele decidiu recrutá-la para os treinos no acampamento de verão da universidade.

Assim, com apenas 16 anos, Wilma Rudolph foi classificada para os Jogos Olímpicos de 1956 na Austrália. Foi a atleta mais jovem da equipe dos Estados Unidos naquele ano, ganhando uma medalha de bronze no revezamento de 4×100 metros. Mais tarde, estudou Educação na Universidade Estadual do Tennessee e continuou treinando corrida até a exaustão.

Sua história, porém, não foi nenhum mar de rosas. Aos 17 anos, ainda estudante, teve um bebê, o que a impediu de praticar esportes no último ano do ensino médio.

A irmã de Wilma passou a cuidar do bebê para que ela pudesse frequentar a faculdade e continuar seguindo sua paixão pela corrida. Nos Jogos Olímpicos de 1960, em Roma, Wilma foi considerada oficialmente "a mulher mais rápida do mundo", tendo vencido as corridas de 100 e 200 metros e ajudado a levar a equipe dos Estados Unidos à vitória no revezamento de 4×100 metros. Após essas vitórias, ela disparou para o estrelato internacional. A mídia começou a chamá-la de "Pérola Negra" e "Gazela Negra".

O governador do Tennessee, Buford Ellington, um segregacionista, pretendia liderar as festividades da volta triunfal de Wilma após as Olimpíadas. Ela, porém, disse que se recusava a participar de um evento racista e segregador – e assim seu desfile de boas-vindas acabou sendo o primeiro evento racialmente integrado em sua cidade natal, Clarksville.

Como se dedicava muito à família, decidiu não competir nas Olimpíadas de 1964. Nessa época, era professora em sua antiga escola primária; depois tornou-se treinadora na equipe de corrida da Universidade DePauw, em Indiana. Foi embaixadora da Boa Vontade dos Estados Unidos na África Ocidental Francesa e eleita para o Hall da Fama dos Atletas Negros e o Hall da Fama do Atletismo Nacional. Ela disse, porém, que a maior conquista de sua vida foi criar a Wilma Rudolph Foundation, um programa de incentivo ao esporte amador, sem fins lucrativos, centrado nas comunidades.

Wilma Rudolph morreu de câncer no cérebro aos 54 anos, em Nashville. Seu legado ao mundo do esporte continua vivo. Ela ajudou a elevar o nível e a importância do atletismo feminino, e continua sendo uma inspiração para as mulheres esportistas do mundo inteiro.

Suas grandes realizações

* Wilma Rudolph venceu duas vezes o Prêmio Mulher Atleta do Ano, da Associated Press, em 1960 e 1961.

* Sua autobiografia, *Wilma*, foi depois transformada em um filme para a TV.

* Em 2004, o correio norte-americano homenageou a campeã olímpica colocando seu rosto em um selo de 23 centavos.

* Em 1983, Wilma entrou para o Hall da Fama Olímpico dos Estados Unidos.

Frases famosas

"Acredito em mim mesma mais do que em qualquer coisa neste mundo."

"Nunca subestime o poder dos sonhos nem a influência do espírito humano. Somos todos iguais quanto a essa noção: o potencial para a grandeza vive dentro de cada um de nós."

"Não há triunfo sem luta."

"[As mulheres negras] não vão trabalhar para se realizar, ou pelo espírito de aventura, tampouco por charme ou romance, como muitas mulheres brancas pensam que estão fazendo. A mulher negra trabalha por necessidade."

21.

WANGARI MAATHAI
Nascida: Wangari Muta Maathai
(1940-2011)

Enquanto você não cavou um buraco, não plantou uma árvore, não a regou nem a fez sobreviver, você não fez nada. Está apenas de conversa fiada.

Por que ela merece a fama
Professora, ativista política do meio ambiente

País de origem
Quênia

Seu legado
Admirada e reverenciada pela maneira como conseguiu entrelaçar as questões feministas com as ambientais, Wangari Maathai foi uma figura pioneira dos direitos ambientais – uma área que muitas vezes não dá valor às lideranças femininas. Nascida e criada no Quênia, foi a primeira mulher africana a ganhar o Prêmio Nobel da Paz, em 2004, "por sua contribuição ao desenvolvimento sustentável, à democracia e à paz". O reconhecimento foi bastante benéfico para o Quênia. Embora fosse católica devota e contra o aborto, fez muitos trabalhos pioneiros junto às mulheres e também cooperou com grandes líderes do mundo todo.

Em seu país natal, o Quênia, seu trabalho foi mal compreendido e por vezes ridicularizado por sua natureza subversiva, já que se considerava que ela desrespeitava os papéis tradicionais das mulheres africanas. Uma das suas maiores realizações foi ter lançado o Movimento do Cinturão Verde. Essa organização paga a mulheres quenianas para plantarem árvores em suas comunidades, em um esforço para combater o desmatamento e preservar o meio ambiente.

Sua história

Wangari Maathai foi criada em uma pequena aldeia do Quênia, que ainda era colônia britânica, e sua família tomou a iniciativa rara de mandá-la para a escola, quando ainda não era algo comum educar uma menina. Wangari era uma aluna talentosa, e em 1960 foi um dos trezentos estudantes quenianos a ganhar uma bolsa do então senador John F. Kennedy, para estudar nos Estados Unidos. Formou-se em Biologia no Mount St. Scholastica College, no Kansas, e fez mestrado em Biologia na Universidade de Pittsburgh. Posteriormente, ela se recordaria com carinho desses anos, dizendo que, ao ver as manifestações contra a Guerra do Vietnã, ela percebera que as pessoas precisavam defender os princípios em que acreditavam. Em 1971, terminou seu doutorado na Universidade de Nairóbi, tornando-se a primeira mulher em toda a África Oriental e Central a conquistar esse título!

Em 1976, ao trabalhar no Conselho Nacional das Mulheres do Quênia, ela teve a ideia de pagar às mulheres das aldeias para plantar árvores e preservar o meio ambiente. Os benefícios eram duplos: as mulheres ganhavam algum dinheiro pelo trabalho, contribuindo para seu sustento, e as árvores plantadas forneciam combustível (carvão), reduzindo o desmatamento e a desertificação. Esse esforço e o Movimento do Cinturão Verde resultaram no plantio de mais de trinta milhões de árvores na África. Segundo as Nações Unidas, a campanha ajudou a sustentar cerca de novecentas mil mulheres. Ao explicar por que se concentrava especificamente em ajudar mulheres, Wangari disse: "Naquela parte da África, são as mulheres as primeiras vítimas da degradação ambiental, porque são elas que vão buscar água; então, se não há mais água, são elas que têm de caminhar [...] durante horas para trazer água. São elas que buscam lenha. São elas que produzem alimento para as famílias. Assim, é fácil explicar a elas que o meio ambiente está degradado e persuadi-las a agir".

Em 1986, líderes do Movimento do Cinturão Verde formaram a Rede Pan-Africana do Cinturão Verde, visando educar líderes mundiais sobre conservação e melhoria do meio ambiente. O Cinturão Verde também estimulou campanhas semelhantes em vários países africanos, como Etiópia, Tanzânia e Zimbábue.

Wangari Maathai protestou com frequência contra as práticas ecológicas do governo do Quênia e sua maneira de administrar as terras do país. Nos anos 1980, o ditador Daniel Arap Moi, muito criticado por ela, chamou o Movimento do Cinturão Verde de "subversivo". Uma das ações mais conhecidas de Wangari contra as políticas de Arap Moi ocorreu em 1989, quando o Cinturão Verde organizou um protesto no Parque Uhuru, em Nairóbi, para tentar impedir a construção de um arranha-céu. Embora a campanha tenha recebido atenção em todo o mundo, fazendo o projeto do arranha-céu ser descartado, Wangari foi punida e depois espancada até desmaiar, em retaliação pelos seus protestos. O lugar onde ela fez sua manifestação ficou conhecido como Esquina da Liberdade.

Wangari sempre se manifestou com clareza e muito orgulho em sua oposição ao governo queniano, até que o partido político de Moi acabou saindo do poder, em 2002. Nesse ano, ela ganhou uma cadeira no Parlamento do país, e em 2003 foi nomeada assistente do ministro do Meio Ambiente e dos Recursos Naturais. No ano seguinte, quando ganhou o Prêmio Nobel, o comitê elogiou sua "abordagem holística ao desenvolvimento sustentável, englobando a democracia, os direitos humanos e em especial os direitos das mulheres".

Além da sua paixão pela conservação ambiental, Wangari também militou pela prevenção da Aids, pelos direitos humanos e pelos problemas da mulher. E não hesitava em defender essas questões nas reuniões da Assembleia Geral das Nações Unidas. Como disse o comitê do Nobel, ela segue o lema "Pensar de modo global, agir de forma local".

Suas grandes realizações

* Pessoas de vários campos a admiraram profundamente. Adam Steiner, diretor executivo do programa ambiental da ONU, certa vez a definiu como "uma força da natureza". A escritora feminista Jessica Valenti chamou-a de "líder extraordinária", e John Githongo, militante anticorrupção no Quênia, notou que ela "desbravava novos caminhos em tudo o que fazia".

* Em 2005, a prestigiosa revista *Forbes* colocou-a entre as cem mulheres mais influentes do mundo.

* Como reconhecimento à sua contribuição ao meio ambiente, um ano após sua morte foi criado o Prêmio Wangari Maathai, para homenagear "uma mulher extraordinária que defendeu as questões florestais no mundo inteiro".

Frases famosas

"Não se deve combater apenas os sintomas. Deve-se chegar às causas, à raiz, promovendo a reabilitação ambiental e capacitando as pessoas a fazerem as coisas por si mesmas. Tudo o que for feito para as pessoas sem envolvê-las não pode se sustentar."

"Foi fácil me perseguirem sem que as pessoas se sentissem envergonhadas. Foi fácil me vilipendiar, mostrar-me como alguém que não seguia a tradição da 'boa mulher africana'; como uma elitista de fina educação que tentava mostrar às inocentes mulheres africanas um modo de conduta não aceitável para os homens africanos."

"Não sei por que me importo tanto. Simplesmente tenho algo dentro de mim que me diz que existe um problema e eu tenho que fazer alguma coisa a respeito."

22. FRANCES M. BEAL
(1940-)

Hoje em dia várias garotas consideradas bonitas são negras com traços de brancas. Cabelos lisos, bem lisos: não há nada de africano aí, nada mesmo; isso mostra a rejeição, mais uma vez, da nossa própria cultura.

Por que ela merece a fama
Ativista política, escritora

País de origem
Estados Unidos

Seu legado
Frances M. Beal é uma militante feminista e celebridade da luta pelos direitos civis, cuja missão incansável foi lutar contra o que ela chamou de "graves equívocos, distorções dos fatos e atitudes defensivas" que afligiam as mulheres negras nos Estados Unidos. Ela rompeu com o molde tradicional do feminismo dos anos 1960 e 1970, sobretudo branco e elitista, para exigir que o movimento das mulheres e o mundo em geral fossem muito mais inclusivos com as mulheres de cor. Acreditando que o capitalismo, a raça e a classe são os elementos básicos que continuam mantendo as mulheres em posição de inferioridade, ela se revoltava contra o fato de que ninguém – em particular as feministas brancas – falasse sobre essas

ideias. Sua insistência em contestar as convicções feministas comuns teve um alcance poderoso, e as questões que ela levantou ainda atraem bastante polêmica no movimento feminista de hoje.

Sua história

Nascida em Binghamton, estado de Nova York, com pai afro-americano e mãe judia russa, Frances Beal sentiu logo na infância e na adolescência a luta pessoal dos pais contra o antissemitismo e o racismo. Isso foi fundamental para acender a chama do seu compromisso, que perdura por toda a sua vida, de trabalhar pela justiça. Quando o pai morreu, a mãe mudou-se com a família para o bairro do Queens, em Nova York. Beal foi inspirada pela militância de esquerda da mãe e ficou profundamente chocada com o assassinato de Emmett Till no Mississippi, em 1955. Emmett Till era um garoto afro-americano de 14 anos assassinado por dois homens brancos racistas depois de ter supostamente "flertado" com uma mulher branca em uma loja. Os dois assassinos acabaram absolvidos. Frances Beal recordou mais tarde: "Ele tinha mais ou menos a mesma idade que eu. Foi uma espécie de alarme para despertar. Afinal, isso poderia ter acontecido comigo".

Depois do ensino médio, Frances entrou na faculdade em Wisconsin, onde se envolveu com direitos civis e causas socialistas. Mais tarde foi a Paris para estudar na Sorbonne, ali conhecendo Malcolm X. Foi também em Paris que se familiarizou com as obras da influente filósofa feminista Simone de Beauvoir.

Quando voltou aos Estados Unidos em 1966, começou a trabalhar no National Council of Negro Women, onde ficou por dez anos. Em 1968, foi uma das fundadoras do Black Women's Liberation Committee, um braço da organização de direitos civis chamada Student Nonviolent Coordinating Committee. O comitê mais tarde transformou-se na Third World Women's Alliance (TWWA), organização focada na interseccionalidade como um dos aspectos mais fundamentais do feminismo. O feminismo interseccional fundamenta-se na crença de que existem muitos outros fatores além do sexo e do gênero – tais como raça e classe – que colaboram para a opressão das mulheres.

No mesmo ano, Frances Beal escreveu um ensaio revolucionário (publicado primeiro como panfleto): *Double Jeopardy: To Be Black and Female*, que foi publicado em diversas antologias, como a clássica coleção da segunda onda feminista, *Sisterhood is Powerful*. Em seu ensaio, Frances tentou reconciliar o feminismo negro com os ideais marxistas. A escritora Winifred Breines observou que esse ensaio "anunciava que qualquer feminista que não tivesse uma ideologia antirracista e anti-imperialista não contribuía em nada com a luta das mulheres negras". *Double Jeopardy* é considerada até hoje uma obra seminal.

Nos anos 1970, como membro da filial de Nova York da TWWA, Frances Beal começou a se concentrar no direito ao aborto e no abuso da esterilização. Na época, a esterilização forçada era generalizada, em particular em mulheres de baixa renda e minorias.

Frances mudou-se depois para Oakland, na Califórnia. Aposentou-se em 2005, mas continua muito ativa socialmente, dando seu apoio ao Women of Color Resource Center, grupo originário da TWWA. Militante incansável pela paz, tem elevado sua voz em protesto contra a guerra no Iraque e no Oriente Médio em geral.

Suas grandes realizações

* Beal sempre foi destemida ao dizer o que pensava, mesmo que algumas ideias suas não fossem nada populares. Em *Double Jeopardy*, ela escreveu: "Uma mulher que fica em casa cuidando da casa e das crianças muitas vezes leva uma existência extremamente estéril. Tem de passar a vida inteira como satélite do marido. Ele sai para a sociedade e traz de volta um pedacinho do mundo para ela. [...] Esse tipo de mulher leva uma existência parasitária que pode ser descrita, de modo mais correto, como prostituição legalizada".

* Ela sempre desafiou as noções tradicionais (de mulheres brancas) de beleza. Em sua contribuição para a história oral no Smith College, ela mencionou: "Desafiamos toda a ideia de que a feminilidade equivale a certo tipo físico de beleza, porque julgamos essa noção opressiva, em especial para a mulher negra [...]".

* Beal falou sobre os esforços do governo, a seu ver desproporcionais, de esterilizar as mulheres de cor. Como ela escreveu em *Double Jeopardy*: "Talvez o ato de opressão mais absurdo dos tempos modernos seja a atual campanha para promover a esterilização das mulheres não brancas, na tentativa de manter o desequilíbrio, em termos de população e poder, entre os brancos ricos e os não brancos pobres".

Frases famosas

"Se os grupos brancos [de mulheres] não percebem que estão lutando contra o capitalismo e o racismo, então não temos vínculos em comum."

"É um sonho inútil pensar nas mulheres negras apenas cuidando da casa e dos filhos, tal como o modelo das brancas de classe média. A maioria das mulheres negras tem que trabalhar fora para dar uma casa à família, alimentá-la e vesti-la."

"O que significa a beleza ser definida como ser branca, de olhos azuis, loira, sabe como é... blá-blá-blá?"

"A libertação das mulheres negras não é apenas a análise da cor da pele. Não é apenas a análise de classe. Não é apenas a análise racial. A questão é ver como essas coisas funcionam no mundo real de forma integrada, tanto para entender a exploração pela opressão como para assimilar alguns métodos para tentar lidar com elas."

23. ANGELA DAVIS
Nascida: Angela Yvonne Davis
(1944-)

Temos que falar sobre libertar a mente, assim como libertar a sociedade.

Por que ela merece a fama
Professora, filósofa socialista, ativista, escritora

País de origem
Estados Unidos

Seu legado
Angela Davis, escritora e revolucionária conhecida por sua valentia, por enfrentar os adversários sem nunca recuar, foi uma poderosa ativista internacional do Movimento Black Power dos anos 1960 e 1970. Figura formidável na história do feminismo, Angela Davis teve diversas experiências incríveis, inspiradoras e às vezes inusitadas – desde ser líder do alto escalão do Partido Comunista e entrar na lista dos Dez Mais Procurados do FBI, até iniciar a campanha mundial "Liberdade para Angela Davis" depois de ser presa por acusações falsas de sequestro e assassinato. Sempre criticou com veemência o sistema de justiça criminal dos Estados Unidos e fez um trabalho essencial sobre a reforma dos presídios (escreveu um livro intitulado *Are Prisons Obsolete?*. No entanto, ela nem sempre

estava em sintonia com outras feministas. Em um discurso de 2010, ela lembrou: "Todos começaram a me chamar de feminista. Minha resposta foi: 'Quem, eu? Não sou feminista! Sou uma mulher negra revolucionária que se identifica com as lutas da classe trabalhadora do mundo todo! Como poderia ser feminista?!'".

Sua história

Angela Davis é famosa sobretudo por seu livro pioneiro *Mulheres, Raça e Classe*, muito lido nos departamentos de Estudos da Mulher em universidades pelo mundo afora. Esse livro merece um lugar na estante de todas as feministas, pois articula a importância da interseccionalidade. Nessa obra, de pesquisa impecável e focada na História, Angela Davis destrói mitos sobre a experiência das escravas negras e traça histórias, separadas e desiguais,[1] de mulheres negras e brancas.

Os pais de Angela Davis eram membros da National Association for the Advancement of Colored People (NAACP). Sua mãe era organizadora e dirigente nacional do Southern Negro Congress, grupo influenciado pelo Partido Comunista, que defendia um sistema econômico anticapitalista. Quando jovem, Angela Davis viveu cercada de pensadores comunistas, que tiveram papel importante no seu desenvolvimento intelectual. Seu ativismo político também foi provocado pela infância em Birmingham, cidade segregada no estado do Alabama, em um bairro chamado Dynamite Hill, onde muitas vezes a Ku Klux Klan jogava bombas nas casas de cidadãos afro-americanos.

Angela Davis estudou francês com uma bolsa de estudos integral na Universidade Brandeis. Sendo uma de apenas três pessoas negras da turma, sentia-se solitária e alienada. Como estudante de pós-graduação em San Diego nos anos 1960, envolveu-se com o Black Liberation Movement, entrando para o Partido Comunista e atuando com os Panteras Negras e o Student Nonviolent Coordinating Committee. Na pós-graduação também fundou o primeiro Sindicato dos Estudantes Negros no seu *campus*. Mas foi

---

[1] Alusão ao *slogan* segregacionista "Separados mas iguais". (N.T.)

só a partir de 1969 que ela se tornou conhecida publicamente, quando foi exonerada do cargo de professora no Departamento de Filosofia da Universidade da Califórnia em Los Angeles (UCLA), devido às suas convicções políticas comunistas. Ela lutou para recuperar o cargo... e venceu.

Em 1970, ganhou mais fama ao ser presa como suspeita de conspiração em um tiroteio ocorrido num Tribunal de Justiça da Califórnia, que deixou quatro pessoas mortas. As armas utilizadas estavam registradas em seu nome. Foi colocada na lista dos Dez Mais Procurados do FBI e, em 1972, recebeu uma sentença de morte pela suposta participação no tiroteio. Após ganhar uma onda internacional de apoio com a campanha

"Liberdade para Angela Davis", foi enfim absolvida de todas as acusações. "Foi o dia mais feliz da minha vida", disse ela, depois de já ter passado um ano e meio na prisão. Angela logo se tornou um símbolo da resistência e do espírito de luta dos afro-americanos.

Em 1981 publicou sua obra clássica, *Mulheres, Raça e Classe*, que solidificou sua reputação como acadêmica brilhante e um verdadeiro tesouro do feminismo. O livro traça o nascimento do movimento dos direitos da mulher nos Estados Unidos, observando que talvez a maior falha ocorrida tenha sido a maneira como a maioria das líderes reprimiu ou ignorou a voz das mulheres negras e trabalhadoras.

Angela Davis acreditava que, para que as mulheres fossem verdadeiramente livres, a questão da violência contra a mulher devia ser abordada de uma vez por todas. A seu ver, a violência não se restringia a estupros e assaltos, mas incluía também ataques contra a liberdade reprodutiva da mulher, tais como atentados contra clínicas de aborto e restrição do acesso ao aborto, e ainda ataques à sexualidade, como proibir mulheres homossexuais de terem filhos.

Escritora prolífica, palestrante e presença extremamente ativa na área do feminismo, da luta contra o racismo e da reforma penitenciária, ela vem influenciando uma nova geração de ativistas. Nos últimos 25 anos, deu palestras nos cinquenta estados dos Estados Unidos, bem como em inúmeros países do mundo.

Suas grandes realizações

* Seu ativismo inspirou John Lennon e Yoko Ono a comporem, em 1972, uma canção chamada "Angela", sobre sua prisão injustificada.

* Em 1980, ela concorreu a vice-presidente dos Estados Unidos na chapa do Partido Comunista, embora não tenha vencido.

* É afiliada ao Sisters Inside, grupo abolicionista australiano que trabalha em solidariedade a mulheres encarceradas.

* Davis é uma das fundadoras da Critical Resistance, organização nacional dedicada a desmantelar o complexo industrial carcerário.

Frases famosas

"Não consigo imaginar um feminismo que não seja antirracista."

"O estupro tem relação direta com todas as estruturas de poder existentes em determinada sociedade. Não é uma relação simples, mecânica, mas envolve estruturas complexas que refletem a interconectividade entre a opressão de raça, gênero e classe que caracteriza a sociedade."

"Já acumulamos um arsenal de experiências históricas que confirmam nossa convicção de que os pratos da balança da justiça estão desequilibrados."

"Não se pode pensar em libertação sem educação."

"Sabemos que no caminho para a liberdade a morte está sempre à espreita."

24. ALICE WALKER
Nascida: Alice Malsenior Walker
(1944-)

A forma mais comum de abdicar do poder é pensar que você não tem poder.

Por que ela merece a fama
Escritora, poetisa, ativista feminista

País de origem
Estados Unidos

Seu legado
Pelo seu aclamado livro *A Cor Púrpura*, Alice Walker foi a primeira mulher afro-americana a receber o Prêmio Pulitzer de Ficção – embora seu legado seja mais significativo. Ela é uma das mais admiradas – e também mais censuradas! – escritoras negras de todos os tempos. É um ícone literário também devido ao vasto escopo de sua obra. Seus livros abordam muitos pontos críticos – fatos cruéis, dolorosos, mas também transcendentais, que tocam fundo e ressoam em muitas pessoas. Mas nem todos apreciam sua linguagem assumidamente agressiva e sua determinação de "ir até o fim". Um crítico do seu romance de 1989, *O Templo dos Meus Familiares*, acusou-o de ter "um argumento panteísta, propaganda do lesbianismo e um flerte com a ideia de castração".

Em todos os seus livros e palestras, Alice Walker abordou uma série de questões importantes, desde as cicatrizes deixadas pela escravidão até a militância contra a Guerra do Vietnã; desde sexualidade – ela teve relações com homens e mulheres, e se recusa a ser rotulada – até meditação budista. Como disse Alex Clark no *The Guardian*: "ela já fez tanta coisa diferente, em tantos lugares diferentes, com tantas pessoas diferentes!".

Em 1983, ela inventou o termo *womanism* (algo como "mulherismo") – uma subsecção feminista mais inclusiva para as mulheres de cor. E explicou: "*Mulherista* está para feminista assim como o púrpura está para o lilás". Quando Alice Walker cunhou o termo, a corrente predominante do feminismo estava repleta de divisões raciais e dava pouca atenção a problemas que não afetassem mulheres brancas, heterossexuais e de classe média. Alice ajudou a expor essas falhas; ela desejava que as feministas negras tivessem uma identidade à parte e "nossa própria palavra". Alice explicou o significado de mulherista: "É uma Feminista Negra ou de Cor [...]. Uma mulher que ama outras mulheres, sexual e/ou não sexualmente. Aprecia e prefere a cultura das mulheres, a flexibilidade emocional das mulheres (valoriza as lágrimas como contrapeso natural do riso), a força das mulheres".

Sua história

Alice Walker teve uma infância pobre em uma cidade rural do estado da Georgia, sendo a caçula de oito irmãos. Estudou em escolas segregadas e foi exposta ao terror racista que então era generalizado no sul do país. Quando tinha apenas 8 anos, um de seus irmãos atirou sem querer em seu rosto com uma pistola de ar comprimido, prejudicando seriamente a visão de um de seus olhos. Ela se afastou de outras crianças, passando a maior parte do tempo lendo e escrevendo, porque, disse ela, o acidente a deixou "tímida e envergonhada, e muitas vezes eu reagia a insultos e humilhações que não eram intencionais". Mais tarde, conseguiu retirar o tecido cicatricial do olho. No ensino médio, tornou-se muito mais confiante e extrovertida: foi a oradora da classe e a rainha do baile de formatura.

Outro evento de infância teve impacto profundo em Alice Walker, ficando marcado em sua consciência para sempre. Aos 13 anos, ela viu o corpo de uma mulher assassinada pelo marido com um tiro no rosto (uma das irmãs de Alice era cosmetologista e fazia maquiagem em cadáveres antes do enterro). Ela falou que a experiência a transformou, fazendo-a perceber que "a brutalidade contra as mulheres é endêmica".

Na faculdade, envolveu-se com o movimento dos direitos civis e participou da Marcha de 1963 em Washington em favor da igualdade política e social para os negros. Quando aluna do Sarah Lawrence College, passou um ano no exterior, em Uganda. Ao voltar, soube que estava grávida. Tinha 21 anos e não estava preparada para ser mãe. Decidiu então que se mataria se não pudesse fazer um aborto, que era ilegal na época. "Era eu ou ele", escreveu depois. Felizmente, uma amiga a ajudou a conseguir o aborto.

Depois da faculdade, continuou escrevendo e atuando nos direitos civis – trabalhou nas campanhas de registro de eleitores afro-americanos na Georgia e chegou a ser convidada para ir à casa de Martin Luther King Jr. Também se tornou colaboradora da revista *Ms.*

Antes de enfim fazer sucesso, Alice Walker publicou diversos textos. Alguns de seus temas mais constantes foram o racismo, o machismo, a sabedoria popular, a violência e a dinâmica familiar. Por fim, em 1982, seu romance *A Cor Púrpura* projetou-a para a fama, vendendo cinco milhões de exemplares e firmando sua posição como uma das principais vozes da ficção escrita por feministas afro-americanas. Veio depois a versão para cinema pelas mãos do megadiretor Steven Spielberg; com onze indicações ao Oscar, atraiu ainda mais fãs para a órbita de Alice Walker. Também houve críticas, é evidente: alguns consideraram que o filme era muito agressivo contra os homens em geral.

A lista de *best-sellers* de Alice Walker vai além de *A Cor Púrpura*. *Possessing the Secret of Joy*, de 1992, detalhava as consequências abomináveis da mutilação genital feminina. Ela também fez um documentário sobre o assunto com a cineasta indiano-britânica Pratibha Parmar, chamado *Alice Walker: Beauty in Truth*.

Depois de mais de quarenta anos como escritora e ativista, Alice Walker não parece nem um pouco interessada em fazer uma pausa para respirar!

Suas grandes realizações

* Em 2005, *A Cor Púrpura* foi adaptado como musical na Broadway, obtendo onze indicações para o Prêmio Tony e uma indicação ao Grammy.

* Os livros de Alice Walker já foram traduzidos para mais de 24 línguas e venderam mais de quinze milhões de exemplares.

* Quando *To Hell with Dying* foi publicado em 1988, o poeta e ativista Langston Hughes lhe enviou um bilhete manuscrito de elogio e incentivo.

Frases famosas

"Não fique esperando que outras pessoas fiquem felizes por você. Você é responsável por cada dose de felicidade que tiver."

"Haverá consolo mais reconfortante do que o que encontramos nos braços de uma irmã?"

"É bem claro que as mulheres mais velhas [...] têm muito para nos ensinar sobre generosidade, paciência e sabedoria."

"Não sou lésbica; não sou bissexual; não sou hétero. Sou apenas curiosa."

25. SHIRIN EBADI (1947-)

Como se pode desafiar o medo? O medo é um instinto humano, assim como a fome. Queira ou não, você sente fome. O mesmo ocorre com o medo. Mas aprendi a me condicionar a conviver com esse medo.

Por que ela merece a fama

Advogada, ex-juíza, ativista

País de origem

Irã

Seu legado

A iraniana Shirin Ebadi, famosa juíza, ativista e advogada de direitos civis, foi a primeira pessoa do Irã e a primeira mulher muçulmana a ganhar o Prêmio Nobel da Paz. Apontada pelo jornal britânico *The Independent* como "uma nova *suffragette*",[1] é uma poderosa líder internacional dos direitos da mulher, louvada por sua coragem e honestidade diante de ameaças de morte, exílio e desprezo constante. Hadi Ghaemi, ativista dos direitos humanos, afirmou ter sido Shirin Ebadi, sozinha, quem "fez nascer o movimento de direitos humanos no Irã nos anos 1990".

---

[1] Referência às mulheres que lutaram pelo direito ao voto feminino. (N.T.)

Ela também atua na luta pelos direitos das crianças, dos sobreviventes da violência, dos jornalistas censurados e dos estudantes. Muçulmana praticante, acredita no Islã, mas é contra as tradições patriarcais que dominam o Irã, e acha que as mulheres têm o poder de mudar tudo isso. Como ela mesma já disse: "Minhas esperanças para o futuro do Irã residem, em primeiro lugar, nas mulheres. Nosso movimento feminino é o mais forte do Oriente Médio nos dias atuais".

Sua história

Shirin Ebadi nasceu em uma família culta e amorosa. Quando criança, os pais lhe ensinaram que ela era igual aos irmãos, sempre tentando incutir na menina autoconfiança e independência. Segundo ela, a fé que o pai tinha nela foi "sua herança mais valiosa". Foi apenas mais tarde na vida que ela chegou à triste conclusão de que no Irã, de modo geral, as meninas e os meninos eram tratados de forma muito diferente – com as meninas sempre perdendo nessa disputa –, embora a Constituição de 1906 concedesse direitos iguais a todos.

Shirin era ótima aluna e se diplomou pela Faculdade de Direito da Universidade de Teerã. Aos 22 anos tornou-se a primeira mulher juíza do país e, em 1975, chegou à presidência do 24º Tribunal da cidade de Teerã. Mas, em 1979, após a revolução no país e a introdução do Código Penal Iraniano, Ebadi e outras juízas foram destituídas de seus cargos por serem mulheres e rebaixadas a "tarefas burocráticas". Sob os protestos dela e de outras mulheres, foram promovidas a "peritas" do Departamento de Justiça. Disse Ebadi: "Resumindo, as leis atrasaram o relógio em 1.400 anos".

Em 1992, ela conseguiu enfim obter uma licença de advogada. Abriu um escritório particular e começou a assumir, sem cobrar nada, casos que desafiavam a desigualdade das leis da República Islâmica. Muitos casos eram polêmicos e ajudaram pessoas perseguidas injustamente pelo governo a obter justiça. Entre seus casos mais conhecidos, ela representou a mãe de Arian Golshani, uma menina iraniana de 9 anos que foi torturada e espancada até a morte. Também representou as famílias de Dariush Forouhar, Parvaneh Forouhar e Ezzat Ebrahim-Nejad, vítimas de assassinato em série (um detalhe infeliz: Shirin e três outras ativistas iranianas foram apelidadas pelos seus inimigos de "As Quatro Éguas do Apocalipse").

Em 2000, Shirin ficou presa por três semanas, após descobrir e divulgar a prova de que funcionários do governo haviam participado de uma onda de assassinatos premeditados de estudantes e intelectuais. Ao ler páginas e páginas de documentos secretos do governo, viu que ela mesma também era um alvo na lista de "jurados de morte"! Felizmente, ela não foi assassinada, apesar de ter sido multada, condenada à prisão por "perturbar a opinião pública" e proibida de exercer a advocacia por cinco anos.

Também participou da criação de importantes organizações feministas iranianas, como a que se reuniu em prol da campanha Um Milhão de Assinaturas, que pede ao governo que acabe com a discriminação legal contra as mulheres.

Em 2009, por fim, decidiu exilar-se em Londres, depois que seu marido foi espancado e ela recebeu ameaças que a obrigaram a interromper seu trabalho. Mas continua dedicada à sua missão de tornar o Irã um lugar mais seguro para as mulheres e as meninas, e a combater as tradições patriarcais obsoletas do país. Em sua autobiografia, *Iran Awakening: A Memoir of Revolution and Hope,* ela descreve sua missão de "ajudar a corrigir os estereótipos ocidentais sobre o Islã, em especial a imagem das mulheres muçulmanas como criaturas dóceis e desamparadas".

Suas grandes realizações

* Em 2004, Shirin Ebadi processou o Departamento do Tesouro dos Estados Unidos por tentar impedir a publicação no país de seu livro *Iran Awakening,* devido às leis do embargo anti-iraniano. Ela ganhou a causa, e, dois anos depois, a editora Random House lançou sua autobiografia.

* Ebadi já trabalhou muitíssimo em favor das crianças do Irã. Foi uma das fundadoras da Sociedade para a Proteção dos Direitos da Criança, e em geral é considerada a

criadora da histórica lei de 2002 que proíbe maus-tratos físicos a crianças. Também já forneceu diversas bolsas de estudo a crianças sem recursos.

* Em 2004, a revista *Forbes* a incluiu entre as cem mulheres mais poderosas do mundo.

Frases famosas

"Sempre que as mulheres protestam e reivindicam seus direitos, são silenciadas com o argumento de que as leis são justificadas pelo islamismo. É um argumento sem base. Não é culpa do Islã, mas sim da cultura patriarcal, que usa a própria interpretação do Islã para justificar o que bem entender."

"Os direitos humanos constituem um padrão universal. São um componente de todas as religiões e de todas as civilizações."

"Creio firmemente que nada de útil e duradouro pode surgir da violência."

"O que importa é que cada um utilize seu intelecto e nunca esteja cem por cento certo de suas convicções. Deve-se sempre deixar espaço para dúvidas."

"O importante não é apenas ter esperanças e ideias. O importante é agir."

26. HILLARY CLINTON
Nascida: Hillary Diane Rodham
(1947-)

Quanto mais eles me atacam, mais motivada eu me sinto.

Por que ela merece a fama
Advogada, política

País de origem
Estados Unidos

Seu legado
Hillary Clinton já foi chamada de muitos nomes, nem todos lisonjeiros – desde "Santa Hillary" até "*hildebeest*[1]" e "Hilla, o Huno". Ela sempre teve o poder de provocar opiniões diversas, tanto positivas como, digamos, nada positivas. Mas não há dúvida de que Hillary exerceu um impacto positivo indiscutível na saúde, na segurança e no bem-estar geral das mulheres norte-americanas.

Hillary sempre defendeu obstinadamente as mulheres em todos os aspectos da vida, desde a maternidade até o direito ao aborto e a igualdade salarial. Poderosa, deu grandes passos, obtendo realizações que

---

[1] Trocadilho com *wildebeest* (gnu), um animal selvagem. (N.T.)

nenhuma outra mulher norte-americana obtivera na política. E, quando se tratava de apoiar leis em favor das mulheres, muitas vezes já investiu o próprio dinheiro.

Sua história

No site WhiteHouse.gov, no qual ela figura hoje na parte das primeiras-damas, Hillary escreve que teve uma infância feliz em um bairro de classe média de Chicago, embora seu pai por vezes fosse duro, sarcástico e combativo, além de preconceituoso. Ela não fala muito dele em público, embora Bill Clinton já tenha se referido ao sogro como "grosseiro e durão". O pai era um republicano convicto, enquanto a mãe era uma democrata não assumida, que tentava incutir autoconfiança e resistência na filha, incentivando-a a resistir contra os "valentões". Além de excelente aluna, Hillary era ativa na igreja e nos esportes. Seus pais a incentivaram a seguir qualquer carreira que a atraísse e a fizesse feliz.

Os turbulentos anos 1960 abriram os olhos de Hillary para novas ideias e questões políticas. Apesar de ter sido líder do Clube dos Jovens Republicanos quando estudara no Wellesley College, suas posições políticas haviam mudado. Logo começou a apoiar os candidatos democratas e a organizar seminários para que aumentasse o número de professores negros nas escolas, após o trágico assassinato de Martin Luther King, que a afetou profundamente. Na adolescência, ouvira King discursar, e posteriormente escreveu que tinha ficado "fascinada" por ele e que sua "elegância de caráter e penetrante transparência moral deixaram em mim uma impressão duradoura".

Formada na Escola de Direito de Yale, Hillary ingressou na equipe de assessores da Comissão Judiciária da Câmara dos Deputados na audiência do *impeachment* do presidente Richard Nixon (motivado pelo escândalo do caso Watergate, em que o presidente tentou encobrir uma invasão ao escritório do Comitê Democrata Nacional). Depois mudou-se para Arkansas com Bill Clinton, casou-se e acabou se tornando a primeira-dama do Estado quando Bill Clinton foi eleito governador, em 1978. Durante esse período, ajudou a fundar o grupo Defensores das

Crianças e Famílias de Arkansas, e integrou os conselhos do Fundo de Defesa das Crianças, do Hospital Infantil de Arkansas, e da Corporação de Serviços Jurídicos.

Em 1993, depois que Bill Clinton foi eleito presidente, Hillary continuou trabalhando de modo incansável. Tornou-se chefe da Força-Tarefa da Reforma dos Serviços de Saúde e lutou pela criação do Programa Estadual de Seguro de Saúde Infantil, que atende crianças cujos pais não podem custear um plano de saúde. Em 1994, criou o Escritório da Violência contra a Mulher, associado ao Departamento de Justiça.

Em 2000, quando foi eleita para o Senado dos Estados Unidos, Hillary tornou-se a única primeira-dama norte-americana a ocupar um cargo eletivo nacional, bem como a primeira mulher a ser eleita ao Senado pelo Estado de Nova York. Perdeu (para Barack Obama) a indicação do Partido Democrata para a campanha presidencial de 2008, embora tivesse ganhado mais vitórias nas primárias e o apoio de mais delegados do que qualquer outra de suas antecessoras mulheres. De 2009 a 2013, Hillary foi secretária de Estado (equivalente a um ministro de Relações Exteriores) na presidência de Barack Obama. Uma de suas grandes iniciativas foi defender a igualdade de gênero, marca registrada de sua carreira política que remonta ao tempo de primeira-dama. Em 1995, fez um famoso discurso conhecido como "Os Direitos da Mulher são Direitos Humanos", na Quarta Conferência Mundial da ONU sobre mulheres.

Como secretária de Estado, Hillary visitou 112 países, visando elevar a reputação dos Estados Unidos, sendo, contudo, muito prejudicada pelo envolvimento do país em conflitos no Oriente Médio. Em suas palavras, ela queria garantir que os Estados Unidos "tivessem lugar em cada mesa de negociação, sempre que houver potencial para criar uma parceria a fim de resolver problemas".

Quando se preparou para a campanha presidencial de 2016, sua popularidade aumentou ainda mais (embora prejudicada por vários escândalos, mas, afinal... isto é Washington).

Suas grandes realizações

* Em 2015, a métrica da Google Trends mostrou um interesse crescente dos usuários da internet pela ex-secretária de Estado, embora ela já tivesse destaque nacional desde 1992.

* Na última década, Hillary foi a mulher mais admirada, segundo as pesquisas da Gallup.

* Em seu livro *Escolhas Difíceis*, Hillary fez o que muitos políticos do sexo masculino nunca fazem: reconheceu erros do passado. Ela escreve que "estava errada, muito errada" ao votar pela autorização da Guerra no Iraque em 2002.

Frases famosas

"Sempre acreditei que as mulheres não são vítimas. Somos agentes da mudança, motores do progresso, criadoras da paz. Tudo de que precisamos é uma chance para lutar."

"Não há dúvida na minha mente de que, sem o envolvimento das mulheres na economia, na política, na pacificação, em todos os aspectos da sociedade, não seria possível realizar o pleno potencial [de um país]."

"O mundo está mudando sob nossos pés e já é mais do que hora de adotar uma abordagem pertinente ao século XXI para promover os direitos e oportunidades para mulheres e meninas, tanto nos Estados Unidos quanto pelo mundo afora."

Melhores momentos do histórico discurso de Hillary "Os Direitos da Mulher são Direitos Humanos", na Quarta Conferência Mundial sobre mulheres em Pequim, em 1995

* "O que estamos aprendendo pelo mundo afora é que, se as mulheres forem saudáveis e tiverem acesso à educação, suas famílias florescerão. Se as mulheres estiverem a salvo de violência, suas famílias florescerão. Se as mulheres tiverem a chance de trabalhar e ganhar seu sustento, como plenas participantes e iguais na sociedade, suas famílias florescerão."

* "Precisamos compreender que não há fórmulas para a maneira como cada mulher deve levar sua vida. É por isso que devemos respeitar as escolhas que cada mulher faz para si e para a sua família."

* "Tragicamente, são as mulheres que têm seus direitos humanos violados com mais frequência [...]. É hora de dizermos aqui em Pequim, e é hora de o mundo inteiro ouvir, que não é mais aceitável discutir os direitos da mulher como algo à parte dos direitos humanos."

* "É uma violação dos direitos humanos quando um bebê não recebe alimentação, ou é afogado, ou asfixiado, ou tem a espinha fraturada apenas porque nasceu menina."

* "É uma violação dos direitos humanos quando mulheres e meninas são vendidas para a escravidão da prostituição."

* "É uma violação dos direitos humanos quando se joga gasolina e se ateia fogo a uma mulher porque seu dote de casamento foi considerado insignificante."

* "É uma violação dos direitos humanos quando as meninas são brutalizadas pela prática dolorosa e degradante da mutilação genital."

* "É uma violação dos direitos humanos quando se nega a uma mulher o direito de planejar sua própria família, e isso inclui ser forçada a abortar ou ser esterilizada contra a sua vontade."

* "Se há uma mensagem que deve surgir desta conferência, é que os direitos humanos são também direitos da mulher. [...] E que os direitos da mulher são também direitos humanos."

27. KATE BORNSTEIN
Nascida: Al Bornstein, agora Katherine Vandam Bornstein
(1948-)

Sou um perigo – um perigo queer e doce, e minha hora vai chegar.

Por que ela merece a fama
Escritora, atriz, artista transexual não-binária

País de origem
Estados Unidos

Seu legado
Kate Bornstein é autora e ativista transgênero de renome mundial, e se considera uma "fora da lei sexual". Já deixou um legado duradouro no mundo feminista por sua atuação pioneira na comunidade lésbica, gay, bissexual, transgênero, *queer*, intersexual. Originalmente, ela nasceu menino e se chamava Al, mas em 1986 fez uma cirurgia de redesignação sexual, embora tenha escrito: "Não me identifico como homem nem como mulher. [...] Não sou heterossexual nem gay".

Kate Bornstein é famosa por sua convicção de que – pelo menos quanto a si mesma – não há uma opção binária quando se trata de gênero. Seu influente livro *Gender Outlaw: On Men, Women and the Rest of Us* ajudou a fundamentar a ideia de que o gênero é uma construção cultural e social – uma criação, mais que um traço inato da pessoa, determinado ao nascer. Suas ideias foram pioneiras na mudança cultural que vemos hoje quanto ao modo de pensar sobre a construção do gênero e o transgenerismo, bem como sobre as pessoas trans em geral.

Sua história

Criada em Nova Jersey, Kate Bornstein vem de uma família judaica não praticante, com uma mãe amorosa e um pai "machista, supermachista". Na infância, sentia-se prisioneira em um corpo inadequado e sonhava em se parecer com Audrey Hepburn: "Queria ser como Audrey Hepburn: magra, graciosa, charmosa, encantadora, inteligente, talentosa, uma estrela e uma dama". Só que ela mesma não se sentia nem um pouco à vontade no próprio corpo, e acabou ficando anoréxica. Depois, passou a fazer teatro para poder vivenciar um pouco da vida de diversas pessoas.

Concluída a escola de teatro, aos 22 anos, Bornstein gravitou pela polêmica religião da cientologia. Sentiu-se atraída por essa seita devido ao conceito dos *thetans* – seres espirituais sem sexo, constituídos exclusivamente de pensamentos. "Eles diziam que eu não era o meu corpo, nem a minha mente. [...] [Diziam que] eu sou uma alma imortal", explicou ela posteriormente.

Ainda conhecida na época pelo nome masculino de "Al", Bornstein começou a ascender na hierarquia da Sea Org, o santuário interno da Igreja da Cientologia, passando a morar no iate pessoal do fundador da seita, L. Ron Hubbard. Casou-se com uma cientologista e teve uma filha, mas depois de doze anos foi expulsa da igreja e classificada como "Pessoa Suprimida" – um indício aos demais membros de que não deveriam se associar a ela. Até sua filha foi instruída a cortar qualquer contato com ela.

Diagnosticada com distúrbio de estresse pós-traumático (PTSD), após deixar a igreja, passou por muitas experiências difíceis até enfim aprender a se sentir à vontade consigo mesma. Decidiu então fazer uma cirurgia de redesignação sexual, mudou seu nome para Kate e saiu a público como mulher. Depois disso começou a expressar suas ideias sobre gênero – escrevendo, por exemplo, que o sexo não é uma opção entre apenas dois itens – e influenciou a opinião pública com seu livro seminal *Gender Outlaw*.

Quatro anos depois desse livro, ela publicou *My Gender Workbook: How to Become a Real Man, a Real Woman, the Real You, or Something Else Entirely*. Também já escreveu sobre *bullying* e suicídio juvenil. Seu livro *Hello, Cruel World: 101 Alternatives to Suicide for Teens, Freaks, and Other Outlaws* é um compêndio de ideias um tanto excêntricas sobre como "anormais", adolescentes e qualquer outra pessoa podem evitar sucumbir à depressão e ao suicídio.

Kate Bornstein é uma figura importante também por ter vivenciado com orgulho o próprio status de "anormal". Incrivelmente sincera e sem

disfarces nos livros, ela compartilha com os leitores informações muito pessoais sobre sua vida, entre elas, a luta contínua contra a anorexia e a propensão ao sadomasoquismo sexual. Seu desejo veemente é que cada um de seus fãs se defina por si mesmo – sem se deixar empurrar para um molde pelos costumes culturais hipócritas da sociedade.

Suas grandes realizações

* Os livros de Kate Bornstein, traduzidos para cinco idiomas, são estudados em mais de 120 faculdades e universidades do mundo todo.

* Pelo seu trabalho contra o *bullying*, ela ganhou duas menções honrosas da Câmara de Vereadores da Cidade de Nova York.

* Em vez de se identificar como lésbica, às vezes ela se define como "sapatão trans". Uma sapatão trans, disse ela, é "como Píppi Meialonga – como a Willow de *Buffy, a Caça-Vampiros* com uma boa dose de senso de humor".

Frases famosas

"Realmente não compreendo como é possível haver apenas duas opções. Não existe mais nada de dois em dois no universo inteiro; por que deveria haver apenas dois sexos? Não compreendo."

"Pode-se ter uma grande autonomia nas coisas que decidimos aprender e seguir no nosso tempo livre. Quando a gente aprende coisas que nos interessam, que nos desafiam e fazem com que a vida valha a pena, estudar pode ser uma felicidade, um estímulo."

"Vamos parar de fingir que temos todas as respostas, porque, quando se trata de gênero, nenhum de nós é onisciente."

"Feliz é uma palavra muito pobre para alguém que está tentando viver uma vida com todas as cores do arco-íris neste mundo em preto e branco."

"Vamos parar de 'tolerar' ou 'aceitar' a diferença, como se fôssemos muito melhores por não sermos diferentes. Em vez disso, celebremos a diferença, pois neste mundo é preciso muita coragem para ser e agir de forma diferente."

"É simples: faça o que for preciso para tornar sua vida mais digna de ser vivida. E há apenas uma regra que você precisa seguir para que essa permissão genérica funcione: não seja uma má pessoa."

28. LESLIE FEINBERG (1949-2014)

Apressem a Revolução!

Por que ela merece a fama
Escritora, ativista transgênero comunista

País de origem
Estados Unidos

Seu legado

Leslie Feinberg foi uma revolucionária radical, ativista marxista/comunista e um ícone transgênero, amada em todo o mundo pelos seus esforços ao derrubar fronteiras e refazer as definições de gênero. Ela iniciou a prática de usar pronomes neutros (nem "ele" nem "ela") como *ze* e *hir* (em vez de *he* ou *she*, *him* ou *her* em inglês), porque julgava não ser adequado usar termos tão abrangentes para algo tão individual e complexo quanto a identidade sexual. Por esse motivo e outros mais, foi definida como "figura fundadora de estudos contemporâneos sobre transgêneros".

Um dos aspectos mais marcantes da sua atuação foi seu compromisso inabalável de falar a verdade a todo custo – mesmo que fosse dolorosa, inconveniente ou desagradável. E não usou sua plataforma apenas para defender pessoas como ela mesma; também se mobilizou em prol de muitos outros grupos oprimidos, tais como os pobres – pois, como explicou a jornalista Paisley Currah: "para ela, a política radical *queer* e a política do gênero não poderiam ficar isoladas da luta contra a opressão de classes".

Leslie nem sempre foi bem compreendida pela "massa dos cisgêneros", ou seja, todos os que não são trans. Nasceu mulher, mas fez intervenções cirúrgicas e tratamentos hormonais para se apresentar como homem. Ela disse certa vez: "Não há pronomes na língua inglesa que sejam tão complexos quanto eu". Seus escritos, porém, deram esperança a uma população crescente de pessoas marginalizadas que ainda não se veem representadas na cultura popular. Leslie se tornou bem conhecida na comunidade LGBT, em particular após a publicação do seu aclamado romance de 1993 sobre uma lésbica e seu ingresso na idade adulta, *Stone Butch Blues*. O livro ganhou o Prêmio Stonewall de 1994, trazendo-lhe fama.

Sua história

Leslie Feinberg, que se definia como "comunista revolucionária, lésbica, transgênero, judia não praticante, proletária, branca, antirracista", foi criada em Buffalo, estado de Nova York, em uma família judaica da classe trabalhadora. Como jovem lésbica, frequentava bares gays e saía com pessoas do espectro LGBT. Como sua família não apoiava nada que tivesse a ver com sua sexualidade, tampouco a forma como expressava seu gênero, já na adolescência ela saiu de casa e passou a ter uma vida independente. (Até o dia de sua morte levava consigo documentos legais indicando que eles não eram sua família.)

Leslie foi morar em Nova York, onde começou a ter certo sucesso como escritora. Mesmo assim, sua parceira de longa data, Minnie Bruce Pratt, disse que Leslie era discriminada e ganhava a vida com trabalhos de menor expressão, como lavar pratos e ajudar na encadernação de livros. Foi líder nacional do Partido Mundial dos Trabalhadores, uma organização radical socialista, e editora-chefe do jornal *Workers World*. Sua formação comunista era o fio condutor que relacionava tudo em que acreditava: "Não separo as questões sobre trans, ou sobre lésbicas, gays, bissexuais ou *queer* dessa relação de forças mais ampla [...]. Essas questões ocorrem, tal como nossa vida, no contexto de uma realidade econômica e social mais ampla – incluindo a luta econômica de classes, a guerra travada hoje no exterior e nas frentes internas, as batalhas diárias contra o racismo, o preconceito contra os imigrantes, a misoginia e os problemas de acessibilidade para deficientes físicos e auditivos".

Seu primeiro romance, *Stone Butch Blues* (1993), foi uma história inovadora, semiautobiográfica, de uma jovem lésbica masculinizada chamada Jess, criada em uma família da classe trabalhadora nos anos 1950. O livro ganhou o Prêmio da Associação Literária Americana para Literatura Gay e Lésbica e o Prêmio Literário da Lambda Small Press, cativando leitores do mundo todo. Já foi adotado em inúmeros cursos de estudos sobre a mulher e é estimado por pessoas de todos os sexos, devido à maneira sensível, porém realista, com que aborda as nuances da identidade de gênero.

Leslie contraiu uma doença degenerativa e morreu aos 65 anos, mas antes disso passou mais de trinta anos defendendo as minorias de todo tipo, desde os direitos de gays, lésbicas e índios norte-americanos até a liberdade de prisioneiros políticos nos Estados Unidos. Esforçou-se para "construir fortes laços de união entre essas lutas e a luta dos movimentos em defesa de nacionalidades oprimidas, mulheres e deficientes, bem como do movimento da classe trabalhadora como um todo". Ela demonstrou que assumir ser diferente é mais do que aceitável, e que ser fiel a si mesmo é a grande chave para se levar uma vida repleta de entusiasmo e realizações.

Suas grandes realizações

* A revista *Curve* nomeou Leslie Feinberg uma das quinze pessoas mais influentes na luta pelos direitos de gays e lésbicas.

* Seu romance *Stone Butch Blues* foi traduzido para vários idiomas, entre eles, chinês, alemão, italiano, holandês, turco, esloveno e hebraico.

* Suas últimas palavras foram radicais: "Apressem a revolução! Lembrem-se de mim como uma comunista revolucionária".

Frases famosas

"O gênero é a poesia que cada um de nós faz a partir do idioma que nos ensinaram."

"Quando você quebra o silêncio, é apenas o começo."

"Existem mais coisas entre os seres humanos do que possam ser respondidas pela pergunta simplista que me atiram todos os dias de minha vida: 'Você é homem ou mulher?'"

"Tal como o racismo e todas as formas de preconceito, o fanatismo contra as pessoas transgênero é um cancerígeno mortal. Somos jogados uns contra os outros para evitar que nos vejamos como aliados. Laços verdadeiros de solidariedade podem ser forjados entre pessoas que respeitam as diferenças das outras e estão dispostas a lutar juntas contra seus inimigos. Somos uma classe que realiza um trabalho mundial e que é capaz de revolucionar o mundo."

29. SALLY RIDE
Nascida: Sally Kristen Ride
(1951-2012)

Por alguma razão, não sucumbi ao estereótipo de que a ciência não é para meninas.

Por que ela merece a fama
Astronauta

País de origem
Estados Unidos

Seu legado
Quando criança, Sally Ride nunca sonhou em ser um ídolo para garotas e mulheres do mundo todo. No entanto, foi o que acabou se tornando – e ainda relativamente jovem, com 32 anos. Em 1983, Ride derrubou duas grandes barreiras, como a primeira mulher dos Estados Unidos a tornar-se astronauta, e também a pessoa mais jovem do país a se aventurar no espaço. Foi um enorme avanço que abriu caminho para as mulheres na ciência durante muitos anos. Sente-se esse impacto até hoje, quando, enfim, 50% dos astronautas da NASA são mulheres.

Sally Ride não contribuiu apenas para a divulgação das viagens espaciais; estudou física, destacando-se nessa área e sempre incentivando as meninas a seguirem a carreira científica, quando a ciência ainda era considerada um campo só para homens. Infelizmente, isso continua valendo – garotas são incentivadas, na maior parte das vezes, a seguir profissões nas áreas de artes ou comunicações, enquanto os meninos são considerados melhores em matemática e ciências. Sally Ride explicou em 2006: "Se quisermos que no futuro a sociedade tenha cientistas e engenheiros, devemos incentivar as meninas tanto quanto os meninos".

Sua história

Quando criança em Los Angeles, Sally Ride teve uma "infância comum", segundo suas palavras. Embora fascinada por astronautas e viagens espaciais, não pensava em se tornar astronauta; julgava que seria professora de física (e acabou sendo também, entre outras coisas!). Felizmente, seus pais tinham uma mentalidade aberta quanto aos estudos e objetivos profissionais da filha, e não a impediram de seguir sua vocação e paixão pela ciência e pela matemática. Embora fosse, claro, muito inteligente, ela se lembra de ter sido o tipo de aluna que se escondia lá no fundo da classe, na esperança de que a professora não a chamasse.

Formada em Física e Inglês pela Universidade de Stanford em Palo Alto, na Califórnia, fez depois seu mestrado e doutorado na mesma universidade. Quando estudava para defender sua tese de doutorado, viu um anúncio de jornal dizendo que a NASA estava à procura de novos astronautas. "Assim que vi esse anúncio, percebi que era aquilo o que de fato queria fazer", recordou ela. Entre mais de oito mil candidatos, ela conquistou um desses empregos de altíssimo prestígio – apesar de, até então, todos os astronautas norte-americanos serem homens. Seu treinamento incluiu dominar atividades emocionantes, como ausência de gravidade, navegação no espaço, paraquedismo, sobrevivência no mar e comunicações de rádio.

Em 1983, ela partiu no ônibus espacial *Challenger*, lançado do Centro Espacial Kennedy, na Flórida, derrubando assim mais uma barreira para as mulheres. No ano seguinte, partiu de novo no *Challenger* para uma viagem espacial. Mais tarde foi convidada a participar da comissão presidencial que investigou as causas da explosão do *Challenger* em 1986 e também o acidente que destruiu o ônibus espacial *Columbia*, em 2003.

Sally acabou se tornando a primeira diretora do Departamento de Exploração da NASA, tendo sido consagrada no Hall da Fama dos Astronautas.

Depois de nove anos na NASA, Sally se aposentou. Começou então a lecionar Física em uma universidade da Califórnia e a escrever livros de ciência para crianças. Tinha paixão pela NASA e pelos programas espaciais em geral, que pesquisou e defendeu com vigor: foi consultora de dois presidentes e deu seu testemunho ao Congresso norte-americano sobre o tema. Também continuou sempre a defender programas que abriam oportunidades a crianças – sobretudo meninas – no mundo da ciência. Sally Ride talvez não seja um nome tão famoso hoje em dia, mas a marca que deixou na vida das mulheres é inegável.

Eis outras três mulheres astronautas que você deve conhecer.

Sally Ride não foi a primeira, a última, nem a única mulher a viajar para as estrelas. Confira estes outros nomes notáveis.

Dra. Kalpana Chawla

Primeira astronauta americana de origem indiana e primeira mulher indiana no espaço, foi uma das sete pessoas que morreram no desastre do *Columbia* em 2003, quando o ônibus espacial se despedaçou cerca de quinze minutos antes de pousar, matando os sete astronautas a bordo. Kalpana Chawla, apelidada de KC, nasceu na Índia e mudou-se para os Estados Unidos a fim de estudar engenharia aeroespacial. Após seu primeiro voo espacial em 1997, ela disse: "Quando olhamos as estrelas e a galáxia, sentimos que não pertencemos apenas a um pedacinho de terra; pertencemos ao sistema solar". Chawla recebeu honrarias póstumas, como a Medalha do Voo Espacial da NASA, a Medalha de Honra do Congresso e a Medalha NASA por Serviços de Destaque.

Dra. Mae Jemison

O sonho da norte-americana Mae Jemison era fazer viagens espaciais. Isso veio de seu antigo amor pela astronomia e também da obsessão pela série *Jornada nas Estrelas*. Foi médica do Corpo da Paz, depois se candidatou ao Corpo dos Astronautas, e, em 1987, foi com muita emoção que pisou, por fim, nos sacrossantos corredores da NASA. Em 1992, Mae Jemison tornou-se a primeira mulher negra no espaço, no segundo voo do ônibus espacial *Endeavour*, com duração de oito dias. Realizou depois outro antigo sonho, quando fez uma participação como convidada especial em *Jornada nas Estrelas: A Próxima Geração*.

Dra. Valentina Tereshkova

Em 1963, a cosmonauta russa, conhecida como "Primeira-Dama do Espaço", tornou-se a primeira mulher a fazer uma viagem espacial. Quando criança, era fascinada por paraquedismo, o que mais tarde a levou a se interessar pela astronomia. Foi uma de apenas quatro mulheres recrutadas para o programa espacial soviético, e a única a completá-lo. Em 16 de junho de 1963, quando voou ao espaço a bordo do foguete *Vostok 6*, Valentina Tereshkova tinha apenas 26 anos. Seu veículo espacial voou em torno da Terra nada menos que 48 vezes em 70 horas! Enquanto estava a bordo, ela tirou fotos, realizou experiências sobre os efeitos da viagem espacial sobre seu organismo e também pilotou manualmente a espaçonave. Não voltou a voar depois dessa vez, mas fez doutorado em Engenharia e recebeu o título de "Heroína da União Soviética".

Suas grandes realizações

* Sally Ride fundou uma empresa, a Sally Ride Science, cuja missão é criar produtos que ajudem crianças, sobretudo as meninas, a desenvolver habilidades nos campos tradicionalmente masculinos da ciência e da matemática.

* Mesmo com a fama que ganhou após seus dois voos espaciais, ela nunca se aproveitou das numerosas ofertas para ganhar dinheiro rápido, entre elas, projetos de livros, filmes e anúncios de produtos.

* Como jogadora de tênis, aos 18 anos foi classificada em nível nacional na categoria júnior, chegando a décimo oitavo lugar no país.

Frases famosas

"Para mim significa muito que minha participação nesse voo tenha tido tanta importância para tanta gente. Só depois do meu voo foi que percebi a importância disso, o quanto tocou as pessoas, em particular as mulheres."

"Por algum motivo, não sucumbi ao estereótipo de que a ciência não é para meninas. Fui incentivada por meus pais, e nunca encontrei um professor ou orientador que me dissesse que a ciência é só para os rapazes."

"Quando decidi estudar Física ou ser astronauta, nunca achei que fosse me tornar um modelo a seguir. Mas, depois do meu primeiro voo, ficou claro que eu já era um modelo. [...] As adolescentes precisam ter um modelo na carreira que quiserem escolher, qualquer que seja ela, para se imaginarem seguindo essa carreira algum dia. E não se pode ser algo que não se possa visualizar."

30. BELL HOOKS – bell hooks
(ela mesma escreve com letras minúsculas)
Nascida: Gloria Jean Watkins
(1952-)

Quando nos livramos da ideia de que as pessoas são entidades estáticas, fixas, vemos que elas podem mudar, e a esperança se faz presente.

Por que ela merece a fama
Escritora, feminista, ativista social estadunidense

País de origem
Estados Unidos

Seu legado
Uma das escritoras e pensadoras feministas mais prolíficas de sua geração, bell hooks (sempre grafado em minúsculas) é dona de um intelecto gigantesco e muito respeitada por suas contribuições para o diálogo público sobre as relações entre gênero, raça, capitalismo e outros tópicos. Ela acredita que esses elementos sobrepostos criem sistemas contínuos de opressão em nossa cultura, e seu trabalho critica tais sistemas, tentando também encontrar maneiras de melhorá-los. Um de seus grandes temas é a imagem

que as pessoas têm das mulheres negras – com frequência uma imagem equivocada – e a maneira como se desenvolve a identidade feminista.

Sua história

Nascida em 1952 em Hopkinsville, no estado do Kentucky, bell hooks foi criada em uma cidade segregada do sul dos Estados Unidos, o que a levou a "ter consciência crítica desde a infância". Além de ser prejudicada pelo racismo escancarado, pela crueldade e pela discriminação da época, sentia-se negligenciada pelo pai e sem o apoio da família, que acreditava que a mulher devia exercer papéis tradicionais e aspirar a ser esposa e mãe. Leitora insaciável, bell hooks percebeu que o pensamento crítico poderia ajudá-la a transcender os sofrimentos de sua juventude, observando certa vez: "As ideias que transformaram minha vida sempre me chegaram através dos livros".

Aos 19 anos, começou a escrever seu primeiro livro: *Não Sou Eu uma Mulher? Mulheres Negras e Feminismo* – título inspirado no famoso discurso de Sojourner Truth: "E não sou eu uma mulher?" (veja a página 25). Resolveu adotar um pseudônimo literário inspirado no nome da bisavó materna, pois amava seu espírito de luta e queria homenagear sua ascendência afro-americana e sua linhagem feminina. Decidindo grafar seu nome com letras minúsculas, bell hooks procurou escapar do "ego", que, é natural, acompanha o nome e a identidade de cada pessoa. Também desejava que os leitores se concentrassem em seus textos, e não em sua pessoa. Publicado em 1981, *Não Sou Eu uma Mulher?* foi resultado de oito anos de pesquisas e revisões, e explorava os grandes temas que sempre a interessaram: os direitos civis, o movimento sufragista, o impacto negativo do racismo e do machismo sobre a psique das mulheres negras.

Depois de formar-se em Stanford em 1973, fez doutorado na Universidade da Califórnia em Santa Cruz. Quando começou a lecionar em outras universidades, como Yale, Oberlin e o City College of New York, ficou perturbada ao ver como era total a predominância de mulheres brancas em departamentos de estudos femininos. Também havia total falta de diversidade na corrente principal (isto é, branca) do feminismo. Algumas feministas brancas criticaram-na e menosprezaram seu primeiro livro devido a seu estilo fora dos padrões e pela falta de notas de rodapé. Mas bell hooks seguiu em frente, escrevendo sobre a importância de incentivar a solidariedade feminina, e não as divisões.

Desde então ela já publicou mais de trinta livros sobre diversos temas, desde feminismo, racismo e problemas de classe social até amor, sexo e masculinidade. Uma de suas obras mais clássicas e inovadoras, *Feminism is for Everybody,* é uma "cartilha" que explica com inteligência por que o feminismo deve ter importância para todos e qualquer pessoa. A autora aborda temas como os direitos reprodutivos, os padrões de beleza, a masculinidade patriarcal, as mulheres no local de trabalho, a maternidade segundo a filosofia feminista, e afirma que "a irmandade entre as mulheres continua poderosa". O livro é praticamente uma leitura obrigatória.

Já homenageada com muitos prêmios de prestígio, ela continua a escrever, falar e batalhar para promover o diálogo feminista e antirracista na cultura norte-americana. Celebridade das mídias sociais, utiliza diversos canais para atingir uma nova geração de mulheres. Bell hooks é uma das vozes mais significativas do feminismo moderno.

Suas grandes realizações

* Bell hooks está entre os pensadores norte-americanos mais influentes dos últimos tempos, segundo as revistas *Publishers Weekly* e *The Atlantic Monthly*.

* Ela tem mais de oitenta mil seguidores no Twitter.

* Fundou o Instituto bell hooks, no Berea College, estado de Kentucky, um centro "para o pensamento crítico, a contemplação e o sonho".

Frases famosas

"Cada ato de violência nos aproxima mais um pouco da morte. Seja a violência cotidiana que cometemos contra o nosso corpo ao comer e beber substâncias tóxicas, ou a violência extrema do abuso infantil, da violência doméstica, da pobreza extrema, dos vícios ou do terrorismo de Estado."

"O maior movimento pela justiça social que nosso país já conheceu é o movimento pelos direitos civis."

"Recuso-me a deixar que outros limitem minha vida. Não vou me submeter aos caprichos de outra pessoa, nem à ignorância de outra pessoa."

"É no ato de ter que fazer coisas que não quer fazer que a pessoa aprende algo sobre ir além do eu. Ir além do ego."

"Qualquer sociedade baseada em dominação apoia e tolera a violência."

31.

CINDY SHERMAN
Nascida: Cynthia Morris Sherman
(1954-)

Quando olho minhas fotos, nunca vejo a mim mesma; não são autorretratos. Às vezes eu desapareço.

Por que ela merece a fama
Fotógrafa, artista

País de origem
Estados Unidos

Seu legado
Cindy Sherman está entre os nomes mais famosos do mundo da arte no século XX, e também no nosso século, de artistas em atividade. O mais especial em sua arte, por vezes polêmica, é a maneira sutil de dissecar os papéis da mulher na sociedade por meio de retratos fotográficos conceituais. Usando a si própria como tema em muitas fotos, Cindy explora elementos como fantasia, imaginação e brincadeira para assumir com audácia diversos *alter egos*, muitos deles baseados em caricaturas e estereótipos femininos.

Um aspecto interessante do seu trabalho é que quase todos os seus retratos mostram uma mulher profundamente perdida em pensamentos. Como escreve a crítica Eleanor Heartney: "As heroínas de Sherman estão sempre sozinhas, quase inexpressivas, presas a emoções muito particulares.

Parecem ser mulheres com uma vida interior impenetrável, captadas em um momento de tranquila contemplação".

É impressionante como Cindy é maleável. É como uma atriz, com uma variedade estonteante de personagens que ela encarna com facilidade. Já afirmou ser "mais influenciada pela arte da performance do que pela fotografia ou a pintura". Ela parece totalmente diferente em cada uma dessas centenas de personas, embora já tenha dito que "nenhuma dessas personagens sou eu. [...] Elas são tudo, menos eu". Cada uma delas parece examinar aspectos conflitantes da feminilidade moderna – o que se espera hoje que uma mulher seja, no aspecto físico, emocional, intelectual, doméstico e profissional. Cindy descreveu seu trabalho desta forma: "Gosto de fazer imagens que, de longe, parecem sedutoras, coloridas, sensuais, atraentes – e aí você percebe que está vendo algo que é exatamente o oposto. Para mim parece chato correr atrás da ideia típica de beleza, pois essa é a maneira mais fácil e óbvia de ver o mundo".

Sua história

Na infância, que passou em Long Island, estado de Nova York, Cindy tinha obsessão por vestir fantasias. Mais tarde, na Universidade Estadual de Nova York em Buffalo, começou a pintar no estilo hiper-realista, em que as pinturas e esculturas parecem tão verdadeiras quanto fotos. Decidiu então passar para a fotografia, quando sentiu que não tinha "nada mais a dizer" por meio da pintura (fato interessante: ela foi reprovada no primeiro exame de fotografia!).

Terminada a faculdade, mudou-se para Nova York a fim de seguir sua carreira artística. Em 1977, aos 23 anos, começou a trabalhar nas suas fotos mais famosas: uma série de 69 imagens em preto e branco, no estilo filme de mistério, intitulada *Untitled Film Stills*. Ela fotografou a si mesma desempenhando diversos papéis femininos clichê, como "bibliotecária sensual", "frígida sofisticada", "gatinha sexy domesticada", obtendo efeitos viscerais, dolorosos. Nenhuma das obras apresenta homens. Em 1995, o Museu de Arte Moderna, mais conhecido como MoMA, comprou a coleção por um valor estimado em um milhão de dólares.

Suas obras posteriores exploram os papéis da mulher na sociedade e na cultura, mas de maneira por vezes mais violenta e enervante. Em muitas obras, ela parou de usar a si mesma como modelo e começou a incorporar elementos como vômito, membros artificiais e partes do corpo de bonecas, montando fotos horripilantes que evocavam contos de fadas grotescos e cenas de crime. Também fez trabalhos explícitos, por vezes chocantes, focados no sexo e na anatomia humana. Em uma obra para sua série de 1992, conhecida como *Sex Pictures*, um híbrido de mulher e boneca de plástico está deitado em uma pose sensual, usando uma máscara contra gases. Ela tem enormes seios falsos, pernas de boneca e vagina, mas não tem tronco.

Deixando a maioria de suas obras sem título, Cindy Sherman nunca dá uma explicação completa para nenhuma delas; ao contrário, faz os espectadores examinarem as imagens com base nas próprias perspectivas e preconceitos. Seu trabalho é influenciado, é evidente, por conceitos feministas de artifício, objetificação e desafio ao olhar masculino; mas não está claro se ela se identifica como feminista. Como a própria Cindy já disse: "A obra é o que é; espero que seja vista como uma obra feminista, ou uma obra com orientação feminista. Mas não vou sair por aí assumindo toda essa baboseira teórica sobre o feminismo".

Suas grandes realizações

* Cindy Sherman já recebeu muitos prêmios de prestígio, entre eles o Prêmio da Academia pelo Conjunto da Obra para Artes Visuais, concedido pela Guild Hall Academy of the Arts (2005), o Prêmio da Academia Americana de Artes e Ciências (2003) e o Prêmio Nacional das Artes (2001).

* Fã de filmes de terror, em 1997 ela entrou nesse gênero dominado por homens ao dirigir uma comédia de horror, *Mente Paranoica*.

* No início dos anos 1990, Cindy trabalhou com a banda feminina de *garage noise* Babes in Toyland, criando fotos para a capa dos álbuns *Fontanelle* e *Painkillers*. Também criou um cenário para os shows do grupo e atuou no vídeo promocional da faixa "Bruise Violet".

* Uma das suas obras da série *Untitled Film Stills* tornou-se a foto mais cara já vendida. Em um leilão da Christie's em 2011, foi vendida por cerca de 3,9 milhões de dólares, na época um recorde para a fotógrafa e, segundo Daniel Kunitz, o "preço mais alto já pago por uma fotografia".

Frases famosas

"Eu não analiso o que estou fazendo. Já li interpretações convincentes do meu trabalho que por vezes me fizeram notar algo que eu não tinha percebido; mas creio que a essa altura as pessoas analisam meu trabalho por hábito. Ou, então, talvez eu seja mesmo muito inteligente."

"Conseguia me sustentar com a pintura, mas nada comparável aos homens pintores. Sempre me ressenti disso. Todos recebíamos a mesma atenção da imprensa, mas eram os homens que estouravam nas vendas."

"Por vezes posso ser forte e destemida para proteger uma fragilidade interna."

"Há uma teoria dizendo que naquele tempo havia muitas mulheres fotógrafas porque víamos que ninguém mais estava nessa área. Não podíamos, ou, na verdade, não queríamos entrar no mundo da pintura, dominado pelos homens; e, como não havia artistas empregando a fotografia, pensamos: 'Certo, então vamos brincar um pouco com isso'."

32. OPRAH
Nascida: Oprah Gail Winfrey
(1954-)

Chegar a um ponto em que você se sente absolutamente à vontade com você mesma. [...] Ter a força interior e a coragem interior necessárias para dizer: "Não, eu não vou deixar vocês me tratarem dessa maneira!" – essa é a essência do sucesso.

Por que ela merece a fama
Apresentadora de televisão, atriz e empresária, grande figura da mídia

País de origem
Estados Unidos

Seu legado
Oprah Winfrey, também conhecida como a "rainha de todas as mídias", é uma celebridade mundial que revolucionou o gênero de entrevistas na TV com *The Oprah Winfrey Show*, um dos programas de entrevistas de maior audiência de todos os tempos.

Ela também conquistou... bem, praticamente tudo o que se possa imaginar. Como primeira bilionária afro-americana, vem aproveitando sua poderosa plataforma para promover causas que lhe são caras, desde a paixão pela leitura e a educação das meninas até a luta pelo fim da pobreza, do estupro e do abuso sexual. A vida de Oprah já serviu de inspiração para mulheres de todo o mundo. Embora criada em uma família pobre e problemática, chegou a se tornar não só uma das pessoas mais ricas dos Estados Unidos, mas também um ícone, uma das figuras mais poderosas da indústria do entretenimento do país.

Sua história

Até os 6 anos de idade, Oprah foi criada pela avó em uma fazenda no interior do Mississippi. Dona de um talento inato para a comunicação, tinha o hábito de recitar na igreja desde a precoce idade de 3 anos, ganhando o apelido de "Pregadora". Sua avó lhe ensinou a ler (segundo consta, aos 3 anos), um passatempo que se tornaria uma paixão e também uma fuga para o resto da vida. Mais tarde foi morar com a mãe em Milwaukee – onde, porém, teria sofrido estupro e agressão sexual. Enfim, foi enviada a Nashville, no Tennessee, para morar com o pai, adepto de disciplina rigorosa. Oprah era excelente aluna, foi eleita para o conselho estudantil e escolhida como enviada à Conferência da Casa Branca sobre a Juventude.

Desde pequena, Oprah desejava ser atriz, e ainda adolescente começou a trabalhar como locutora de rádio, destacando-se pela boa voz. Ainda cursando a Universidade Estadual do Tennessee, onde tinha bolsa de estudos integral, foi âncora da TV local. Por fim deixou a faculdade e tornou-se âncora de um telejornal de Nashville – a primeira afro-americana a exercer essa função.

Em 1984, Oprah assumiu um programa de entrevistas de Chicago pouco conhecido. Dentro de algumas semanas, a audiência aumentou e o programa se tornou o mais bem cotado do gênero na cidade. Com esse sucesso, o programa passou a ser seu, com o nome de *The Oprah Winfrey Show*, e a partir de 1986 passou a ser transmitido para todo o país.

Assim que tomou as rédeas do programa, sua missão expressa, como afirmou logo no primeiro dia, era "ressaltar o valor das mulheres e dizer a elas: 'Você tem importância. Você tem importância se é divorciada, se sofreu abuso. Você não é as circunstâncias da sua vida'.

O estrondoso sucesso do programa se deve também à sua atitude pessoal calorosa e à capacidade de se mostrar vulnerável. As espectadoras se sentiam íntimas dela, pois Oprah confiava nelas e lhes contava seus altos e baixos, suas lutas e problemas, em paralelo às conversas sobre os problemas dos convidados. Certa vez, ela reconheceu, com o programa no ar, ter consumido *crack* por volta dos 20 anos com um namorado viciado – uma confissão íntima surpreendente, muito incomum (e muito falada) na época.

O conteúdo do programa, retransmitido para muitos países, começou a mudar nos anos 1990, à medida que os interesses de Oprah passaram para temas mais espirituais e filantrópicos. Em 2000, ela lançou sua revista feminina, *O*, chamada pela Fortune de "o novo empreendimento de maior sucesso no setor". A revista continua viva e bem-sucedida, assim como o site que a acompanha, tratando não só dos assuntos usuais de estilo de vida como também de tópicos espinhosos. Certa vez, o site publicou "A lista negra de Oprah de predadores de crianças", para ajudar a rastrear homens acusados de molestar crianças. Na primeira semana da divulgação *on-line* da lista, dois fugitivos foram capturados.

Além de tudo isso, há a influência no mundo literário. Em 1996, ela lançou o Clube do Livro da Oprah, que causou impacto em todo o mercado editorial. Cada título escolhido como livro do mês passava a ser procurado pelas leitoras, e alguns autores dispararam para a fama, com seus livros se tornando *best-sellers* da noite para o dia. Graças ao clube já foram vendidos nada menos que 55 milhões de livros. Segundo a professora e autora Kathleen Rooney, o Clube do Livro de Oprah mudou, por si só, "a noção do que é possível se fazer na TV".

O *Oprah Winfrey Show* não vai mais ao ar, mas Oprah continua ocupada como sempre. Sua impressionante habilidade de influenciar a opinião pública, em particular a escolha dos consumidores, já foi chamada de "efeito Oprah". Maureen Dowd, colunista do *New York Times*, disse certa vez que Oprah "tem mais credibilidade do que o presidente".

O despertar feminista de Oprah

Em um especial do seriado *Makers*, no canal PBS, Oprah revelou um momento inicial em sua carreira que mudou sua vida e todo o seu modo de pensar. Em 1980, ela era locutora de um programa matutino em Baltimore. Quando ficou sabendo que o outro locutor, um homem, ganhava mais que o dobro que ela – 50 mil dólares anuais, em comparação com seus 22 mil dólares –, foi pedir aumento ao supervisor.

Ele recusou, perguntando por que ela achava que merecia aquele salário. "Ora, porque nós dois fazemos o mesmo trabalho", disse ela.

Ele discordou, dizendo: "Não creio". No programa da PBS, Oprah contou ter sentido uma faísca de revolta e a firme determinação de fazer muito sucesso, pensando: "Eu vou lhe mostrar!".

Antes desse momento, "nunca tinha pensado em me considerar feminista", disse ela no programa. "Mas creio que ninguém pode realmente ser mulher neste mundo sem ser feminista."

Nós concordamos, Oprah!

Suas grandes realizações

* Em 2013, o presidente Barack Obama concedeu a Oprah a Medalha Presidencial da Liberdade, uma das maiores honrarias civis dos Estados Unidos.

* Ela fundou a Academia Oprah Winfrey de Liderança para Moças, na África do Sul, que oferece educação de primeira linha para garotas talentosas, mas desfavorecidas em termos econômicos. Concebeu essa ideia em 2002, "sentada na sala de estar de Nelson Mandela".

* Em 1985, Oprah conseguiu realizar seu sonho de ser atriz e ganhou uma indicação ao Oscar por seu papel de Sophia, coadjuvante no filme *A Cor Púrpura*, dirigido por Steven Spielberg.

* Para dar uma ideia do poder de sua influência: segundo uma estimativa, o apoio de Oprah a Barack Obama em 2006-2008 garantiu a ele mais de um milhão de votos na acirrada eleição primária do Partido Democrata em 2008.

Frases famosas

"Enquanto eu puder ser uma influência e fazer diferença, é isso que quero fazer. Mas também quero atuar no cinema, porque acho que é muito importante criar obras que [...] mostrem na tela a experiência cultural negra."

"Foi a educação que me libertou. A capacidade de ler salvou minha vida. Seria uma pessoa completamente diferente se não tivesse aprendido a ler ainda muito pequena. Durante toda a minha experiência de vida, quando a capacidade de acreditar em mim mesma era colocada à prova, e até nos meus momentos mais sombrios de abuso sexual, abuso físico e assim por diante, eu sabia que havia outro caminho, que havia uma saída. Sabia que havia outro tipo de vida, porque tinha lido a respeito."

"Adoro ser mulher, e adoro ser uma mulher negra."

"Estou onde estou graças às pontes que atravessei. Sojourner Truth foi uma ponte. Harriet Tubman foi uma ponte. Ida B. Wells foi uma ponte. Madame C. J. Walker foi uma ponte. Fannie Lou Hamer foi uma ponte."

33. GEENA DAVIS
Nascida: Virginia Elizabeth Davis
(1956-)

É realmente importante que os meninos vejam que as meninas ocupam a metade do planeta – e ocupamos mesmo.

Por que ela merece a fama
Atriz

País de origem
Estados Unidos

Seu legado
Geena Davis – que, junto com Susan Sarandon, outra atriz arrebenta-quarteirão, fez o filme *Thelma e Louise*, pilar eterno do feminismo – não está atuando muito no cinema nos últimos tempos; mas não quer dizer que esteja ociosa. Pelo contrário! Militante feminista de longa data, em particular quando se trata da imagem da mulher na mídia, Geena Davis é sempre eloquente em seu compromisso com a justiça para as mulheres. Chegou a fundar uma Organização Não Governamental (ONG) de pesquisa, educação e defesa, o Instituto Geena Davis de Gênero na Mídia, cuja missão é ajudar a combater o preconceito machista em Hollywood, bem como "reduzir estereótipos e criar

personagens femininas diversificadas nos canais de entretenimento, visando o público infantil de até 11 anos de idade".

Sua história

Geena Davis foi criada em Wareham, estado de Massachusetts, e sofreu com problemas de autoestima por ter um metro e oitenta de altura. Formada em teatro pela Universidade de Boston, mudou-se para Nova York a fim de iniciar a carreira de modelo (chegou a figurar no catálogo da Victoria's Secret!) e acabou conseguindo um papel em *Tootsie*, um filme seminal dos anos 1980. Mudou-se então para Los Angeles, onde sua carreira de atriz decolou. Estrelou em filmes bem recebidos, como *Os Fantasmas Se Divertem* e *Uma Equipe Muito Especial*, além de *Thelma e Louise*.

Em 2004, Geena Davis lançou sua ONG motivada por um fato que notou ao assistir desenhos animados com a filha. Em suas palavras: "Minha filha tinha uns 2 anos [...] e fiquei chocada ao ver como havia poucas personagens femininas. [...] Comecei a contar os personagens enquanto assistíamos. Sabia que havia muito menos papéis para mulheres nos filmes de modo geral, mas o fato de que estávamos mostrando isso às crianças foi uma revelação".

Em resposta, decidiu fundar o instituto que leva seu nome, dedicado a transformar a maneira ofensiva com que as mulheres muitas vezes são retratadas na mídia convencional (isso *quando* são retratadas!). O instituto encomendou a maior pesquisa já realizada sobre gênero no cinema e na televisão, realizada pela Escola Annenberg de Comunicação e Jornalismo da Universidade da Califórnia. Os resultados não foram nada animadores: constatou-se que, nos filmes para a família realizados entre 1990 e 2005, há apenas uma personagem feminina para cada três personagens masculinos. Nas cenas de grupo, apenas 17% dos personagens são femininos. Entre os principais objetivos de Geena para o instituto estão "conseguir que haja mais presença feminina como personagens principais, personagens menores, narradores e em cenas de grupo; conseguir que uma parte maior dessa presença consista em mulheres de cor; conseguir que haja mais personagens femininas com aspirações maiores que um namoro".

Ela já ganhou muitos prêmios pela sua militância em defesa de boas causas e – fato interessante – arrasou no papel de primeira mulher a chegar à presidência, no seriado de TV *Commander in Chief*. Em 2013, anunciou sua "solução patenteada em dois passos" para os problemas de gênero de Hollywood: "Como resolver o problema da desigualdade nos conselhos administrativos de empresas, sem apelar para as cotas? Bem, na tela eles podem ser constituídos de 50% de mulheres, de imediato. Como incentivar as meninas a seguir carreira em áreas como ciência, tecnologia e engenharia? Colocando, hoje mesmo, muitas mulheres em papéis de cientistas, técnicas e engenheiras em filmes e na TV".

Suas grandes realizações

* Geena Davis é membro da Mensa, prestigiada sociedade internacional de pessoas com alto quociente de inteligência (QI). Os membros estão entre os 2% de QI mais alto da população. Contudo, não participou ainda de nenhuma reunião da Mensa.

* Ganhou o Oscar de Melhor Atriz Coadjuvante pelo filme *O Turista Acidental*. Ganhou um Globo de Ouro por seu papel em *Commander in Chief*, sendo indicada para um Globo de Ouro por seu desempenho no filme *Uma Equipe Muito Especial*.

* Em 2000, lançou a iniciativa Geena Takes Aim, por meio da Women's Sports Foundation. Geena praticava tiro com arco e tinha esperanças de competir como arqueira nas Olimpíadas de 2000 em Sydney, mas não chegou a se classificar. Sua intenção era esclarecer as estudantes atletas sobre os direitos garantidos pelo parágrafo IX da lei federal de Direitos Civis, que proíbe a discriminação sexual na educação.

* Em 2015 fundou o Festival de Cinema de Bentonville, visando promover a diversidade no cinema.

Frases famosas

"E se o papel de encanador, ou de piloto, ou de mestre de obras [em um filme] for de uma mulher? E se o papel de taxista ou de político estrategista for de uma mulher? E se os dois policiais que chegam ao local do crime forem duas mulheres – vão dizer que isso não é uma grande coisa?"

"Sempre fui atraída por papéis que mostram uma mulher complicada, multidimensional, responsável pelo próprio destino. Queria representar papéis dinâmicos. Tive a sorte de não ser apenas a testemunha ou a esposa."

[Sobre a prática de tiro com arco:] *"A gente passa muito tempo sozinha, treinando. E você acaba conhecendo bem a si mesma, como você pode ficar calma, por quanto tempo consegue se concentrar. É preciso ter muita motivação interior. Muita fé em você mesma, e acreditar em suas habilidades. Era uma área em que eu nunca tinha entrado."*

34. ANITA HILL
Nascida: Anita Faye Hill
(1956-)

Quando penso em tudo o que aconteceu em sentido mais amplo, para além de mim mesma... eu não mudaria nada.

Por que ela merece a fama
Advogada

País de origem
Estados Unidos

Seu legado
O nome de Anita Hill há muito tempo é sinônimo de um fato marcante nos Estados Unidos: seu testemunho avassalador no Congresso, em 1991, contra Clarence Thomas, candidato conservador a juiz da Suprema Corte (cargo que ocupa hoje em dia). Na época, Anita Hill era professora de Direito na Universidade de Oklahoma, e Thomas passava por suas audiências de confirmação. Tudo corria bem, até que Anita Hill foi chamada para testemunhar sobre o assédio sexual intenso que sofrera ao trabalhar para Thomas (o abuso tinha vazado para a imprensa).

Apesar da situação delicada de ter que descrever o assédio sexual sofrido, repetidamente e em detalhes, diante de inúmeros estranhos, Anita

Hill manteve uma atitude calma, confiante e digna, que despertou a simpatia dos presentes, sobretudo das mulheres. Suas declarações ajudaram a iniciar um debate nacional sobre o assédio sexual e a dinâmica do poder no local de trabalho – debate que continua vivo até hoje. A conversa lançou luz sobre uma questão que na época quase não era mencionada, mas precisava ser debatida com urgência. Também incentivou mais mulheres a concorrer a cargos públicos e a relatar suas experiências de perseguição sexual.

Sua história

Anita Hill foi a mais nova de treze filhos, criados em uma fazenda no interior do estado de Oklahoma. Seus pais esperavam muito dela e a criaram na religião batista. Foi uma aluna brilhante, sempre com as melhores notas; ao se formar, foi oradora da turma e também homenageada pela National Honor Society. Formou-se em Psicologia pela Universidade Estadual de Oklahoma, de novo com muitas honras acadêmicas, e em 1980 concluiu a Escola de Direito de Yale – algo que por si só já era uma proeza. Naqueles dias, havia tão poucas mulheres nas faculdades de Direito, que muitas dessas escolas não tinham sequer um banheiro feminino (na época, 38% dos alunos de Direito eram mulheres; hoje são 50%).

Depois de formada, Anita mudou-se para Washington, a capital, para iniciar sua carreira de advogada. Em 1981, começou a trabalhar como assistente pessoal de Clarence Thomas, na época chefe do Gabinete de Direitos Civis do Departamento de Educação dos Estados Unidos. Segundo seus relatos, ter Thomas como chefe foi um pesadelo; foi o que ela disse em seu testemunho perante o Comitê Judiciário do Senado, durante a audiência de confirmação de Thomas, em 1991. Foi então que as coisas se tornaram "um circo de horrores", segundo a revista *Time*. Mais tarde, em sua autobiografia, Thomas definiu Anita Hill como "a mais traiçoeira de todos os meus adversários".

No tribunal, Anita recordou vividamente os comentários, atos e sugestões impróprios de Thomas, desde comentar sobre o tamanho de seu pênis até fazer referências a seios grandes e pelos pubianos. O testemunho acabou se transformando em uma troca ácida de acusações, com a credibilidade de Anita Hill constantemente questionada. Os partidários de Thomas diziam que ela ficara contrariada porque ele a tinha rejeitado, embora ela tenha passado por um teste de polígrafo para detecção de mentiras. Quando Thomas prestou suas declarações sobre os fatos que ocorreram com Anita Hill, afirmou que ele próprio era a vítima, e as audiências eram "um linchamento, feito com alta tecnologia, para negros arrogantes".

Por fim, a Câmara e uma comissão do Senado, toda composta de homens, rejeitaram as alegações de Anita Hill, e Thomas ganhou um assento no tribunal mais poderoso do país. Mas o testemunho de Anita teve efeitos culturais bastante amplos, e ela não se deixou calar pelos que a denegriam. Certa vez explicou: "Não sou chegada a fantasias. Não teria afirmado nada disso se não tivesse certeza absoluta do que dizia".

Durante e após as audiências no tribunal, Anita Hill recebeu ameaças de morte e de atentados a bomba, além de uma campanha para que fosse despedida de seu emprego como professora em Oklahoma. Mesmo assim, ela se tornou uma conferencista conhecida, dando palestras no cenário internacional sobre questões de gênero e raça nos conselhos empresariais. Escreveu muitos artigos em grandes publicações, como *The New York Times* e *Newsweek*, e falou sobre o assédio sexual em programas de TV de grande audiência, como *60 Minutes* e *Face the Nation*.

Sua influência no mundo das mulheres no local de trabalho é muito grande. Suas palavras corajosas ajudaram a abrir caminho para as leis contra o assédio sexual e incentivaram as mulheres a denunciar comportamentos impróprios no local de trabalho.

Suas grandes realizações

* Anita Hill contou sua história no livro *Speaking Truth to Power*. Também foi a inspiração para um documentário chamado *Anita*.

* Já recebeu muitos prêmios pela sua corajosa atuação, entre eles, o Ida B. Wells, concedido a quem trabalha para aumentar o acesso e as oportunidades das pessoas de cor no jornalismo. Em 1991, foi nomeada pela revista *Glamour* como uma das dez mulheres do ano.

Frases famosas

"Ser quem somos é o único meio de transmitirmos, de modo efetivo, a verdade de nossa experiência."

"Eu me tornei o mensageiro de más notícias, que tinha de ser morto."[1]

"Temos uma tradição de preconceito sexual e racial na Suprema Corte que continua a abalar o sistema."

"A questão do assédio sexual não é o fim da história. Há outras – questões políticas, questões de gênero – sobre as quais é necessário esclarecer as pessoas."

"O verdadeiro problema é que a maneira como o poder é distribuído em nossa sociedade nos atira uns contra os outros."

---

[1] Alusão à expressão "Matar o mensageiro", ou seja, matar quem trouxe uma má notícia ou chamou a atenção para um problema. (N.T.)

35. POLY STYRENE
Nascida: Marianne Joan Elliott-Said
(1957-2011)

Gosto de fazer pose, sim – e não me importo!

Por que ela merece a fama
Cantora

País de origem
Inglaterra

Seu legado
Quando a banda X-Ray Spex chegou ao sucesso, no fim dos anos 1970, a *frontwoman* Poly Styrene estourou no cenário mundial. Logo ganhou atenção por sua presença vívida no palco, pelas canções sobre assuntos subversivos, como machismo, racismo e consumismo, tratados com humor e ao mesmo tempo seriedade, e sua voz rouca e meio infantil – tudo isso misturado a um inconfundível e adorável sotaque britânico. Ela foi pioneira do *punk rock*, abrindo caminho para vários futuros ícones femininos, de Kim Gordon a Kathleen Hanna. A *NME*, consagrada revista de música britânica, chamou-a de "*riot grrrl* original".

Por ter ascendência racial mista – a mãe, escocês-irlandesa, e o pai, um aristocrata da Somália –, baixinha e tendendo à robustez, além do aparelho nos dentes, a imagem de Poly Styrene fazia um contraste chocante com as cantoras de banda da época (tipo Blondie, que fazia o gênero estrela de cinema). Poly também se destacou por parecer totalmente à vontade com seu tipo físico. Sem falar no seu senso de moda, chocante e especial: ela já usava cores neon e *day-glow* bem antes de entrarem na moda, nos anos 1980.

Sua história

Quando criança, Poly Styrene queria ser atriz, estilista de moda ou aeromoça. Como muitos que atravessaram uma fase com muito incenso, sandálias Birkenstocks e a banda de rock Phish, Poly Styrene curtiu seu barato *hippie* na adolescência e, aos 15 anos, fugiu de casa com algumas poucas libras no bolso. Pulando de um festival de música a outro, acabou se mudando para Londres, onde estudou canto lírico. Depois de assistir a uma performance ao vivo da lendária banda *punk* Sex Pistols, sentiu que precisava, de qualquer maneira, formar a própria banda. Mas primeiro, em 1976, lançou seu *single ska-pop* com o nome de Mari Elliott (seu verdadeiro nome era Marianne Elliott-Said, mas depois ela adotou Poly Styrene – um trocadilho com "poliestireno", palavra que encontrou ao procurar "algo plástico e sintético" nas Páginas Amarelas).

Logo depois, Poly Styrene colocou um anúncio em uma revista de rock inglesa em busca de "jovens *punks* que quisessem se juntar em uma banda". Oito meses depois, tocava no grupo X-Ray Spex, com os roqueiros Paul Dean, Jak Airport, BP Hurding, Rudi Thomson e Lora Logic. Em 1977, eles se tornaram presença obrigatória no cenário punk, agitando tudo, tanto no visual quanto no som. Como na época o *punk rock* era dominado por homens, sua figura como a cara e a voz da banda, bem no centro do palco, além de compositora de muitas letras do grupo, agressivas e nada "femininas", foi algo revolucionário.

Embora a banda só tenha lançado alguns singles entre 1977 e 1979, e um único álbum, *Germ Free Adolescents*, em 1978, tendo se desfeito um ano depois, Poly Styrene passou a gravar muitas músicas novas com o próprio nome a partir de 1980, fazendo longos intervalos entre as gravações. Seu último álbum, *Generation Indigo*, saiu em 2011, apenas um mês antes de sua morte, de câncer de mama, na idade relativamente jovem de 53 anos. O mundo do rock ainda chora sua perda e aprecia o legado que ela deixou.

O *Times* escreveu que "seu estilo não convencional fez dela uma figura inspiradora para toda uma geração de cantoras *pop*". Segundo o *New York Times*: "essa *frontwoman* pioneira, de aparelho nos dentes [...], abriu um lugar para a audácia feminina no punk. [...] Ela serviu de inspiração para outras cantoras e instrumentistas, antecipando movimentos como o *riot grrrl*".

No mundo masculino da música popular (e não tão popular), Poly Styrene foi ousada, valente, intensa e absolutamente singular – uma rebelde de espírito livre que conseguiu, sozinha, transformar o cenário *punk* para as mulheres.

Suas grandes realizações

✳ As composições e os vocais de Poly Styrene inspiraram e influenciaram praticamente todos no mundo do *punk rock* moderno. Kim Gordon, da Sonic Youth, comentou: "Sua voz em 'Oh Bondage! Up Yours!' foi a voz mais arrebatadora que já ouvi – uma voz que tinha corpo". Kathleen Hanna, extraordinária feminista *punk*, escreveu em seu blog: "Poly iluminou o caminho para mim como uma cantora que queria falar a respeito de ideias. Suas letras influenciaram TODO MUNDO QUE EU CONHEÇO QUE FAZ MÚSICA". Até mesmo o lendário Boy George, ícone gay do pop *new romantic* oitentista, escreveu uma comovente lembrança de Styrene após a sua morte: "Quem quiser experimentar a magia irreverente do *punk* deve pôr suas mãos em um disco. Um disco de vinil, de preferência arranhado. Isso vai fazer sua alma sorrir, e você vai sentir vontade de abrir buracos no seu jeans e sair pulando numa roda de pogo."

* Mesmo já mais velha, Poly não se importava nem um pouco com o que as pessoas pensavam. Aos 51 anos, gostava de andar na sua *scooter*, ignorando os comentários grosseiros dos transeuntes: "Vou seguindo pelo passeio da St. Leonard, na minha *scooter* cromada, de marcha manual. Continuo com essa motoca, pois ainda não cresci, não virei adulta. Eu andava com ela em Londres e uma vez alguém gritou: 'Aí, supervovó!'".

* Quando adolescente, costumava frequentar jantares com a realeza do rock, como músicos do Led Zeppelin e do Pink Floyd. Mas não ficava impressionada com o ar deles de megaestrelas do rock *mainstream*.

Frases famosas

"*Tem gente que acha que uma menina só deve ser vista, e não ouvida. Mas eu digo: 'Ó escravidão! Aqui, ó!'*"

"*Eu me sinto melhor por já ter estado no palco, depois de terem me dito que eu nunca conseguiria isso. E agora estou começando a pensar: quem sabe aquilo que eu fiz, naquele tempo, está dando certo? Ah, então não perdi meu tempo! Minha juventude não foi desperdiçada!*"

"*Lembra daquela velha canção 'Que será, será? — seja o que for, será; o futuro não se pode ver'... Eu sempre senti isso. Minha vida foi uma montanha-russa — mas eu não mudaria nada do que fiz.*"

36.

MADONNA
Nascida: Madonna Louise Veronica Ciccone
(1958-)

Estou no controle das minhas fantasias... Pois não é isso o feminismo?

Por que ela merece a fama

Cantora, compositora, atriz, dançarina e produtora musical

País de origem

Estados Unidos

Seu legado

Com 57 anos de idade no momento em que escrevo, Madonna é um nome famoso há mais de trinta anos. Desde 1983, quando lançou seu álbum de estreia, cujo título é simplesmente *Madonna*, ela se tornou a cantora de maior sucesso mundial, com cerca de trezentos milhões de discos vendidos em todo o mundo e turnês por todas as partes do globo. Todo mundo sabe quem é Madonna. Mas sua importância não é a quantidade de discos vendidos, nem sua popularidade, nem mesmo sua música. O aspecto mais poderoso de Madonna é sua inteligência (ela tem um QI de 140, ou seja, é um gênio), sua inquebrantável ambição e a implacável recusa em pedir desculpas por expressar a si mesma, mesmo que essa expressão seja pouco convencional ou chocante – sem esquecer que, em matéria de moda, ela é um verdadeiro camaleão.

Sua história

Vamos começar falando do estilo de Madonna, sempre em evolução (como todos sabemos, ela tem um faro especial para se reinventar). Quando se projetou em cena, no início dos anos 1980, Madonna não se parecia nem um pouco com as outras estrelas pop das paradas de sucesso. Era bonita, certo, mas tinha uma aparência e uma atitude mais "*dark*" e mais provocantes do que suas contemporâneas. Podemos dizer que ela era a "anti-Debbie Gibson". Em uma entrevista de 2011 à revista *Harper's Bazaar*, ela recorda: "Os homens hétero não me achavam atraente. [...] Acho que eles tinham medo de mim porque eu era diferente. Eu sempre perguntei: 'Por quê? Por que eu tenho que fazer isso? Por que eu tenho que ter tal aparência? Por que tenho que me vestir desse jeito? Por que tenho que me comportar assim?'"

Com o cabelo descolorido e eriçado (com longas raízes escuras tipo "não estou nem aí"), os braços cheios de braceletes *punk*, luvas de renda e camisetas de malha, ela virou a moda de cabeça para baixo, criando sua própria marca, meio *funk*, algo como "maltrapilha chique". Irradiando fogo, rebelião e insolência, sua atitude descarada, tipo "Eu posso fazer qualquer coisa!", emanando de todos os poros, provocou instantaneamente a adulação de milhares de garotas por todo o mundo (incluindo eu mesma!).

Ela conseguiu praticamente todos os objetivos que se propôs a alcançar, e esses objetivos são o oposto da mediocridade e da estreiteza de pensamento. Em uma entrevista de 1984 no programa *American Bandstand*, o apresentador, Dick Clark, perguntou à estrela em ascensão, na época com 25 anos, sobre seu objetivo principal. Sua resposta, perfeitamente concisa, foi: "Dominar o mundo!" – e foi o que ela fez.

Com seu talento para a rebelião, Madonna causou polêmica ao longo de toda a sua carreira. Nunca se importou em saber se alguém a amava ou a odiava: só queria ser notada, de um jeito ou de outro, e sua sexualidade era uma maneira forte de expressar sua singularidade, até quase ser presa por simular masturbação no palco. Desde pedir carona nua, em seu livro *Sex*, não recomendado para menores, até lamber o leite de um pires em um vídeo cheio de alusões ao sadomasoquismo para a música "Express Yourself", Madonna sempre usou sua sexualidade atrevida para incentivar outras mulheres e garotas a curtirem à vontade a própria sexualidade. Sua mensagem era contra a vergonha e a favor da sinceridade ("Oops, eu não sabia que não podíamos falar de sexo... Não sou sua piranha, não me venha com suas taras", cantou ela em "Human Nature"). Claro, isso também inclui decidir quem você quer amar. Um dos maiores escândalos da sua carreira foi quando ela beijou a imagem de um santo negro (que horror!) no clipe de "Like a Prayer", de 1989.

Embora alguns críticos a tenham desprezado por explorar sua sexualidade em nome do sucesso, há muitas feministas do seu lado, louvando seu profundo impacto sobre as mulheres (eu até lancei um livro sobre isso, chamado *Madonna & Me!*). E Madonna sempre afirmou que suas tendências sexuais exuberantes são legítimas. Em uma entrevista de 1990 no programa *Nightline*, com Forrest Sawyer, ela explicou: "Estou no controle das minhas fantasias. [...] Pois não é isso o feminismo?".

Madonna é um ícone do feminismo, bastante inteligente e segura de si, com milhares de ideias sobre os problemas atuais que afligem o mundo – e as mulheres. Por exemplo, em uma entrevista em 2015 à revista *Refinery29*, ela abordou a questão do preconceito de idade: "Como homem, você pode namorar quem quiser. Pode vestir-se como quiser. Pode fazer o que quiser em qualquer área que escolher. Mas, para a mulher, há regras, há limites". Falou também sobre a importância de apoiar outras mulheres: "As mulheres precisam dar apoio uma à outra, e expressar de modo mais declarado esse apoio". Atacou então os padrões de beleza machistas: "A medida do valor de alguém deve vir de dentro da pessoa, e vivemos numa sociedade que não incentiva isso. Nossa sociedade incentiva o contrário. É por isso que penso que estamos vivendo um momento assustador para as mulheres agora".

Quatro performances fundamentais de Madonna que você precisa assistir já, agora mesmo:

"Like a Virgin" na premiação da MTV, no Video Music Awards de 1984

Ao soar das notas de abertura de "Like a Virgin", seu *single* de estrondoso sucesso, Madonna surge como uma boneca viva de um enorme bolo de casamento de três andares. Vestindo renda branca e seu famoso cinto "BOY TOY", passa a executar a apresentação mais comentada da sua carreira. Pula no chão, rasga o véu e começa a usá-lo como um perfeito objeto de cena. É a Madonna *vintage*, no auge da sua revolta e de seu esplendor. É simplesmente o máximo.

"Vogue" na premiação de 1990 da MTV, no Video Music Awards

Uma performance especial, em que Madonna decide fazer uma viagem ao passado e encarnar nossa velha conhecida, Maria Antonieta. Com a pele branca de talco, seios enormes e o penteado formando uma delicada pirâmide no alto da cabeça, ela aparece com a costumeira equipe de *backup*, dublando "Vogue", seu grande sucesso. Maliciosa, abanando-se com um leque para se refrescar – que danada! Essa é a verdadeira Madonna, sempre dando tudo de si... mas só até certo ponto.

"Holiday", no show Live-Aid de 1985, na Filadélfia

Apresentação notável por não ser tão "madonística". Foi uma performance, mas não excessivamente ensaiada, e era palpável a energia juvenil e exuberante da cantora. É legal vê-la improvisando um pouco de vez em quando, certo? Além disso, seu cabelo estava de um castanho despretensioso, sem grande sofisticação no penteado, e vestia um blazer branco extragrande, recatado. Como é? *Recatado? Madonna?!*

Super Bowl Medley, 2012

Antes da apresentação, Madonna disse que pretendia que seu primeiro show em um Super Bowl – a final do campeonato de futebol americano – fosse "o maior espetáculo da Terra". Será que ela conseguiu? Cabe a você assistir e descobrir. Pessoalmente, creio que ela se saiu muito bem – autoconfiante, bem focada, com movimentos precisos. Veja se você concorda.

Suas grandes realizações

* *The Advocate*, famosa revista LGBT, incluiu Madonna na sua lista das "10 Celebridades Ícones do Ativismo na Luta contra o HIV". Madonna continuou próxima de um dos seus primeiros instrutores de dança, Chris Flynn, um rapaz gay que revelou ser HIV positivo. Para apoiá-lo, em 1989 os dois apareceram juntos no Dance-A-Thon, uma maratona de dança destinada a conscientizar o público e captar fundos para a luta contra a Aids. Ao longo dos anos 1980 e 1990, Madonna fez campanha pelo sexo seguro. Chegou a colocar uma camisinha na embalagem no lançamento do seu disco *Like a Prayer*. Em uma cultura que temia a Aids e não compreendia bem a doença, ela aproveitou sua plataforma para conscientizar as pessoas sobre o vírus, apoiando em público a luta contra a doença, antes vista como uma sentença de morte.

* Madonna faz um trabalho importante de filantropia em apoio a crianças do Malawi. Em 2006, foi uma das fundadoras de uma ONG chamada Raising Malawi. Embora em 2011 o grupo tenha passado por um escândalo de má administração, ele continua ativo, fornecendo abrigo, roupas, alimentos, escolaridade e tratamento médico às crianças e suas famílias desse país africano.

* Camille Paglia já chamou Madonna de "o futuro do feminismo". Em uma coluna de 1990 para o *The New York Times*, a famosa escritora argumentou que Madonna foi mal compreendida tanto pela grande mídia como pela corrente principal do feminismo. "Madonna tem uma visão muito mais profunda do sexo do que as feministas", observou Paglia. "Ela consegue enxergar tanto a animalidade quanto o artifício."

Frases famosas

"Sou forte, ambiciosa e sei exatamente o que quero. Agora, se isso faz de mim uma megera, tudo bem, paciência."

"Não me digam que não posso ser sexy e inteligente ao mesmo tempo."

"Não serei feliz até ficar tão famosa quanto o próprio Deus."

"Gosto de pensar que estou levando as pessoas em uma viagem; não apenas lhes dando entretenimento, mas também algo para pensar depois que vão embora."

"Se o meu talento não fosse tão grande quanto minha ambição, eu seria uma monstruosidade."

37.

WENDY DAVIS
Nascida: Wendy Jean Russell
(1963-)

Senhores legisladores, ou os senhores se afastam de todas as questões relativas à vagina, ou então vão estudar medicina.

Por que ela merece a fama
Política

País de origem
Estados Unidos

Seu legado
Wendy Davis, uma democrata do Texas, estava em plena ascensão em sua trajetória política quando captou a atenção mundial, em 25 de junho de 2013, e se projetou na consciência dos norte-americanos como uma "titã de tênis cor-de-rosa". O que ela fez naquele dia foi dramático, mas tinha de ser: ela ficou em pé no salão da Câmara dos Deputados do Texas durante treze horas seguidas, sem comer nem beber, sem descansar nem ir ao banheiro. Por quê? Trata-se de uma artimanha política chamada *obstrucionismo*, em que o orador se recusa a passar a palavra e continua falando sem parar, a fim de atrasar os trabalhos em uma sessão da Câmara. Davis estava

tentando obstruir o projeto de Lei nº 5 do Senado do Texas, que visava proibir o aborto após vinte semanas de gravidez e intensificar as restrições ao aborto nesse Estado, já severas, fechando dezenas de clínicas de saúde feminina. (Nesse dia, ela conseguiu retardar a votação, porém mais tarde a lei foi aprovada.)

Sua história

A ascensão de Wendy Davis ao mundo do poder e da política quebra todos os padrões habituais de nepotismo e sangue azul. Vinda de uma família da classe trabalhadora, Wendy não teve apoio nenhum do sistema – "eu passei despercebida", como ela mesma disse. A família se mudava com frequência. Certa vez ela reconheceu que não tinha grandes sonhos, que nem sequer esperava fazer faculdade. Depois do divórcio dos pais, Wendy e seus irmãos foram criados pela mãe, que só estudou até os 16 anos. Em suas memórias, Wendy conta um episódio em que a mãe quase acabou com a família toda. Chegou a colocar os filhos no porta-malas do carro, pensando em ligar o motor para envená-los. Felizmente, um vizinho estava passando por ali e a crise foi evitada.

Wendy casou-se aos 18 anos e pediu divórcio por volta dos 20. Nesse momento criava a filha sozinha, morava em um *trailer* e tinha dois empregos. Acabou voltando aos estudos para realizar seu sonho de ser advogada. Formou-se primeiro em Inglês, como a melhor da turma, na Universidade Texas Christian – a primeira pessoa da sua família a conseguir grau universitário. Em seguida entrou na prestigiosa Escola de Direito de Harvard, onde foi excelente aluna, sempre viajando para Fort Worth, no Texas, para visitar o segundo marido e as duas filhas.

Após a formatura, trabalhou por nove anos na Câmara Municipal de Fort Worth, especializando-se em desenvolvimento econômico. Enquanto fazia parte da Câmara Municipal, Davis votou com os republicanos em certas questões e, em 1999 até doou 250 dólares à primeira campanha presidencial do presidente George W. Bush. Segundo ela, naquela época votava com os republicanos porque queria apoiar Kay Granger, candidata republicana à prefeitura e ao Congresso. Mais tarde, Wendy começou a fazer política com o Partido Democrata. Seja qual for sua afiliação, ela tem um apelo centrista e muitas vezes consegue encontrar um meio termo entre os dois partidos. Nunca sentiu a necessidade de seguir à risca uma só linha, já que muitas questões em que trabalha são complicadas e não podem ser enquadradas numa caixinha de filiação partidária. Enfim, ela sabe navegar com elegância pelas águas perigosas da política.

Em 2008, Wendy Davis foi eleita para o Senado do Texas, derrotando o detentor do cargo, um republicano, por uma margem de quase sete mil votos. Após seu obstrucionismo de 2013, que a tornou um ídolo das feministas, foi incentivada por organizações de mulheres como Emily's List a concorrer ao governo do Texas, em 2014. Foi nomeada pelos democratas – a primeira candidata mulher ao governo texano desde 1990 –, mas não venceu a eleição. Mesmo assim continua fazendo política, e seus votos têm seguido uma linha mais liberal nos últimos anos. Ela votou a favor dos direitos dos homossexuais, pela descriminalização da maconha e pelo direito ao aborto. Como senadora estadual, já melhorou a vida de muita gente em sua comunidade. Por exemplo, salvou uma cafeteria da cidade quando os donos corriam perigo de perder o local. Também ajudou a relocar os residentes de um conjunto habitacional, todos negros – apesar das ameaças de morte que recebeu por transferi-los para perto de um clube de campo só de gente branca.

Ao longo da vida na política, Wendy Davis já ganhou muitas homenagens por seus serviços em prol das mulheres e crianças, como o Prêmio Defensora das Crianças, o Prêmio Bold Woman da Girls Inc. e o Prêmio de Defensora da Saúde das Mulheres do Texas, conferido pela Associação Texana de Ginecologia e Obstetrícia. Sua trajetória continua a evoluir, mas o sucesso de Wendy Davis tem sido uma luz de esperança para muitas garotas que não vieram de um ambiente rico ou de uma família perfeita.

Suas grandes realizações

* Wendy Davis começou a trabalhar duro aos 14 anos para sustentar a mãe e três irmãos, e saiu de casa aos 17 anos.

* Em 2011, no Senado do Texas, Davis lançou mão de seu famoso obstrucionismo, a fim de barrar a aprovação de um orçamento com muitas medidas contrárias ao aborto.

* Salon, site de comentários políticos, já a chamou de "super-heroína feminista", e é isso mesmo que sentem outras que lutam pelos direitos das mulheres. Por outro lado, políticos de direita já a chamaram de "Barbie do Aborto".

Frases famosas

"Se eu pudesse aconselhar a pessoa que eu mesma fui, quando mais jovem, teria lhe dito para fazer muitas coisas de forma diferente, mas aprecio o fato de que foram aquelas mesmas decisões e aqueles mesmos desafios que fizeram de mim a pessoa que sou, e também a mãe e a servidora pública que acabei me tornando."

[Escrevendo sobre seu famoso obstrucionismo de 2013:] *"Havia tanta emoção naquela hora que é difícil até descrever como eu me sentia. Foi uma situação surreal. Quem poderia prever os acontecimentos do dia?"*

"Não vou ceder."

"Procurei estudar, não em vez de ser uma boa mãe, mas sim porque, para ser uma boa mãe, eu teria que oferecer uma vida melhor para a minha família."

38. KATHLEEN HANNA (1968-)

Como mulher, me ensinaram a estar sempre com fome. As mulheres conhecem bem a sede. É verdade, nós podemos comer qualquer coisa. Seríamos capazes até mesmo de devorar o ódio de vocês como se fosse amor.

Por que ela merece a fama

Cantora, ativista feminista, musicista, escritora de fanzine

País de origem

Estados Unidos

Seu legado

Kathleen Hanna é um ícone do *punk rock* de garagem. Como líder da banda punk Bikini Kill, só de garotas, foi uma das fundadoras do *riot grrrl*, um movimento feminista dos anos 1990, pequeno porém muito influente, iniciado em Olympia, no estado de Washington e também em Washington, a capital dos Estados Unidos. O *riot grrrl* incentivou muitas garotas a pegar um instrumento, a formar uma banda, a verter seus mais negros sonhos, segredos e medos em revistinhas produzidas à mão, os fanzines; e também a enfrentar a violência, o estupro e a misoginia. Bikini Kill e outras bandas como Bratmobile, Excuse 17, Heavens to Betsy e Hole (com Courtney Love, sendo considerada por muitos como um importante ícone do movimento), incentivavam as fãs a "começar uma revolução 'estilo garotas' agora mesmo" – e foi o que elas fizeram. A influência de *riot grrrl* e da própria Hanna ainda se faz sentir até hoje. Como sinal dessa importância, em 2015, a cidade de Boston decretou que o dia 9 de abril é Dia da Riot Grrrl, em homenagem a Kathleen Hanna – imagine só!

Sua história

Nascida em Portland, estado de Oregon, Kathleen teve uma infância agitada, com a família mudando constantemente de cidade em cidade. Foi molestada aos 7 anos, seus pais se divorciaram, foi estuprada aos 15, e ela lembra que o pai era "cafajeste" e "sexualmente inconveniente" com ela. Sua consciência feminista começou a despertar quando sua mãe começou a devorar livros como *A Mística Feminina*, de Betty Friedan, e a trabalhar como voluntária em um abrigo contra violência doméstica, o que Hanna mais tarde também fez. E certa vez, quando tinha 9 anos, sua mãe a levou a um comício em Washington, onde ouviram Gloria Steinem discursar.

Ela recorda que foi uma adolescente "exuberante", mas, quando passou a estudar fotografia no Evergreen State College, seu ativismo começou a se aprofundar. Sustentava-se fazendo *striptease* e trabalhando em um laboratório fotográfico; em paralelo, tocava em várias bandas de garotas, fazia poesia performática e ainda abriu uma galeria de arte com um grupo de amigas, unindo-se a outras mulheres da cidade para criar fanzines como *Revolution Girl Style Now* e *Bikini Kill*.

Em 1990, formou a banda Bikini Kill com a guitarrista Billy Karren, a baixista Kathi Wilcox e a baterista Tobi Vail. Tanto em seus fanzines como em suas músicas, Kathleen Hanna fala com franqueza, e com base nas próprias recordações, sobre assuntos considerados tabu para mulheres e meninas abordarem em público, como aborto, estupro, violência doméstica, assédio sexual. Também incentivava as mulheres a se unirem, darem apoio umas às outras e tirarem o *punk rock* regado a machismo e grosseria masculina do cenário *punk*. Seus textos influenciaram muitas pessoas, em especial mulheres, e o *riot grrrl* logo tornou-se um movimento de alcance nacional, em que as garotas se encontravam pessoalmente para falar sobre feminismo – algo parecido com os grupos de conscientização da segunda onda do feminismo –, influenciando inclusive o surgimento de bandas *riot grrrl* em outros países. Mas, além de conversar, formavam bandas, criavam fanzines e muito mais.

Dezoito bandas que tiveram como estrelas garotas riot grrrl, ou foram influenciadas por elas

Confira estas bandas já!

- Hole
- Le Tigre
- Lungleg
- Tattle Tale
- Wild Flag
- Tribe 8

- Heavens to Betsy
- Team Dresch
- Huggy Bear
- Bratmobile
- The Gits
- The Slits

- Pussy Riot
- Slant 6
- Bangs
- The Butchies
- Sleater-Kinney
- Excuse 17

As garotas iam em massa assistir aos shows, e ela sempre as incentivava a ficar bem na frente do palco, para "se protegerem" dos caras violentos, desagradáveis ou que gostavam de "passar a mão". Ainda assim, Kathleen se recorda de receber insultos e coisas piores de homens que iam aos shows da banda: "Era uma doideira, uma esquizofrenia! Num dia, tocar num show onde os caras atiravam coisas na gente, nos chamavam aos palavrões, gritavam 'Tira a roupa!' – e no dia seguinte tocar para uma multidão de garotas incríveis, que cantavam conosco todas as letras e aplaudiam todas as músicas".

Hanna começou a rabiscar palavras na barriga, como "puta", como forma de protesto contra a objetificação que ela via acontecer quando a banda decolou. Como ela explicou certa vez: "Achei que se eu escrevesse na barriga 'puta', 'piranha' ou 'vítima de incesto', não estaria mais em silêncio. [...] Tem muitos caras que deviam pensar isso mesmo vendo a minha foto, então seria como mostrar num espelho o que eles estavam pensando".

As palavras de Kathleen Hanna, escritas, cantadas e faladas, berravam "mais poder para as mulheres" – em particular quando ela falava de como se nega às mulheres o prazer, o respeito e a autoestima. "Menina, eu acredito nas possibilidades radicais do prazer", diz ela em uma canção. Em outra, ela lista todas as maneiras pelas quais ela se privou das coisas de que mais precisava: "Câncer do pulmão, falta de tempo, muito estresse, medo e mais medo, pena de mim mesma, dor de cabeça, muita culpa, falta de sono / É o que eu dou para mim mesma / Fui programada para me destruir".

Depois que o *riot grrrl* desmoronou, consequência de uma dolorosa *blitz* de atenção da mídia sensacionalista e machista, Hanna seguiu em frente e lançou um álbum solo sob o nome de Julie Ruin. Mais tarde liderou o Le Tigre, popular grupo de *eletropunk*. Pioneira do movimento feminista punk, Hanna é uma artista incrível, que personifica todas as qualidades contraditórias que uma mulher pode ter: linda e agressiva; forte, destemida, mas vulnerável; sincera até doer, mas também alguém que busca se proteger.

Suas grandes realizações

* O movimento *riot grrrl* teve uma influência duradoura na cultura pop, assim como a banda Bikini Kill, deixando sua marca em dezenas de bandas, artistas e compositores, de Sleater-Kinney a Tavi Gevinson, Miranda July, The Gossip e Pussy Riot.

* Kathleen Hanna trabalha ativamente pelo Movimento Pró--escolha, ou seja, o direito de optar pelo aborto. Ela já discursou em prol da Planned Parenthood, organização de planejamento familiar, e em uma entrevista comigo para o site Salon.com, falou com franqueza sobre um aborto feito aos 15 anos: "Trabalhei no McDonald's, juntei dinheiro e fiz o aborto. Tenho grande entusiasmo, enorme entusiasmo pelo movimento pela legalização do aborto, porque não estaria aqui conversando com você agora se eu tivesse tido um filho aos 15 anos".

* Em 1991, ficou famosa por ter inspirado o megassucesso de Nirvana, "Smells Like Teen Spirit", que impulsionou a banda ao estrelato mundial. Hanna pintou com *spray* as palavras *Smells Like Teen Spirit* na parede da casa de Kurt Cobain, como referência ao desodorante preferido de Tobi Vail, na época namorada dele (e colega de banda de Hanna).

Frases famosas

"Fui uma adolescente nervosa, insensibilizada, odiava a mim mesma. Mas também foi uma fase ótima para experimentar e para descobrir qual era realmente a minha estética, de que tipo de música eu REALMENTE gostava, e não o que se considerava 'legal' na época."

"Minha sensação era que eu e minhas amigas estávamos sempre correndo, fugindo. Fugindo de um pai abusivo, fugindo dos homens na rua, ou mesmo de coisas agressivas que as pessoas nos diziam e que ficavam grudadas na nossa cabeça. Mas, se corríamos, se fugíamos para nos salvar, é porque sentíamos que merecíamos ser salvas."

"Quando comecei, eu dizia coisas assim: 'É um grande barato ser bonita, poderosa e sexy!' Mas agora retiro um pouco disso. O que eu queria dizer é que a pessoa não precisava ter uma certa aparência, ou um certo corte de cabelo para ser feminista; só porque uma garota usa batom, não quer dizer que não seja feminista. Mas agora percebo que eu não estava realmente desafiando os padrões de beleza."

[Falando sobre arrependimentos:] *"Eu gostaria que os meus fanzines não tivessem tamanha quantidade de fotos só de mulheres brancas. [...] Vamos deixar o riot grrrl para trás; vamos entrar em grupos mais diversificados. Em vez de só falar sobre a diversidade, vamos buscar um diálogo produtivo sobre questões de raça e de classe."*

39. MARGARET CHO
Nascida: Margaret Moran Cho
(1968-)

Por que sou feminista? Ora, porque sim, simplesmente sou, e nunca me questionei sobre isso.

Por que ela merece a fama
Comediante, designer de moda, atriz, escritora, artista

País de origem
Estados Unidos

Seu legado
Margaret Cho é uma comediante feminista muito engajada, conhecida por defender causas progressivas – e por seu senso de humor meio maluco. Na sua trajetória de vida ela conseguiu superar todo tipo de dificuldades pessoais e profissionais, e é admirada pela maneira como parte de experiências pessoais, algumas bastante dolorosas, para falar em nome de outras mulheres.

Além de ter uma carreira de sucesso em comédia *stand-up*, Margaret já trabalhou como atriz, cantora e diretora de cinema. Também escreveu dois livros populares: um sobre sua vida, *I'm the One That I Want* e outro sobre questões políticas e sociais, *I Have Chosen to Stay and Fight*. Em todas as partes do mundo seus shows ficam lotados. O que suas fãs adoram é sua sinceridade ao discutir questões profundamente pessoais e às vezes traumáticas, como transtorno alimentar, machismo, abuso de drogas, sexualidade, problemas raciais. Defensora entusiasta do movimento LGBT, no seu site ela se intitula "a santa padroeira dos excluídos". Como ela mesma disse: "Tem gente que foi criada por lobos. Eu fui criada por... *drag queens*!"

Sua história

Nascida em San Francisco de pais coreanos – que muitas vezes são alvo de suas farpas nos shows –, nos primeiros sete anos de vida Margaret Cho foi criada por diversos tipos pitorescos do bairro, pois a mãe foi para a Coreia atrás do pai, deportado logo após o nascimento da filha. Ela foi expulsa da escola secundária por ter notas baixas, porém mais tarde cursou a San Francisco School of the Arts, uma escola pública, seguindo sua vocação pelas artes cênicas. Começou a escrever piadas com apenas 14 anos e a se apresentar com a "respeitável" idade de 17.

No início dos anos 1990, Margaret se mudou para Los Angeles, a Meca dos atores e comediantes, onde começou a ganhar fama como uma comediante repleta de energia (por vezes até chocante). Ela fez nada menos que trezentos shows nos seus dois primeiros anos em Los Angeles. Sua primeira grande chance foi em um programa de entrevistas de TV, *The Arsenio Hall Show*. Também foi convidada para um especial do lendário comediante Bob Hope, o que lhe deu um enorme impulso profissional.

Em 1994, Cho conseguiu ter o próprio programa no canal ABC de televisão, chamado *All American Girl*. Mas o que deveria ser uma vitória tornou-se um pesadelo. Quando os produtores criticaram sua aparência, excesso de peso e rosto redondo, ela fez um regime de fome durante várias semanas, antes da gravação do primeiro programa, e acabou com insuficiência renal. Recordou mais tarde: "Os executivos da TV me disseram que eu tinha de perder peso; era obrigatório. Adotei uma dieta rígida e fiquei muito doente, porque não comia quase nada".

Mesmo sendo ela mesma a produtora executiva do programa, Margaret Cho se sentia impotente diante dessas críticas tão intensas, e ficou observando, sem poder fazer nada, o projeto que ela tanto amava ser comprometido, até se perder. "Por medo de ser 'étnico' demais, o programa acabou sendo tão diluído para a televisão que, no final, faltava por completo a essência daquilo que sou e faço", disse ela. Sua saúde piorou quando o programa foi cancelado em 1995, e ela sofreu com anorexia, depressão, terminando no alcoolismo e no abuso de drogas.

Ela venceu todos esses graves problemas e acredita que foi o fato de parar de beber que a tirou da depressão: "A pessoa viciada acaba chegando a uma encruzilhada. Ou você continua com o vício e morre, ou então trata de melhorar". Além de se comprometer a não beber, ela adotou práticas saudáveis como ioga, meditação e servir ao próximo. E, em vez de confiar

em outras pessoas para lhe dizerem o que fazer na vida profissional, decidiu ser autônoma em suas decisões. Depois do sucesso do seu *I'm the One that I Want*, Margaret lançou sua própria produtora junto com sua agente, Karen Taussig: a Cho Taussig Productions.

Desde então, continua em intensa atividade, uma verdadeira força da natureza. Ampliando sua carreira, passou a ser cantora e diretora. Já recebeu muitos prêmios, tanto de comédia quanto pelo ativismo em defesa de questões feministas, LGBT e de direitos civis.

Suas grandes realizações

* Cho tem defendido com entusiasmo as causas LGBT, mas também já fez muitos outros trabalhos ativistas e filantrópicos. No Dia dos Namorados de 2004, ela discursou no Comício pela Igualdade de Casamento, na Assembleia Legislativa do Estado da Califórnia. Seu discurso pode ser ouvido no documentário *The Freedom to Marry*. Sempre expressou com franqueza seu ódio ao ex-presidente George W. Bush, e faz campanha contra o racismo e o *bullying*. Também trabalha com moradores de rua em San Francisco, em homenagem ao falecido ator Robin Williams.

* O filme do seu show *I'm the One That I Want* bateu o recorde de maior bilheteria arrecadada por cópia na história do cinema.

* Apesar de ter durado pouco, o programa *All American Girl* trouxe mais visibilidade aos asiático-americanos nos Estados Unidos. Foi o primeiro seriado exibido em horário nobre a apresentar uma família asiático-americana.

Frases famosas

"Antes [meu peso e minha imagem corporal] eram uma obsessão; eu vivia aterrorizada pelo meu apetite e sempre com medo dele, de modo que não ter mais esse medo e realmente aceitá-lo foi um processo muito profundo."

"Quando a pessoa cuida de si mesma, esses são atos de amor. Faça coisas românticas para você mesma."

"Não quero que as garotas tenham medo da palavra 'feminismo', porque elas vão precisar desesperadamente dela para viver no mundo; e ter medo de algo que vai ajudar você, tornar você mais forte, melhor, mais feliz... é algo que não faz sentido."

"Eu tinha medo de recusar os avanços dos homens porque não tinha autoestima quando era mais jovem. Eu nunca dizia: 'Talvez eu deva dizer que não quero isso', porque me parecia que poderia haver consequências. Agora eu sei que a única consequência é que não preciso dormir com eles."

"Eu falo muito sobre o aborto, e as pessoas ficam horrorizadas. E note que nem sequer estou fazendo uma declaração política; apenas falo sobre coisas que me aconteceram! Eu fiz abortos e quero falar sobre eles. Não me importa quais sejam suas opiniões em relação ao aborto; apenas creio que as mulheres deveriam falar a esse respeito."

40. QUEEN LATIFAH
Nascida: Dana Elaine Owens
(1970-)

Resolvi amar a mim mesma.

Por que ela merece a fama

Cantora, rapper, atriz, compositora, modelo, produtora de televisão, produtora musical, comediante, apresentadora

País de origem

Estados Unidos

Seu legado

Queen Latifah, a "Primeira-Dama do *Hip-Hop*", não foi a primeira mulher *rapper*, mas, aos 19 anos, tornou-se uma das poucas mulheres solistas a ter contrato com uma grande gravadora. E, longe de ser apenas cantora, Latifah já fez de tudo e teve sucesso em quase tudo. Ela alcançou a fama ainda adolescente, no final dos anos 1980, graças ao seu talento de estrela do *rap* e seu compromisso de compor música sobre mulheres negras e fortes, direcionada para um público de mulheres negras e fortes. Desde então, Latifah (que ainda usa o nome "Dana" na vida cotidiana) já provou que seu talento vai muito além do microfone. Como atriz de cinema e TV, dominou o mundo do entretenimento, participando de vários programas de TV e mais de 30 filmes; além disso, teve seu programa de entrevistas, dirigiu uma gravadora, foi agente de outros músicos, modelo de passarela e escreveu vários livros.

Latifah – que na adolescência foi apelidada pelos amigos de "Princesa da Turma" – fez sucesso sendo a personificação de uma mulher inteligente, poderosa e totalmente senhora de si, que sempre denunciou atos de hostilidade contra as mulheres, mesmo na própria comunidade. Uma das razões que torna sua música tão poderosa e expressiva para as mulheres é seu foco na autoestima e na superação de problemas como violência doméstica e assédio sexual. Por exemplo, na sua música "U.N.I.T.Y.", ela fala em dar um soco na cara de um homem que a assedia na rua, perguntando: "Quem é que você está chamando de piranha?"

Embora tenha evitado, de modo geral, se rotular como feminista, Latifah também já disse: "Eu concordo com muitos desses princípios. Quero que as mulheres [...] determinem os próprios objetivos e os realizem. [...] Quero que tenhamos autoconfiança. Quero que tenhamos salário igual por trabalho igual. E, o mais importante: quero que tenhamos uma voz".

Sua história

Queen Latifah atribui a seus pais o mérito por ter instilado nela uma base inabalável de autoconfiança e autoestima. Dana Elaine Owens teve uma infância humilde em Newark, estado de Nova Jersey. Aos 8 anos ganhou de uma prima muçulmana o apelido de Latifah, que significa "delicada" em árabe. Sua inteligência para os estudos foi notada já na segunda série, e seus dons artísticos também desde muito cedo: quando criança, cantava no coro da Igreja Batista que frequentava com a família. Ao entrar no ensino médio, elevou sua paixão pela música a um novo patamar, cantando e fazendo *raps* improvisados nos vestiários femininos. No ano seguinte, formou um grupo de *rap* chamado Ladies Fresh (mais tarde conhecido como Flavor Unit) com duas amigas, Landy D e Tangy B, e começou a fazer shows na sua área. A demo do grupo foi parar nas mãos de Fab 5 Freddy, do popular programa de TV *Yo!*, da MTV Raps, veiculado pela MTV norte-americana. Logo mais, Latifah assinou um contrato para um disco com a gravadora independente Tommy Boy; seu álbum de estreia de 1989, *All Hail the Queen*, foi lançado quando ela tinha apenas 19 anos.

À medida que sua carreira avançava, Latifah percebeu que tinha talento não só para fazer música como também para ajudar outros músicos. Começou a produzir artistas e também a investir em negócios, por exemplo uma loja de aluguel de vídeos e uma confeitaria no piso térreo de seu prédio. Em 1991, ela se tornou diretora-presidente da sua própria produtora, a Flavour Unit Records and Management Company, em Jersey City. E, no final de 1993, a empresa já havia assinado contrato com dezessete artistas de *rap*, como Naughty by Nature.

Também nos anos 1990, Latifah iniciou sua carreira de atriz, estreando no famoso filme *Febre da Selva*, de Spike Lee. Um de seus papéis mais conhecidos foi no programa de TV *Living Single*, com Kim Coles, Kim Fields e Erika Alexander. A série girava em torno de um grupo de seis amigas afro-americanas que moravam juntas em um apartamento no Brooklyn.

Desde então, Latifah continuou a expandir seu império, lançando seu programa de entrevistas e tornando-se porta-voz e modelo da Covergirl Cosmetics.

Apesar do sucesso de hoje, já teve de amargar dias sombrios. Sofreu abuso sexual quando criança e já se manifestou abertamente sobre a luta contra as drogas, depois de um período trágico na sua vida: seu irmão morreu em um acidente de moto e ela quase perdeu uma amiga em um sequestro. Ela recorda: "Eu bebia pra caramba, para não sentir nada. A cada dia eu ia perdendo a vida, a cor, a vibração, como um quadro que vai desbotando... Não vivia minha vida com plenitude".

Hoje ela é uma grande defensora da ideia de que as mulheres devem se aceitar fisicamente como são; mas ela é humana, e já teve de lidar com muitas inseguranças, como a maioria das mulheres. A autoconfiança é algo que ela aprendeu, disse ela, pelo menos em parte, seguindo a premissa "Finja até ser verdade". "Quando eu tinha uns 18 anos, olhei no espelho e disse: 'Você ou vai se amar ou vai se odiar'. E decidi me amar. Isso mudou muitas coisas".

Suas grandes realizações

* O álbum de estreia de Latifah, *All Hail the Queen*, vendeu mais de um milhão de cópias. O single "U.N.I.T.Y", de seu álbum de 1993, *Black Reign*, ajudou Latifah a ganhar seu primeiro Grammy pela Melhor Performance de Rap Solo.

* Latifah também é uma grande estrela de cinema. Sua performance no musical *Chicago* lhe valeu uma indicação ao Oscar de Melhor Atriz Coadjuvante.

* A famosa poeta Maya Angelou pediu a Latifah que recitasse um poema seu em uma cerimônia em memória de Michael Jackson, em julho de 2009.

Frases famosas

"Percebi há muito tempo que não queria que a medida da minha pessoa fosse a medida da minha cintura."

"Creio que a autoconfiança não é algo que, se você encontrar uma vez, é para sempre. Ela tem que ser mantida. A questão é ser fiel a si mesma. Conseguir dormir à noite e perdoar a si mesma."

"Ninguém pode atacar uma pessoa tanto quanto ela mesma. Então a chave é cada uma se tratar como se fosse sua melhor amiga."

[De 'Ladies First']: *"Pegue o microfone, olhe para o público e veja os sorrisos / Porque eles estão vendo uma mulher em pé nas suas próprias pernas / Nada de ombros curvos, nem cabeça baixa / Tem gente que pensa que nós não conseguimos fluir / Chega de estereótipos!"*

41. ANI DIFRANCO
Nascida: Angela Maria DiFranco
(1970-)

Sou a garota do pôster, mas, sem pôster, sou um sorvete de 32 sabores, e mais ainda.

Por que ela merece a fama
Cantora e compositora, guitarrista

País de origem
Estados Unidos

Seu legado
Para suas legiões de fãs, Ani DiFranco é uma super-heroína feminista que conseguiu o sucesso lutando sozinha. Sua música de protesto, acompanhada do seu violão forte e sonoro, trata de temas políticos como controle de armas, racismo e gentrificação. Mas fala também de aspectos mais amplos da experiência feminina, como machismo, racismo, relacionamentos difíceis, autoestima e padrões de beleza questionáveis. Suas letras são um bom exemplo daquele velho ditado feminista: "A esfera pessoal é uma esfera política". Com seus comentários perspicazes e ácidos sobre... bem, quase tudo!, Ani também transmite às fãs uma mensagem inspiradora de independência e autoconfiança. Ani pode ser contraditória em alguns aspectos, mas ela tem orgulho dessas contradições.

Sua história

Ani DiFranco foi criada em Buffalo, estado de Nova York. Seus pais não eram músicos, mas liberais e ativos na política, o que influenciou muito seu ativismo (sua Fundação Righteous Babe apoia muitas causas, como os direitos LGBT e o aborto). Ani mostrou seu talento musical desde pequena – aos 9 anos começou a tocar na rua em troca de moedas. Mais tarde, sua mãe mudou-se para Connecticut, mas Ani, com 15 anos, não quis ir junto. Ficou em Buffalo sozinha, obteve sua emancipação legal e logo depois se mudou para Nova York, onde lançou a própria gravadora, Righteous Babe Records. Nos anos 1990, sua estrela continuou em ascensão, sobretudo pelo boca a boca. É uma artista totalmente independente e anti-*establishment*, e não gosta de dar entrevistas por medo de ser mal interpretada.

Aos poucos Ani foi ganhando fama – seu álbum *Dilate* estreou em 1996 como número 87 na revista *Billboard*, e *Living in Clip*, de 1997, chegou à posição 59. Durante essa trajetória, as fãs em geral continuaram fiéis, mas algumas acharam que ela tinha mudado. Ani sempre foi bissexual assumida, mas algumas mulheres se sentiram traídas quando ela se apaixonou por um homem, casou-se e teve filhos. Ani também começou a atrair mais atenção da grande mídia e vender mais discos do que muitos grupos pop melosos da época – mas sempre se mantendo fiel ao seu compromisso de ser independente.

Mesmo sendo um ícone para as mulheres, faz questão de incluir também os homens. Em um de seus shows uma fã gritou: "Os homens são uns porcos!" Ela ficou um pouco irritada e respondeu: "É bacana sentir essa vibe feminina, de mulher forte... Mas eu queria muito que houvesse um sentimento de inclusão. Há muita coisa triste, muita merda nas minhas músicas... Mas, para mim, nunca é uma situação tipo 'nós contra eles'".

O ativismo político tem sido uma constante em sua carreira. Em 2009, ela ganhou o Prêmio Woody Guthrie por seu trabalho em questões sociais. Ela apoia os movimentos contra a guerra e tocou na Marcha pelos

Direitos da Mulher em Washington, em março de 2004. Em seus shows, sempre aproveita para promover as causas que defende. Como moradora de Nova Orleans, arrecadou fundos para a revitalização da cidade, devastada pelo furacão Katrina em 2005.

Mas Ani não é imune a controvérsias nem a decisões equivocadas. Em 2013, ela foi acusada de racismo flagrante quando anunciou que iria patrocinar um retiro de artistas na Louisiana, em uma antiga plantação do período escravagista. Os fãs, a imprensa e as massas nas redes sociais ficaram horrorizados – e mais ainda quando ela publicou uma explicação que não era propriamente um pedido de desculpas. Mais tarde, ela pediu desculpas mais sinceras. Foi um grave erro da parte dela, mas mostra até que ponto toda mulher branca precisa ir ao confrontar o próprio racismo. Ninguém pratica um feminismo perfeito.

Apesar de tudo isso, Ani continua fazendo o que ela faz de melhor: compondo músicas que tocam a alma, sendo até educativas, e cantando essas músicas de uma maneira que só ela é capaz de fazer.

Suas grandes realizações

* Ani DiFranco foi incluída entre os 25 músicos mais influentes dos últimos 25 anos.

* Em 2006, a National Organization for Women (NOW) homenageou Ani DiFranco com o Prêmio Mulher de Coragem.

* Apesar de ser inteiramente independente no mundo da música, já foi indicada para vários Grammys, prêmios que em geral homenageiam artistas que gravam sob grandes selos comerciais.

Frases famosas

[De '32 Flavors']: *"Deus te ajude se você for uma garota feia / Mas muito bonita também é uma desgraça/ Porque todo mundo sente um ódio secreto / pela garota mais bonita da sala."*

"Minha ideia de feminismo é a autodeterminação, e é muito aberta: toda mulher tem o direito de se tornar ela mesma, e fazer o que quer que ela precise fazer."

"Daria para imaginar que, com a progressão natural do feminismo, a essa altura todos os homens e mulheres se identificariam como feministas, pelo menos no nosso tipo de sociedade. E, no entanto, houve uma grande ruptura nessa corrente."

"O patriarcado é como aquele elefante na sala, que ninguém menciona; mas como ele poderia não afetar o planeta de modo radical, se ele é a superestrutura da sociedade humana?"

[De 'Little Plastic Castle']: *"As pessoas falam da minha imagem / Como se eu tivesse duas dimensões / Como se o batom fosse um sinal de decadência mental /Como se a roupa que eu por acaso estava vestindo no dia em que alguém tirou minha foto fosse a minha nova declaração para todas as mulheres do mundo."*

42. ROXANE GAY
(1974-)

Se é que eu sou feminista, sou má feminista. Sou um emaranhado de contradições.

Por que ela merece a fama
Escritora, editora, professora universitária

País de origem
Estados Unidos

Seu legado
Roxane Gay é uma das escritoras feministas mais célebres dos últimos anos – ou melhor, *a mais* célebre. Já foi aclamada como "nova estrela do feminismo", e seu muito esperado livro de ensaios de não ficção, *Má Feminista: Ensaios Provocativos de uma Ativista Desastrosa*, estreou como número treze na lista de *best-sellers* do *New York Times*. O livro ganhou críticas positivas de praticamente todo mundo, e no momento em que escrevo é o *best-seller* número um na seção de Teoria Feminista da Amazon.

Muitos acham que Roxane se tornou uma sensação da noite para o dia, mas na verdade ela já escrevia e publicava há anos antes de chamar a atenção do público (começou a escrever em guardanapos aos 4 anos!). É muito legal ver uma mulher de seus trinta e tantos anos começar de repente a ganhar grandes elogios – em particular uma mulher negra que se identifica como gay, vinda de uma cidade do Meio-Oeste, e não de um grande centro literário, como Nova York ou Los Angeles.

Uma das coisas que tornam Roxane tão especial para suas legiões de fãs e seguidoras é seu compromisso total com a ideia de que uma feminista não precisa ser "perfeita". Como mulher negra, por muito tempo ela não se considerou feminista, já que não via muitas mulheres como ela incluídas no movimento de modo geral. Além disso, ela não queria ser rotulada. Sendo assim, criou um feminismo adequado para ela mesma, englobando causas como a luta contra o racismo e pela igualdade salarial, mas que também lhe permite dançar, sem nenhuma vergonha, ao som de Robin Thicke e uma canção de mau gosto como "Blurred Lines". Como ela explica em *Má Feminista*: "Se é que eu sou feminista, sou má feminista. Sou um emaranhado de contradições".

Ela não pede desculpas por querer o que quer, e não liga a mínima se aquilo que quer pode prejudicar sua "reputação como feminista". Por exemplo, ela escreveu: "Eu me preocupo em morrer sozinha, solteira e sem filhos, tendo passado muito tempo construindo minha carreira e juntando diplomas. Essa preocupação me tira o sono, mas eu finjo que não, pois a essa altura eu já deveria estar mais evoluída". A disposição de Roxane de aceitar todas as suas contradições ajudou muitas outras mulheres a fazerem o mesmo. Afinal, qual mulher já não acompanhou baixinho, em segredo, um *rap* com letra machista? O feminismo não exclui o amor à cultura *pop* de massa, ou querer ter um bebê, ou gostar de sexo com homens, e Roxane insiste nesse ponto.

Sua história

Nascida no estado de Nebraska, de pais haitianos, Roxane lembra-se de ter tido uma infância maravilhosa – até os 12 anos, quando foi estuprada por um grupo de amigos do namorado da escola. O ataque teve um impacto profundo, mas durante anos ela não contou nada aos seus amigos e parentes. Enfim escreveu sobre essa experiência para o site literário The Rumpus, dizendo que o estupro coletivo a tornou "uma pessoa completamente diferente". Após o incidente, Roxane começou a ganhar peso como forma de criar uma "fortaleza" entre o que aconteceu com ela e quem ela era de fato por dentro. Para ela, seu corpo era uma das únicas forças que conseguia controlar.

O ataque sexual a Roxane tomou conta da sua mente durante anos, e ela trabalhou o assunto em seus textos. Ela mencionou: "Não teria nem uma fração da fúria dos meus textos se não tivesse precisado suportar aquilo tudo, e as consequências". Na adolescência, seu trabalho chamou a atenção de uma professora, que a incentivou a procurar aconselhamento para poder superar o trauma do estupro. Roxane disse mais tarde que essa professora lhe salvou a vida.

Após a faculdade (um fato divertido: um de seus sonhos era ser médica!), Roxane fez mestrado em escrita criativa e doutorado em retórica. Mas, quando começou a enviar seus trabalhos para publicação, só recebia rejeições. Ela até iniciou um blog chamado I Have Become Accustomed to Rejection. Roxane já explicou que naquela época "não era uma grande

escritora". Percebendo isso, tratou de aperfeiçoar seu domínio do ofício e por fim conseguiu ser publicada.

Roxane abordou muitos gêneros, desde contos e romances até ensaios bastante pessoais, além de crítica da cultura *pop*. Seu trabalho trata de questões de gênero, imagem corporal, privilégio, agressão sexual, política de imigração. Muita gente acha que ela atinge seu ápice ao combinar o pessoal e o político, o que consegue fazer magistralmente. Além de escrever muitos livros, Roxane contribuiu para coletâneas, como *Best American Mystery Stories 2014*, *Best American Short Stories 2012*, e revistas literárias como *Tin House*, *The New York Times Book Review*, *Los Angeles Times* e o site Salon.

Embora seja uma batalhadora pelos direitos da mulher, Roxane não se leva muito a sério – uma atitude muito bem-vinda. Ela já disse que seu objetivo principal na vida é "não tornar o mundo um lugar *pior* do que eu encontrei".

Suas grandes realizações

* Roxane vem trabalhando de forma incansável em apoio a outros escritores de cor. Em 2012, ela examinou todas as resenhas de livros na grande mídia no ano anterior e concluiu que 90% dos livros comentados pelo *New York Times* tinham autores brancos.

* Ela dá palestras sobre a importância de educar os jovens a respeito da mídia.

* Um grande nome do Twitter, com quase cem mil seguidores no momento em que escrevo, Roxane combina, com muito vigor, todos os aspectos contraditórios que a fazem ser... ELA MESMA. Por exemplo, em um *tweet*, ela pode recomendar um livro, enquanto em outro ela cai de amores pelo gatíssimo Channing Tatum, ou ataca a mídia racista, ou discute se convém enviar e-mails depois de beber um pouco além da conta.

Frases famosas

"Acredito que a base do feminismo é apoiar as opções das mulheres, mesmo que nós mesmas não façamos certas opções."

"O que não se costuma dizer é que as mulheres poderiam ser mais ambiciosas e mais bem focadas, mas nunca tivemos opção. Tivemos de lutar para votar, lutar para trabalhar fora do lar, para trabalhar em ambientes livres de assédio sexual, para cursar as universidades de nossa escolha, e também tivemos que provar nosso valor vezes e vezes sem conta para receber um mínimo de consideração."

"Abandone o mito cultural de que todas as amizades femininas são maldosas, prejudiciais ou competitivas. Este mito é como o salto alto e a bolsinha – bonito, mas feito para não deixar as mulheres avançarem mais depressa."

"Por que temos de estender o tapete vermelho, fazer malabarismos e acrobacias para trazer os homens para o feminismo? É ridículo. Quero que os homens cresçam e aprendam que precisam superar essa noção que têm de si mesmos."

43. BEYONCÉ
Nascida: Beyoncé Giselle Knowles
(1981-)

Meu objetivo era a independência.

Por que ela merece fama
Cantora, compositora, atriz

País de origem
Estados Unidos

Seu legado
Quando Beyoncé ordena às fãs: "Rebolem, garotas!",[1] elas obedecem. Mesmo no início da carreira, com o supergrupo Destiny's Child, que vendeu sessenta milhões de cópias, a "Rainha Bey" se focava em dar mais poder às mulheres. A faixa de 1999 do grupo, "Independent Women, Pt. 1", era um hino dedicado às mulheres que vão à luta sozinhas, com letras malucas como: "Tente me controlar, rapaz, e vou te dar o fora /[...] / Sempre 50/50 nos relacionamentos", e mensagens poderosas como "Eu dependo de mim mesma".

---

[1] *"Bow down, bitches!"* (N.T.)

Embora começasse a ter contato com ideias feministas ainda na juventude, a partir de 2013 Beyoncé começou a incentivar a igualdade das mulheres, usando sua poderosa plataforma para exortar as mulheres, tanto jovens como mais velhas a fazer, dizer e realizar o que quiserem. Ela é uma das poucas estrelas da música que tiveram a ousadia de afirmar ser feministas modernas. E, na sua apresentação no MTV Video Music Awards de 2014, havia no palco um enorme letreiro em néon dizendo simplesmente "FEMINIST" em imponentes letras maiúsculas.

Esse tipo de feminismo de Beyoncé foi muito criticado por sua imagem sexy, sua suposta comercialização e sua turnê, que ela chamou de *Mrs. Carter*[1] (pelo jeito, não pega nada bem uma mulher usar o sobrenome do marido, nem mesmo de uma maneira provocante). Essas críticas já são esperadas, mas não são justas. Por acaso as grandes estrelas brancas que se dizem feministas também são criticadas nos mínimos detalhes? Seja como for, ter uma "princesa do *pop*" usando seu poder de alcance para promover os ideais feministas junto às garotas é algo para se aplaudir de pé.

Sua história

Beyoncé foi criada em Houston, Texas, e desde cedo foi mordida pelo "bichinho" da arte e do *show business*. Quando criança, começou a cantar em programas de talentos, vencendo muitos deles. Aos 11 anos, ela e sua amiga de infância LaTavia Roberson uniram forças com Kelly Rowland e LeToya Luckett, para formar o grupo feminino que depois se chamaria Destiny's Child (o empresário era o pai de Beyoncé). Depois de assinar com a Columbia Records em 1997, o grupo ganhou enorme sucesso, chegando ao primeiro lugar nas paradas com hits como "Bills Bills Bills" e "Say My Name". Em 2003, enquanto ainda estava com o grupo, Beyoncé lançou seu primeiro álbum solo, *Dangerously In Love*, de estrondoso sucesso, vencedor de cinco Grammys! Dois anos depois, o grupo Destiny's Child se dissolveu oficialmente.

---

[1] Referindo-se ao verdadeiro nome do marido, Shawn Carter, o conhecido rapper Jay-Z. (N.T.)

Desde então, Beyoncé só vem ganhando mais e mais popularidade, e mais amor dos fãs. Ela se apresentou no baile da posse do presidente Barack Obama em 2009 e também na segunda posse, em 2013.

Começou a namorar o *rapper* Jay-Z em 2000, mas a dupla manteve discrição quanto ao romance, casando-se em 2008. Em 2011, ela entrou na lista da revista *Forbes* das dez artistas mulheres mais bem pagas – e, até 2013, já havia ganhado nada menos que dezessete Grammys.

Em 2013, essa supermulher de 32 anos escreveu um ensaio poderoso: "Gender Equality Is a Myth" para o site de Maria Shriver. Nesse texto, a cantora observa que devemos incentivar tanto homens quanto mulheres a promover os direitos da mulher. "Temos que ensinar aos nossos meninos as regras de igualdade e respeito, para que, quando forem adultos, a igualdade de gênero se torne um modo de vida natural. E temos que ensinar às nossas garotas que elas podem chegar tão alto quanto é possível a qualquer ser humano."

E ninguém melhor que ela para dizer isso. Beyoncé é uma força poderosa no cenário mundial. Além de ganhar vinte Grammys e vender mais de 75 milhões de discos como intérprete solo, Beyoncé está entre os

artistas musicais com discos mais vendidos de todos os tempos. Ela foi destaque na lista das pessoas mais influentes da revista *Time* em 2013 e 2014. E, para que você não pense que ela continua batalhando pelo dinheiro (você não pensou isso, não é?), o patrimônio líquido da moça é de mais de 250 milhões de dólares.

Suas grandes realizações

* Em 2006, Beyoncé foi indicada para um Globo de Ouro por seu desempenho no filme *Dreamgirls: em Busca de um Sonho*, de grande sucesso.

* Em 2011, a cantora criou um maravilhoso *remix* da sua canção ultracativante "Move Your Body" e também um clipe para a campanha da primeira-dama Michelle Obama, "Let's Move!", de combate à obesidade infantil.

* Em "Flawless", sua canção de sucesso de 2013, Beyoncé teve uma atitude poderosa ao repetir frases de uma TED Talk da escritora feminista nigeriana Chimamanda Ngozi Adichie.

* Depois que o furacão Katrina arrasou Nova Orleans em 2005, Beyoncé e sua amiga e colega de banda Kelly Rowland fundaram a Survivor Foundation. A organização providenciou moradia provisória para as vítimas na área de Houston, e Beyoncé teria contribuído com uma verba inicial de 250 mil dólares. Ela arrecadou mais de um milhão de dólares para a Fundação Shawn Carter, do marido Jay-Z, focada em ajudar crianças de baixa renda a cursar a universidade. Beyoncé também trabalhou em parceria com a organização Feeding America, que fornece refeições a bancos de alimentos de todo o país.

Frases famosas

"Acredito na igualdade. Por que você precisa escolher qual tipo de mulher você é?"

"Sua autoestima é você quem determina. Você não precisa depender de outra pessoa para lhe dizer quem você é."

"A realidade é que às vezes a gente perde. E ninguém é tão bom que nunca vai perder. Ninguém é tão grande que nunca vai perder. Ninguém é tão inteligente que nunca vai perder. Acontece."

"Ninguém dá o poder. É preciso tomar o poder."

"É tão libertador saber de fato o que eu quero, o que de fato me faz feliz, o que eu me recuso a tolerar. Aprendi que cuidar de mim não é função de mais ninguém, só minha."

"Acredito piamente que as mulheres devem ser financeiramente independentes de seus homens. E, verdade seja dita, o dinheiro dá aos homens o poder de comandar o espetáculo. E dá aos homens o poder de definir o valor. São eles que definem o que é sexy. São eles que definem o que é feminino. É ridículo."

44. TAVI GEVINSON
(1996-)

Quero que [o feminismo] não tenha esse estigma. Quero que seja mais inclusivo. [...] Quero que alguém envie uma mensagem para todos os adolescentes hétero dizendo que a pornografia não retrata a realidade.

Por que ela merece a fama
Escritora, editora de revista, atriz

País de origem
Estados Unidos

Seu legado
Tavi G. começou sua carreira em 2008, ainda pré-adolescente, como blogueira que fala sobre moda. Uma pré-adolescente bastante normal, embora extraordinariamente antenada e perspicaz, começou a publicar textos sobre suas roupas, sendo seu quartel-general no próprio quarto, em um bairro da cidade de Oak Park, no estado de Illinois. Apenas seis anos depois, tinha fundado uma revista, era estrela da Broadway, escritora aclamada e editora-chefe. O que torna Gevinson tão interessante é que ela não vê divisão entre moda e feminismo, e se ressente da ideia de que a moda é

"tola" e o feminismo é "inteligente". A maneira intuitiva com que ela conseguiu mesclar esses dois interesses gerou sua maior realização até agora: ser uma heroína para adolescentes de toda parte. É um papel que ela tem feito desde os tempos de escola.

Sua história

Gevinson começou um blog de moda chamado Style Rookie, aos 11 anos de idade. O blog começou pequeno, com poucas seguidoras, mas por fim explodiu, e ela começou a ser convidada para grandes desfiles de moda em todo o mundo. Embora a pré-adolescente tenha recebido admiração da indústria da moda pelo seu estilo *funky* e seu conhecimento exaustivo da alta-costura, nem todos a levaram a sério devido à sua pouca idade.

Citando preocupações com relação à segurança, os adultos achavam que jovens blogueiras como Gevinson não deveriam postar na internet fotos e relatos da sua vida. Também criticavam os pais de Gevinson por lhe permitir sair da escola para assistir a desfiles de moda. E o pior: alguns começaram a questionar se ela tinha mesmo a idade que dizia ter. Anne Slowey, da revista *Elle*, expressou dúvidas, dizendo: "Ou é uma pré-adolescente genial, ou há uma equipe por trás dela". O blog The Cut, da revista *New York*, concordou, duvidando de sua capacidade de escrever e manter seu blog sozinha: "Não temos certeza se uma menina de 12 anos está realmente fazendo tudo isso ou se está recebendo alguma ajuda da mãe ou de uma irmã mais velha. [...] Também não temos certeza se ela é o melhor fenômeno que surgiu desde as gêmeas Olsen". E a revista *The Economist* perguntou se ela era apenas um "monstrinho".

É claro que as críticas a feriam – seu pai recorda que ela acordava à noite chorando. Mas ela aprendeu a descartar as atenções negativas, dizendo: "Muitas pessoas na internet não gostam de ver uma pessoa jovem se saindo bem. Eu senti [na semana da moda] que havia pessoas que estavam lá devido ao seu nome, seu dinheiro ou sua família, e eu não tinha nenhuma dessas coisas". E ela decerto calou a boca dos críticos, pois na sua trajetória profissional só fez crescer e se aperfeiçoar.

Aos 15 anos, ela decidiu abandonar o foco exclusivo na moda e lançou *Rookie* (que significa "Novata"), uma revista *on-line* com diversos assuntos para adolescentes. O site foi concebido como uma espécie de oposto da tradicional revista *Seventeen*, ou seja, inteligente, afiado, confessional, direto, focado na autoexpressão e na individualidade. Ela queria – e conseguiu – dirigir-se às garotas adolescentes como seres humanos amadurecidos e não menininhas sem noção. O site tem matérias sobre moda, mas a missão de Gevinson é mais ampla. Como ela disse à revista *Bitch*: "Quero que haja um lugar onde uma mulher possa [...] se interessar pela moda e até mesmo ser superfeminina, e isso não significa que ela não seja forte, inteligente, autoconfiante". Tavi também queria democratizar a moda e dizer às garotas que não existe uma única maneira de ser legal ou *fashion*: "O principal é dizer às meninas do público que elas já são bem inteligentes, já são legais".

Quase todo redigido por adolescentes, *Rookie* logo se destacou de todas as outras revistas *on-line* dirigidas a esse público. É mais parecido com a *Sassy*, uma revista *cult* muito apreciada, publicada por Jane Pratt, um ícone da mídia, de 1988 a 1994. A *Rookie* foi lançada em parceria com Jane Pratt, porém mais tarde Tavi retomou a posse do site. Com novos conteúdos postados cinco vezes por semana, três vezes por dia, *Rookie* já teve um sucesso fenomenal, abrangendo todo tipo de matérias, desde a cultura *pop* até ensaios bastante pessoais. Celebridades como Lena Dunham, Jon Hamm e David Sedaris contribuem de modo esporádico.

Hoje ela mora em Nova York e está ampliando sua atividade artística, que hoje inclui shows na Broadway e uma carreira de cantora e atriz de cinema. Embora seu estilo atual seja mais do tipo "confortável" do que alta moda de vanguarda, para muitas jovens ela continua sendo um ícone feminista. Ela demonstrou, sozinha, que uma garota inteligente que tem algo a dizer pode dominar a mídia – e talvez até o mundo inteiro.

Suas grandes realizações

* Em 2011 e 2012, Gevinson entrou na lista das "30 Pessoas da Mídia com Menos de 30 Anos" da revista *Forbes*. A revista *Time* incluiu-a entre as 25 adolescentes mais influentes de 2014.

* Ela foi a mais jovem colaboradora da *Harper's Bazaar* quando começou a escrever uma coluna para a revista, aos 13 anos. Algumas pessoas no mundo da moda questionaram a contratação. Anne Slowey, da *Elle*, disse que a decisão parecia "uma tacada de efeito".

* Ira Glass, de *This American Life*, programa de rádio de grande audiência, é um de seus mentores. Ele é marido de Anaheed Alani, a diretora editorial da *Rookie*.

* Lady Gaga já chamou Tavi Gevinson de "o futuro do jornalismo".

Frases famosas

"Já ouvi leitoras dizerem: 'Sinto que não sou legal o suficiente para a Rookie', e eu respondo: 'É mesmo?' Odeio isso! Excluir pessoas não é minha ideia de ação."

"Enfim pensei: 'Quando eu aceitar que nunca ficarei satisfeita com minha aparência – isto é, se sou bonita mesmo ou não –, então poderei ser livre e me concentrar nos aspectos da vida que são mais gratificantes'."

"Veja, estou apenas tentando colocar algo de bom no mundo. Isso não vai resolver o problema do patriarcado para sempre."

"Queria lançar um site para meninas adolescentes que não fosse aquele tipo de coisa unidimensional, que trata apenas de fortalecer o caráter. [...] Pois com isso as meninas começam a pensar que, para serem feministas, precisam ser perfeitamente coerentes em suas convicções, nunca ser inseguras, nunca ter dúvidas, saber todas as respostas. E isso não é verdade..."

45. MALALA YOUSAFZAI (1997-)

Eles atingiram meu corpo, mas não podem atingir meus sonhos.

Por que ela merece a fama
Ativista

País de origem
Paquistão

Seu legado

A paquistanesa Malala Yousafzai iniciou sua militância em 2009, aos 11 anos, como blogueira da BBC. Escrevia anonimamente, em urdu, o idioma do país, sobre a importância da educação para as meninas.

Se sua identidade fosse revelada, seria punida com severidade pelo Talibã, a poderosa organização islâmica bem conhecida por seus ataques terroristas, execuções e repressão e violência contra as mulheres. Desafiando o perigo, Malala decidiu arriscar a vida, continuando a denunciar as péssimas condições para as meninas em seu país – já que por vezes o Talibã proibia terminantemente as meninas de irem à escola.

Em 2012, Malala ganhou fama internacional – mas, infelizmente, não devido aos fatos importantes que revelava em seu blog. Nada disso. Sua fama meteórica foi provocada por um acontecimento traumático, ocorrido depois que foi revelada sua identidade como a blogueira anônima da BBC, em dezembro de 2009, colocando-a na mira do Talibã.

Em outubro de 2012, Malala estava em um ônibus escolar na sua cidade natal, no vale do Swat, quando alguns talibãs pararam o ônibus. Um homem armado subiu e perguntou: "Quem é Malala?" Em seguida lhe acertou três tiros na cabeça e no pescoço. "Eu defendo a educação, e isso significa que estou falando contra o Talibã", disse ela mais tarde, sobre o motivo da tentativa de assassinato.

Malala ficou em estado crítico após o ataque, mas por fim se recuperou – e o mais incrível: recuperou-se com uma paixão ainda mais profunda pelos direitos humanos e pela importância da educação para as meninas. Em janeiro de 2013, teve alta do hospital onde se tratou após o ataque, na Inglaterra, e desde então continua morando em Birmingham com a família.

Sua história

Na infância, quem mais se ocupou dos estudos de Malala foi seu pai, Ziauddin Yousafzai, defensor da escolaridade para todos, que dirigia diversas escolas na região. Foi ele o modelo e a inspiração para a filha, e já declarou muitas vezes seu imenso orgulho pelo trabalho dela. Tal como Malala, ele militava contra o Talibã e também estava marcado para morrer.

Malala já chamava a atenção do Talibã bem antes do atentado no ônibus escolar. Já há algum tempo o grupo terrorista lhe enviava ameaças de morte e a perseguia no Facebook. Infelizmente, até hoje ela vive ameaçada, embora não more mais no Paquistão.

Além de ganhar o Prêmio Nobel da Paz, em outubro de 2014, Malala já recebeu várias homenagens pelo seu trabalho humanitário, incluindo o Prêmio Sakharov pela Liberdade de Pensamento, outorgado pelo Parlamento Europeu; o Prêmio Nacional da Juventude; o Prêmio Anne Frank por Coragem Moral e o Prêmio Madre Teresa pela Justiça Social. Ela doou grande parte do dinheiro dos prêmios para reconstruir escolas e facilitar o acesso à educação a crianças de todo o mundo.

O primeiro-ministro paquistanês, Nawaz Sharif, assim se referiu a Malala: "Ela é o orgulho do Paquistão, o orgulho de seus compatriotas.

Suas conquistas são incomparáveis e inigualáveis. Meninas e meninos do mundo todo deveriam seguir o exemplo de sua luta e empenho". Em toda parte do mundo, meninas e mulheres veem Malala como um símbolo de perseverança e de luta por suas convicções.

Suas grandes realizações

* Aos 17 anos, Malala foi a pessoa mais jovem – e a primeira de seu país, o Paquistão – a receber o Prêmio Nobel da Paz. Foi escolhida, ao lado de Kailash Satyarthi, ativista dos direitos da criança, pela sua "luta contra a opressão das crianças e dos jovens e pelo direito de todas as crianças à educação", declarou a comissão norueguesa que concede o Nobel.

* As Nações Unidas fizeram do dia 12 de julho de 2013 o Dia de Malala, em homenagem à sua bravura.

* Em 2012, ela foi nomeada Pessoa do Ano pela revista *Time*.

* Em um discurso especialmente convincente de 2013, Malala persuadiu a ONU a se comprometer com o segundo Objetivo de Desenvolvimento do Milênio: "Até 2015, as crianças de todos os lugares, tanto meninos como meninas, conseguirão completar o ensino primário". Segundo o Relatório sobre os Objetivos de Desenvolvimento do Milênio, as matrículas em escola primária nas regiões em desenvolvimento subiram de 83% em 2000 para 91% em 2015.

* Em 2013, ela publicou uma autobiografia que se tornou um *best-seller*: *Eu Sou Malala: A História da Garota que Defendeu o Direito à Educação e Foi Baleada pelo Talibã*, em coautoria com a escritora britânica Christina Lamb.

Frases famosas

"Eles atingiram meu corpo, mas não podem atingir meus sonhos."

"Quando o mundo inteiro fica em silêncio, até mesmo uma única voz se torna poderosa."

"Não odeio nem sequer o Talibã que atirou em mim. Mesmo que eu estivesse com uma arma na mão e ele na minha frente, não atiraria nele."

"Tenho direito à educação. Tenho o direito de brincar. Tenho o direito de cantar. Tenho o direito de falar. Tenho o direito de ir ao mercado. Tenho o direito de dizer o que penso."

"Por que eu haveria de esperar a iniciativa de alguma outra pessoa? Por que deveria esperar que o governo, o exército, venham nos ajudar [...] ou me ajudar? Por que eu mesma não levanto a minha voz? Por que nós mesmos não falamos em defesa dos nossos direitos?"

BRASILEIRAS QUE FORAM À LUTA

15 Perfis Biográficos para Entender a História do Feminismo no Brasil

por Fernanda Lopes

46. NÍSIA FLORESTA
Nascida: Dionísia Gonçalves Pinto
(1810-1885)

Certamente Deus criou as mulheres para um melhor fim, que para trabalhar em vão por toda a sua vida.

Por que ela merece a fama

Escritora, tradutora e educadora feminista

Seu legado

Nísia Floresta desde muito jovem não aceitou as amarras que a sociedade machista queria lhe impor e foi viver a própria vida, tirando seu sustento dos princípios em que acreditava. Seguiu os ensinamentos da teórica feminista britânica Mary Wollstonecraft e até traduziu artigos dela, a fim de divulgar ainda mais às brasileiras a ideia de que as mulheres não precisam ser serventes de suas famílias ou escravas domésticas – elas podem ser o que quiserem.

Nísia escreveu livros sobre a emancipação feminina, artigos sobre as condições das mulheres no Brasil e chegou a fundar um colégio para ensinar às moças matérias que elas, assim como os garotos, também mereciam saber, como história, português e matemática. Considerada a primeira feminista brasileira, Nísia fez história e influenciou muito nossa história.

Sua história

Dionísia Gonçalves Pinto nasceu no Rio Grande do Norte e era de uma família tradicional da região. Aos 13 anos, foi obrigada a se casar com Manuel Alexandre Seabra de Melo, um rico latifundiário, mas a união durou pouco. Um ano depois, Dionísia conheceu o estudante de Direito Manoel Rocha e foi morar com ele.

Por não ser formalmente divorciada (algo ainda impensável em 1824), seu ex-marido passou a fazer ameaças constantes, acusando-a de adultério. Mesmo assim, ela manteve seu relacionamento extraoficial e teve dois filhos com Manoel.

No mesmo ano, Dionísia começou a publicar artigos para o jornal *Espelho das Brasileiras*, falando sobre as condições da mulher na sociedade e comparando-as com as de outras culturas da Antiguidade.

Também traduziu e publicou a obra *Direitos das Mulheres e Injustiças dos Homens*, da feminista britânica Mary Wollstonecraft, e assinou-a com um nome diferente: Nísia Floresta Brasileira Augusta. Foi com essa publicação, em 1832, que se destacou como a primeira mulher no Brasil a expor os ideais de igualdade do feminismo e da independência feminina.

Nísia se mudou com Manoel e a filha para Porto Alegre em 1833, e dois anos depois ele faleceu. Aos 25 anos e com um filho pequeno para criar, ela foi trabalhar como preceptora de moças, professora e diretora de um colégio, além de continuar a escrever.

Em 1837, Nísia partiu para o Rio de Janeiro, onde abriu o Colégio Augusto para meninas, onde divulgava suas ideias de educação feminina. A escola se diferenciava por combinar as tradicionais aulas de trabalhos manuais com estudos de português, idiomas estrangeiros e geografia. O público reagiu bem à novidade, que, é claro, irritou os concorrentes.

Nísia começou a dar conferências sobre outros assuntos que a interessavam e que ela considerava muito importantes, como a libertação dos escravos, o direito de liberdade de culto e a federação das províncias no sistema republicano.

Na década de 1840, publicou diversos livros significativos para sua carreira e o cenário literário da época, como *Conselhos à Minha Filha* e *A Lágrima de um Caeté*.

No fim dessa década, a autora partiu com a filha para uma estadia na Europa. Lá, publicou o romance *Dedicação de uma Amiga* e uma série de artigos para o jornal *O Liberal*, chamada de "A Emancipação da Mulher".

De volta ao Brasil em 1852, Nísia continuou a escrever para jornais sobre a educação feminina. No mesmo ano, o Rio de Janeiro passou por uma epidemia de cólera e ela atuou como enfermeira voluntária.

Sua segunda temporada na Europa começou em 1853 e durou até o final de sua vida. Nísia viajou muito pela Itália e pela Grécia, produzindo livros e artigos em francês. Também teve alguns de seus trabalhos traduzidos e publicados no continente europeu. Morou na França, na Inglaterra e em Portugal, só voltando para o Brasil de passagem.

A primeira feminista do Brasil faleceu em 1885 na Normandia, cidade em que residia na França. Seus restos mortais foram transferidos para o povoado norte-rio-grandense onde nasceu, Papari. Em 1948, o nome do local foi oficialmente chamado de Nísia Floresta em sua homenagem.

Suas grandes realizações

* Nísia trocou o próprio nome por outro que, a seu ver, representava melhor aquilo em que ela acreditava. Nesse mesmo mote, escreveu diversos livros e artigos, sendo pioneira ao divulgar no Brasil a ideia de que a mulher poderia se desenvolver, sendo mais do que a sociedade lhe "permitia". Começou a ensinar que o feminismo as libertaria.

* Ela não tinha medo de trabalhar para uma sociedade mais justa, tendo atuado até o fim da vida por direitos e condições melhores no Brasil.

Frases famosas

"Flutuando como barco sem rumo ao sabor do vento neste mar borrascoso que se chama mundo, a mulher foi até aqui conduzida segundo o egoísmo, o interesse pessoal, predominante nos homens de todas as nações."

"Se este sexo altivo quer nos fazer acreditar que tem sobre nós um direito natural de superioridade, por que não nos prova o privilégio, que para isso recebeu da Natureza, servindo-se de sua razão para se convencerem?"

"A esperança de que, nas gerações futuras do Brasil, ela [a mulher] assumirá a posição que lhe compete nos pode somente consolar de sua sorte presente."

47. FRANCISCA SENHORINHA
Nascida: Francisca Senhorinha da Motta Diniz
(final do século XIX)

Queremos a instrução pura para conhecermos nossos direitos, e deles usarmos em ocasião oportuna.

Por que ela merece a fama

Escritora, jornalista e educadora feminista

Seu legado

Francisca Senhorinha teve grande importância para a imprensa feminina, que começava a se destacar no Brasil ao longo do século XIX. Ela começou a escrever um semanário no interior de Minas Gerais e durante quinze anos prosseguiu com esse trabalho ao mesmo tempo em que cuidava das filhas e administrava uma escola.

O Sexo Feminino, jornal fundado por ela, foi a primeira publicação brasileira voltada para a emancipação feminina. Vários jornais e revistas de cunho feminino e feminista coexistiram e se sucederam naquela época e nas décadas seguintes, mas o trabalho de Francisca, declaradamente a favor da libertação feminina e fundamental na divulgação dos ideais feministas para mulheres brasileiras, foi de extremo valor.

Sua história

Francisca Senhorinha nasceu em São João del-Rei, em Minas Gerais, casou-se e teve duas filhas, Albertina e Elisa. Estudou para ser professora e se dedicou ao ensino primário. Além de Minas, Francisca morou em São Paulo e no Rio de Janeiro, onde acabou ficando após a morte do marido. No centro da capital carioca, abriu um colégio dedicado a ensinar meninas de classe média, que administrava com ajuda das duas filhas, que já se dedicavam à escrita.

Antes mesmo de se mudar para o Rio de Janeiro, Francisca já começara a trabalhar também como jornalista e escrevia artigos. Foi colaboradora do semanário *A Estação – Jornal Illustrado para a Familia*, que publicava matérias sobre moda.

Mas sua contribuição mais importante para a imprensa feminista foi o jornal *O Sexo Feminino*, que fundou na cidade mineira de Campanha da Princesa, em 1873. Nessa primeira fase, a publicação já tinha a impressionante tiragem de oitocentos exemplares, com assinantes em várias cidades.

Entre 1875 e 1890, *O Sexo Feminino* passou a ser produzido no Rio de Janeiro. A publicação era semanal e veiculava informações sobre literatura e variedades culturais da época, além de artigos que abordavam temas polêmicos como a abolição da escravatura, o direito das mulheres ao voto e as novidades do movimento feminista no Brasil e no mundo. O jornal tinha em sua pauta temas como a emancipação da mulher brasileira por meio da educação física, moral e intelectual. Segundo Francisca afirmava em seus artigos, o grande inimigo das mulheres era a ignorância de seus direitos, e que só com instrução era possível ultrapassar esse obstáculo que as deixava à mercê da (má) vontade dos homens.

Só as dez primeiras edições de *O Sexo Feminino* tiveram mais de quatro mil exemplares impressos, para atender à demanda dos novos assinantes do Rio de Janeiro. Até dom Pedro II e a princesa Isabel recebiam os seus.

Após a proclamação da República, Francisca mudou o nome do jornal para *O Quinze de Novembro do Sexo Feminino*. Nessa fase, ela criou uma coluna exclusiva para falar sobre o sufrágio feminino, dando ainda mais ênfase à defesa do direito das mulheres ao ensino secundário e às críticas à educação deficitária oferecida a elas. Na década de 1880, também escreveu para os semanários *A Primavera* e *A Voz da Verdade*. Com a filha Albertina, escreveu um romance de costumes chamado *A Judia Rachel*, em 1886.

Suas grandes realizações

* Mesmo viúva e com duas filhas para criar, Francisca Senhorinha reinventou sua vida. Professora primária, abriu um colégio com a ajuda das filhas e, em paralelo, tornou--se jornalista e fundadora do próprio jornal, no qual falava sem medo sobre temas polêmicos e a emancipação da mulher por meio da educação.

* Francisca Senhorinha mudou a curva da própria história, transformando, em decorrência, também o destino das filhas, e, com sua proatividade e suas palavras, ajudou a lecionar e a iluminar o caminho de muitas mulheres no Brasil do fim do século XIX.

Frases famosas

"Derrame-se a instrução pela população deste vasto império [...]. Incuta-se no povo o amor à leitura; eduque-se a juventude de ambos os sexos; preparem-se as mulheres para dignas esposas, e ver--se-ão a ignorância, o fanatismo e a superstição, estes três inimigos piores que a peste, a fome e a guerra, desaparecerem da face da Terra, batidos e combatidos pela ciência, ficando a humanidade aliviada do peso daquela trindade infernal."

"Desejamos que os senhores do sexo forte saibam que, se nos podem mandar, em suas leis, subir ao cadafalso, mesmo pelas ideias políticas que tivermos [...], também nos devem a justiça de igualdade de direitos, tocante ao direito de votar e o de sermos votadas."

"É tempo de olharmos atentamente para nossa situação. Que papel representa a mulher na sociedade? Quando filha, quando mãe, esposa ou viúva, sempre, sempre manietada, oprimida e dominada desde o primeiro até o último homem."

48. CHIQUINHA GONZAGA
Nascida: Francisca Edwiges Neves Gonzaga
(1847-1935)

Pois, senhor meu marido, eu não entendo a vida sem harmonia.

Por que ela merece a fama
Compositora, maestrina

Seu legado

Chiquinha Gonzaga teve papel importantíssimo na música brasileira no último quarto do século XIX e início do século XX. Não se limitou a um ritmo só e deixou sua marca em vários: polca brasileira, chorinho, opereta, maxixe e marchinhas de Carnaval foram alguns. Foi pioneira, aliás, ao defender ritmos dançantes e alegrar foliões com sua "Ó Abre Alas".

Mas vale lembrar que nenhum desses feitos artísticos teria acontecido se Chiquinha não tivesse enfrentado toda a sociedade machista e conservadora de sua época, que insistia em que ela só seria uma mulher correta se ficasse em casa, com direito apenas de cuidar do marido e dos filhos.

Ao sair de sua prisão conjugal e recomeçar do zero para viver de sua arte, Chiquinha enfrentou todo tipo possível de julgamento e preconceito, mas mostrou a todos que os esforços para viver um sonho sempre valem a pena.

Sua história

Chiquinha Gonzaga nasceu no Rio de Janeiro, filha de Rosa Maria Neves de Lima – negra, pobre e filha de uma escrava – e de José Basileu Gonzaga – branco, rico e militar. Chiquinha recebeu a educação padrão para meninas da época e, tal como de costume para as moças de sua classe, o pai contratou um maestro para lhe dar aulas de piano. No entanto, diferentemente do que significava para a maioria das meninas, o piano para Chiquinha não era apenas um derivativo, algo que fazia parte de sua educação feminina. Ela se apaixonou pelo instrumento, com o qual compôs sua primeira música aos 11 anos, uma peça natalina chamada "Canção dos Pastores".

Por imposição do pai, casou-se aos 16 anos com Jacinto Ribeiro do Amaral, um rico proprietário de terras e gado, e oficial da Armada Imperial. Ainda nessa idade, deu à luz seu primeiro filho, João Gualberto, em 1864. Um ano depois, nasceu sua primeira filha, Maria do Patrocínio.

Mesmo com os bebês, Chiquinha não se desligava da música. O marido começou a ter ciúmes do piano, e ela lhe disse com franqueza que preferia a música a ficar com ele. Após o nascimento do terceiro filho, Chiquinha deixou Amaral definitivamente e levou consigo só João Gualberto, o mais velho. A família condenou sua atitude, declarando-a como morta e impedindo-a de visitar os dois mais novos.

Em 1869, Chiquinha foi acolhida pela comunidade musical e boêmia do Rio de Janeiro. Em pouco tempo, apaixonou-se pelo engenheiro João Batista de Carvalho, amigo de sua família e da família do ex-marido. Em 1876, Chiquinha deu à luz Alice, mas também abandonou o segundo marido, insatisfeita com o comportamento mulherengo dele. Mais uma vez, levou consigo só o filho mais velho.

Nesse ponto, Chiquinha decidiu se sustentar tocando piano. Seu amigo Joaquim Antônio da Silva Callado tinha um popular conjunto de chorinho e precisava de alguém para tocar piano. Assim, Chiquinha se juntou ao grupo, trabalhando ainda como compositora e professora. Mas a fama da musicista no Rio não era nada boa. Além de ser separada e frequentar a boêmia, também era julgada por fazer as próprias roupas e usar lenço no cabelo em vez de chapéu – não tinha dinheiro para comprar um.

Quando Callado morreu, em 1880, a situação financeira ficou ainda mais difícil para Chiquinha. Mas foi então que ela percebeu que poderia investir no teatro musical, do qual se originou a opereta brasileira, tendência forte naquele momento. No mesmo ano escreveu sua primeira peça, "Festa de São João", compondo-a para vários instrumentos, embora permanecesse inédita por quatro anos, por ter sido recusada pelos empresários da época. Em 1883, musicou a peça de Arthur de Azevedo "A Corte na Roça", trabalho que lhe rendeu muitos elogios. A imprensa nem sabia se a chamava de maestra ou maestrina, porque Chiquinha era a primeira mulher a exercer a função no Brasil.

A maestrina se dedicava também a temas polêmicos, como a abolição da escravatura e o governo republicano. Ela inclusive libertou um escravo com o próprio dinheiro e recebeu ordem de prisão por uma música que fez contra Floriano Peixoto. Apesar de sua família ter-lhe negado apoio, seu nome mesmo assim foi importante para que se livrasse da cadeia.

Compositora, maestrina e "pianeira" – forma pejorativa usada pela crítica para insinuar que ela não era uma pianista de fato –, Chiquinha passou a defender também os ritmos do maxixe e das marchinhas. Em 1899, compôs "Ó Abre Alas", eternizada como a primeira marchinha de Carnaval.

Mesmo com idade considerada avançada, chocou a sociedade novamente: em 1902, viajou à Europa e voltou acompanhada de João Batista Fernandes Lage, que apresentou a todos como seu filho adotivo – ela tinha 52 anos e ele, 16. Mas, na verdade, os dois eram namorados. (O romance durou até o fim da vida dela, e ambos preferiram manter segredo para evitar o julgamento que com certeza sofreriam.)

Em 1917, ela criou a Sociedade Brasileira de Autores Teatrais (SBAT), que visava defender os direitos autorais e existe até hoje. A musicista ia à SBAT todos os dias, e fez isso até os últimos anos de vida. Faleceu em 1935, em uma antevéspera de Carnaval. No Brasil, Chiquinha Gonzaga "abriu alas" para uma vida desafiadora às mulheres de sua época, proporcionando muita alegria aos que apreciavam suas músicas e inspirando admiração por sua luta pela liberdade.

Suas grandes realizações

* Reconhecida internacionalmente, Chiquinha Gonzaga foi um dos maiores talentos musicais que o Brasil já teve. Tocando piano, fez sucesso em peças de teatro, saraus, festas em casas de pessoas importantes da época e até com um disco. Considerada uma das precursoras da música popular genuinamente brasileira, suas músicas são regravadas até hoje.

* Destaca-se também sua atuação como ativista, de causas sociais e da própria vida. Chiquinha não aceitava "as coisas como elas são" e enfrentou diversos obstáculos (como a rejeição da família e uma ordem de prisão) para fazer valer o que acreditava.

Frases famosas

"Não entendo da vida sem música."

"Tive muito amor a todos os meus e os levo a todos no coração, e que peçam por mim a Deus e o perdão d'Ele por me terem feito tantas injustiças."

"Oh, lua branca de fulgores e de encanto / Se é verdade que ao amor tu dás abrigo / Vem tirar dos olhos meus o pranto."

49. ANÁLIA FRANCO
Nascida: Anália Franco Bastos
(1856-1919)

A verdadeira caridade não é acolher o desprotegido, mas promover-lhe a capacidade de se libertar.

Por que ela merece a fama

Escritora e líder social assistencialista

Seu legado

Em seus 63 anos de vida, Anália Franco foi incansável na busca por melhores condições de vida para as mulheres. Ela pensava além do cotidiano raso e doméstico da mulher do final do século XIX e início do século XX. Ela a via como mãe, trabalhadora, indivíduo e ser humano capaz de produzir, crescer e se realizar na vida. Com essa compreensão, criou diversas instituições de assistência às mulheres, que ofereciam desde oficinas de trabalhos manuais e orquestras até creches para os filhos das que trabalhavam fora.

Essa iniciativa foi pioneira no Brasil e chamou não só a atenção do Estado, que reconheceu e apoiou os projetos, como também de outras pessoas pelo país afora. Várias outras creches, asilos e instituições educacionais surgiram a partir daí. Anália Franco foi praticamente a precursora das ONGs brasileiras.

Ela sabia da importância de divulgar suas obras e ampliou o alcance de sua voz por intermédio de artigos e periódicos que publicou ao longo da vida. Anália Franco, que hoje dá nome a bairros e escolas no país todo, contribuiu muito para mudar a vida de muitas mulheres brasileiras.

Sua história

Anália Franco nasceu em Resende, no Rio de Janeiro, e aos 5 anos se mudou com a família para São Paulo. Formou-se como professora e pouco tempo depois abriu um colégio primário e secundário em São Carlos, interior do estado. Anália se mudou então para a cidade de Taubaté, onde começou a escrever para jornais voltados para as causas femininas, como *A Familia*, *A Mensageira* e *Echo das Damas*.

Em 1901, inaugurou a Associação Beneficente e Instrutiva do Estado de São Paulo, que presidiu até o final de sua vida. Nessa associação, passou a se dedicar totalmente às causas sociais, como a luta contra o analfabetismo e a pobreza. Seis anos após a sua criação, a entidade já tinha a responsabilidade de manter e orientar o funcionamento de 29 escolas, maternais e noturnas, na capital e no interior de São Paulo. A própria Associação ainda tinha dois liceus femininos, com aulas no período noturno e professoras voluntárias.

Anália também dedicou a sua vida ao apoio a pessoas em situação de vulnerabilidade, e por isso fundou em 1903 um asilo para amparar viúvas, órfãos, mães solteiras e seus filhos. Foi ainda pioneira na fundação de uma creche para receber as crianças de mães que trabalhavam fora.

O trabalho assistencial foi além e tomou outro rumo: o profissionalizante. Anália implementou oficinas de atividades diversas, como costura, música, confecção de flores artesanais e até enfermagem, tudo para que as pessoas tivessem qualificações e pudessem melhorar sua qualidade de vida.

Mas todas essas instituições custavam dinheiro, e, para conseguir mantê-las e ampliá-las, Anália abriu o Bazar da Caridade em 1906, para vender os produtos fabricados nas oficinas. Com o dinheiro arrecadado e o apoio dos simpatizantes de suas causas, conseguiu comprar um sítio no bairro da Mooca, em São Paulo, onde instalou uma espécie de casa de acolhimento para mulheres desamparadas. Também criou a Liga Educadora Maria de Nazaré, iniciativa que visava auxiliar creches, asilos e escolas no estado de São Paulo. Em 1914, Anália já ajudava cerca de setenta instituições.

Durante a Primeira Guerra Mundial, os recursos ficaram mais escassos, e Anália quase teve de encerrar as atividades de suas entidades. Para salvar os "negócios", promoveu eventos a fim de angariar fundos.

Ao longo da vida, Anália divulgou suas ideias para diferentes públicos em diversos jornais e revistas, como *Álbum das Meninas* e *A Voz Maternal*, que chegou a ter uma tiragem de seis mil exemplares.

Anália Franco faleceu em 1919, quando ainda tinha planos de ampliar o número de instituições que mantinha. Mas, boa educadora e assistencialista que foi, deixou um séquito de colaboradores que continuaram seu trabalho social e suas publicações.

Suas grandes realizações

* Anália Franco foi pioneira no trabalho social no Brasil voltado para mulheres, principalmente aquelas em situação de vulnerabilidade. Na luta contra a ignorância e a miséria, ela criou organizações de auxílio, educação e qualificação profissional, com dezenas de instituições espalhadas pela região Sudeste. Mesmo com dificuldades financeiras, não esmoreceu e conseguiu dar a volta por cima para manter o trabalho de sua vida em funcionamento.

* Anália também foi bem-sucedida ao divulgar seu trabalho, suas ideias e seus princípios na imprensa. Criou e dirigiu diversas publicações que colaboraram para a educação de suas internas, suas voluntárias e mulheres influenciadas pela sua trajetória cheia de determinação e coragem.

Frases famosas

"Enquanto a nossa instrução for concebida nessa espécie de molde fatal que nos atrofia o desenvolvimento da personalidade, havemos de viver abafadas numa atmosfera de interesses mesquinhos, sem sentir simpatia, nem tendências para as nobres e elevadas conquistas do espírito."

"Parece irrisório que ainda existam tantos partidários do obscurantismo da mulher."

"É preciso, pois, começar pela educação da mulher, proporcionando-lhe uma cultura moral e intelectual mais elevada e mais completa."

50. BERTHA LUTZ
Nascida: Bertha Maria Julia Lutz
(1894-1976)

Recusar à mulher a igualdade de direitos em virtude do sexo é denegar justiça à metade da população.

Por que ela merece a fama

Bióloga, líder feminista e sufragista

Seu legado

Se hoje todas as mulheres brasileiras podem votar e receber votos, é graças, em grande parte, a Bertha Lutz, que se engajou em uma luta incansável durante toda a vida para que as mulheres brasileiras tivessem mais direitos e fossem reconhecidas como verdadeiras cidadãs de seu país.

Sem medo de enfrentar a descrença, o machismo e a resistência na política, em um ambiente majoritariamente ocupado por homens, ela não esmoreceu; pelo contrário, procurou apoio em diversos setores da sociedade e conquistou ajuda de vários simpatizantes, mostrando que a união faz a força.

O trabalho realizado por Bertha e suas companheiras feministas na política teve resultados incontestáveis. Com a conquista do direito à escolha de seus representantes, mulheres de todo o país se inspiraram na história de Bertha e fizeram valer esse direito duramente obtido.

Sua história

Bertha Lutz nasceu em São Paulo e, filha de mãe inglesa, foi completar sua educação na Europa durante a adolescência. Foi lá que conheceu a luta das mulheres britânicas pelo voto feminino. Formou-se em Ciências na Universidade de Sorbonne, em Paris, e na volta ao Brasil passou em concurso público para ser bióloga no Museu Nacional, onde trabalhou durante 46 anos.

Desde o retorno, quando contava 24 anos, Bertha começou a se engajar na luta pelos direitos das mulheres no Brasil. Em 1919, representou o país no Conselho Feminino Internacional, onde foram aprovados princípios como igualdade salarial para homens e mulheres e inclusão delas no serviço de proteção aos trabalhadores.

Foi nessa época também que Bertha passou a se empenhar arduamente na batalha em favor do voto das brasileiras. Criou a Liga para a Emancipação Intelectual da Mulher e ficou três meses nos Estados Unidos, em 1922, como delegada do Brasil na Conferência Pan-Americana de Mulheres. Na volta, por ocasião da comemoração dos cem anos da Independência do Brasil, realizou o I Congresso Internacional Feminista, que reuniu várias sufragistas da época e também alguns senadores.

Na década de 1920, a luta pelo voto feminino começou a ganhar força no governo. Havia na Comissão de Constituição e Justiça da Câmara um projeto de lei que estendia o direito ao voto para as mulheres, e Bertha fez parte de uma comissão de feministas cujo objetivo era buscar aliados na política. Elas coletaram duas mil assinaturas de mulheres para um abaixo-assinado a favor da lei, mas mesmo assim ela não foi aprovada na ocasião.

Porém, a luta continuou. Bertha foi estudar Direito para poder participar de modo mais ativo da vida política, e em 1930 um novo projeto de lei que permitia o voto feminino começou a tramitar no Senado. Bertha Lutz fez parte de uma comissão de juristas encarregados de elaborar um novo Código Eleitoral. A questão dividiu os parlamentares envolvidos, mas Bertha insistiu para que o sufrágio feminino fosse incluído no novo Código. Assim foi feito. Em 1932, as mulheres conquistaram o direito ao voto.

A partir daí, Bertha estabeleceu uma relação mais incisiva com a política. Participou da elaboração do projeto de uma nova Constituição em 1932 e se engajou na mobilização da Federação Brasileira pelo Progresso Feminino (FBPF), da qual foi presidente, para campanhas eleitorais de mulheres em 1933. Coordenou trabalhos de vários congressos feministas e assumiu o cargo de deputada federal em 1936 (que exerceu até 1937, quando o Congresso Nacional foi fechado a partir do momento em que o Estado Novo foi decretado).

Ela continuou a sua carreira em órgãos públicos, exercendo cargos importantes, tal como chefe no setor de botânica do Museu Nacional, que ocupou até aposentar-se, em 1965. Nas décadas seguintes, Bertha se manteve fiel e ativa nas lutas pela cidadania e direitos das mulheres. Participou de diversas organizações e conferências no Brasil e no exterior. Seu último trabalho voltado para a melhoria das condições das mulheres foi como integrante da delegação brasileira no I Congresso Internacional da Mulher, organizado pela Organização das Nações Unidas (ONU) na Cidade do México, em 1975. Bertha faleceu em 1976, depois de cumprir com mérito seu dever para com o feminismo brasileiro.

Suas grandes realizações

* Bertha Lutz foi pioneira na luta pelo sufrágio feminino no Brasil, algo que conheceu na Europa e que, de acordo com a imprensa da época, não teria espaço em nosso país. Mas os setores mais descrentes e machistas não contavam com a personalidade forte e desafiadora dessa bióloga. Graças aos seus esforços políticos, ela conquistou direitos para as mulheres e, em decorrência do seu engajamento, uma série de prêmios, entre eles o de Mulher do Ano e Mulher das Américas em 1946 e 1952.

* Bertha lutou até o fim de sua vida para que as mulheres tivessem uma experiência de vida mais digna, e para isso foi membro de diversas entidades feministas pelo mundo afora, como a Aliança Internacional pelo Sufrágio Feminino e Igualdade Política dos Sexos, na Inglaterra.

Frases famosas

"Uma Constituição não deve ser uma camisa de força, nem o espelho de um momento que procura perpetuar a imagem das paixões transitórias e de teorias evanescentes. Deve marcar um passo à frente na marcha redentora da civilização. Deve ser uma moldura ampla que possa enquadrar todas as manifestações da vida política no domínio pacífico da lei."

"Para a mulher vencer na vida, ela tem que se atirar. Se erra uma vez, tem que tentar outras cem. É justamente a nova geração a responsável para levar avante a luta da mulher pela igualdade."

"Por quanto tempo ainda continuaremos [nós mulheres] a ser um assunto, apenas, de debique e sátira?"

51. EUGÊNIA MOREIRA
Nascida: Eugênia Brandão
(1898-1948)

A mulher será livre somente no dia em que passar a escolher seus representantes.

Por que ela merece a fama
Jornalista e feminista

Seu legado
Antes de Eugênia Moreira invadir as redações de jornais, no início do século XX, as mulheres podiam apenas produzir textos literários, escrever sobre amenidades ou no máximo falar de moda ou costumes. As exceções eram apenas as que fundavam os próprios jornais. Mas a ousada repórter Eugênia veio para mudar isso. Escreveu nas publicações que quis, sobre os assuntos que desejou, com imensa dedicação e afinco. Desde então, as mulheres tiveram espaço para conquistar seu lugar em veículos de comunicação e escrever artigos de sua perspectiva feminina, o que modificou as histórias de vida de todo o público leitor.

O legado de Eugênia Moreira também foi mais direto, na própria família: por influência dela, um de seus filhos diplomou-se em Jornalismo, assim como a neta Sandra Maria Moreira, que assinava seus trabalhos como Sandra Moreyra e era repórter da TV Globo.

Sua história

Eugênia nasceu em Juiz de Fora, Minas Gerais. Após a morte do pai, sua mãe não pôde requerer a herança deixada por ele, porque uma lei da época determinava que tudo fosse deixado só para os filhos homens. Assim, aos 12 anos, Eugênia e a mãe se mudaram para o Rio de Janeiro, e a menina aprendeu a ler em português e francês sozinha, só com dicionários, jornais e livros de casa.

Aos 16 anos, ela foi trabalhar como atendente de uma livraria, onde tomou gosto por literatura e teatro. Logo começou a fazer parte da boêmia da cidade.

Foi nessa época que buscou emprego em jornais. Eugênia conseguiu ganhar espaço por ser ousada e escrever bem. Publicou sua primeira reportagem no jornal *Ultima Hora* e foi considerada a primeira repórter brasileira. Até aquele período, o papel da mulher na imprensa geralmente era como poetisa, folhetinista ou cronista. A contratação de Eugênia causou espanto e admiração, dando origem a um novo termo que não se sustentou: "reportisa".

Depois do *Ultima Hora*, trabalhou no jornal *A Rua*, que fazia oposição ao governo do marechal Hermes da Fonseca (1910-1914). Também fez parte das redações dos jornais *A Notícia* e *O País*.

Ela fez uma pausa na carreira quando se casou com o jornalista Álvaro Moreira. Com ele, teve oito filhos, dos quais somente quatro chegaram à vida adulta. A residência do casal era sempre frequentada por militantes de esquerda e intelectuais como Vinicius de Moraes, Carlos Drummond de Andrade, Graciliano Ramos e Jorge Amado.

Eugênia e o marido se interessavam por cultura e inovaram no teatro brasileiro fundando o Teatro de Brinquedo. A companhia seguia as ideias modernistas e apresentava peças de autores modernos europeus.

Eugênia também se envolvia em questões políticas. Nos anos 1920, foi figura ativa no movimento feminista a favor do direito ao voto feminino. Em 1935, participou da fundação da União Feminista, que tinha como afiliadas mulheres envolvidas com o Partido Comunista do Brasil (PCB). A União também se ligou à Aliança Nacional Libertadora (ANL), organização de esquerda, e formou a Frente Popular Antifascista.

Toda essa atuação chamou atenção da polícia repressora da época. Eugênia foi presa em dezembro de 1935, acusada de envolvimento com o PCB e a revolta comunista. Foi solta só em fevereiro de 1936, por falta de provas.

O Brasil voltou a ser uma democracia em 1945, e Eugênia pôde, legalmente, filiar-se ao PCB. Candidatou-se a deputada federal, mas não foi eleita (nenhuma mulher foi eleita naquele ano).

Além de suas conquistas e seu engajamento, Eugênia foi uma mulher marcante por sua atitude libertária. Usava as roupas de que gostava e era ousada, a ponto de fumar cigarrilha e charutos em público, o que era totalmente incomum e transgressivo na época. Até falecer, aos 50 anos, de derrame cerebral, deixou sua marca por onde passou.

Suas grandes realizações

* Eugênia Moreira estudou muito e, sozinha, esforçou-se para ter bagagem cultural e ser contratada por jornais. Nos empregos que teve, procurava conseguir as melhores histórias. Chegou a morar em um internato de moças só para relatar as condições de vida das mulheres ali. Tudo para uma série de reportagens que fez muito sucesso entre os leitores.

* Na política, Eugênia defendeu seus ideais até o fim, chegando até mesmo a ser presa. Quando o país voltou a ser uma democracia, não se intimidou e fez discurso em um grande comício.

Frase famosa

"Só eu mesma poderei indicar como deve ser feita a minha defesa. É um trabalho muito simples, mas que pede uma pessoa ativa."

52. ADALZIRA BITTENCOURT
Nascida: Adalzira Cavalcanti de Albuquerque Bittencourt
(1904-1976)

É preciso que a mulher se desdobre em atividades para poder com os seus próprios recursos endireitar a sociedade corrompida pelo homem.

Por que ela merece a fama
Escritora, professora e advogada feminista

Seu legado
Adalzira Bittencourt foi pioneira no registro à memória e à importância da mulher brasileira na literatura. Escritora, advogada e feminista, passou a vida toda imersa em livros, escrevendo e divulgando em suas páginas a capacidade das mulheres de realizarem feitos valorosos, dignos e desafiadores em meio a uma sociedade machista.

Ao longo do século XX, Adalzira representou, com obras de não ficção, sua luta pelos direitos femininos. Escreveu o primeiro compêndio que catalogava os feitos das mulheres em nosso país em 1969, o *Dicionário Bio-bibliográfico de Mulheres Ilustres, Notáveis e Intelectuais do Brasil*. Mesmo sem terminar todos os volumes dessa obra, deu uma grande contribuição para que a memória feminina deixasse de ser anônima, desconhecida ou desvalorizada no Brasil.

Sua história

Adalzira nasceu em Bragança Paulista, interior de São Paulo, e logo na adolescência começou a exercer o ofício de escriba. Foi fundadora, redatora e diretora do jornal *Miosótis*, publicado em Piracicaba (SP). A carreira acadêmica começou na capital do estado, na Faculdade de Direito da Universidade de São Paulo (USP). Adalzira se destacou nos estudos: fez cursos de aperfeiçoamento na Europa e foi professora universitária em Buenos Aires, Argentina. Começou a lançar livros de poesia a partir de 1919 e, em 1929, publicou seu primeiro romance: *Sua Excelência*: *a Presidente da República no Ano 2500*, uma obra de ficção científica em que retrata uma utopia na qual o feminismo venceu e livrou o país de todos os infortúnios causados pelos homens.

Entretanto, suas realizações na literatura tiveram início nos anos 1940. Foi Adalzira a responsável por organizar a Primeira Exposição do Livro Feminista, que aconteceu em 1946 no Rio de Janeiro, e em 1949 em São Paulo. Ela mesma produziu obras importantes nesse período. Em 1948, publicou *Mulheres e Livros*, e seis anos depois apresentou ao público toda a sua pesquisa em outro livro, *A Mulher Paulista na História*. Também marcaram a importante contribuição bibliográfica de Adalzira para a construção da memória da mulher brasileira os livros *Ana Pimentel – A Governadora* e *Antologia de Letras Femininas*.

Não há registros do envolvimento direto de Adalzira nas lutas sociais das mulheres no século XX, como o movimento das sufragistas, por exemplo. Mesmo sem levantar bandeiras nem sair em passeatas, contudo, ela representou o feminismo com seu trabalho incansável em prol da valorização da história feminina.

A obra mais importante da escritora foi também um projeto muito ambicioso na metade do século XX: Adalzira começou a escrever o *Dicionário Bio-bibliográfico de Mulheres Ilustres, Notáveis e Intelectuais do Brasil*, obra com a qual pretendia catalogar todas as mulheres de destaque no país. Mas, infelizmente, não conseguiu terminar esse trabalho. Adalzira publicou três volumes do *Dicionário* (correspondentes às letras A e B) até morrer, no Rio de Janeiro, em outubro de 1976. Mas, independentemente de ter deixado o trabalho inacabado, sua contribuição e seu esforço foram fundamentais para a documentação da história das mulheres.

Suas grandes realizações

* Adalzira conseguiu reconhecimento e destaque como escritora e especialista no registro histórico feminino em uma época da história brasileira em que ainda se pensava que as mulheres não tinham lugar nas salas de aula e nas bibliotecas. Desde muito jovem, ela conseguiu espaço para escrever em diversos jornais paulistas e mineiros.

* Pelo trabalho que realizou como professora e escritora, foi homenageada com títulos em instituições muito prestigiadas. Adalzira foi membro da Academia de Letras das Três Fronteiras, da Academia Guanabarina de Letras, da União Brasileira de Escritores, do Pen Club do Brasil, entre outras entidades nacionais e estrangeiras.

* Pelo conjunto de sua obra, Adalzira realizou um trabalho importantíssimo e sem precedentes no Brasil até então.

Frase famosa

"Aquelas mulheres do tempo de Bertha Lutz sabiam já que seriam as mulheres que deviam salvar o Brasil."

53.

PAGU
Nascida: Patrícia Rehder Galvão
(1910-1962)

Seria bom se eu tivesse o poder de ver as coisas com simplicidade, mas a minha vocação grandguignolesca me fornece apenas a forma trágica de sondagem.

Por que ela merece a fama

Ativista social, jornalista, escritora, desenhista e agitadora política de esquerda

Seu legado

Pagu foi ativista social, jornalista e escritora da primeira metade do século XX, mas não seria errôneo dizer que foi uma exploradora dos limites que a sociedade dava às mulheres e à política em sua época. Tanto que desafiou todos os possíveis: casou-se mais de uma vez, foi presa por questões políticas mais de uma vez (e em mais de um país) e sempre lutou pelo que acreditava.

Engajou-se desde muito jovem nos movimentos artísticos e culturais em ebulição no Brasil, na segunda metade dos anos 1920 e, em consequência, envolveu-se nos movimentos sociais também. Pagu travou batalhas por mais direitos, respeito e justiça, e em várias ocasiões colocou a própria vida em risco para defender os valores e as pessoas que lhe eram caros.

Poupar esforços e fazer só o que era possível eram conceitos que não existiam no mundo de Pagu. Ela se entregava por inteiro a tudo o que fazia.

Sua história

Pagu nasceu em São João da Boa Vista, São Paulo. Aos 15 anos, já escrevia para o jornal do bairro e era considerada ousada em comparação à maioria das mulheres: fumava em lugares públicos, usava roupas com transparências, falava palavrões e tinha os cabelos mais curtos do que o costume, além de utilizar maquiagem carregada para os padrões da época.

O engajamento com a política e a cultura começou aos 18 anos, no movimento modernista. Patrícia se envolveu também com o movimento antropofágico; ela fazia ilustrações para a *Revista da Antropofagia*, veiculada em uma página do *Diário de São Paulo*.

O apelido Pagu, inclusive, surgiu de um erro de um colega modernista, Raul Bopp. Ele achava que o nome dela era Patrícia Goulart e tentou fazer uma brincadeira com as primeiras sílabas de seu nome e sobrenome em um poema chamado "Coco de Pagu".

No convívio com os modernistas, apaixonou-se por Oswald de Andrade e o teve como companheiro durante muitos anos. Do relacionamento, ela engravidou de Rudá.

Pagu e Oswald faziam parte do Partido Comunista do Brasil (PCB), mas não tinham boa reputação por lá. Ela chegou a ser acusada de agitadora e sensacionalista pelo próprio partido. Em 1931, foi presa por participar de um protesto do PCB contra a execução de anarquistas italianos nos Estados Unidos. Foi a primeira mulher a se tornar presa política no Brasil.

Fora da prisão, Pagu voltou à atividade intelectual. Em 1933, publicou seu primeiro livro, o romance *Parque Industrial*. Sob o pseudônimo de Mara Lobo, escreveu sobre a alta sociedade paulistana, a situação precária em que vivia o proletariado e a condição da mulher fora de casa. É preciso dizer que a obra causou polêmica?

Além de escritora, ativista, desenhista e intelectual, Pagu trabalhou como jornalista. Fez uma viagem de volta ao mundo e enviou diversas reportagens como correspondente para jornais do Rio de Janeiro e São Paulo. Até Sigmund Freud ela conseguiu entrevistar em um navio na China.

Mas, durante a viagem, Pagu também foi presa em Paris como comunista estrangeira com identidade falsa, só conseguindo ser solta graças à ajuda de um embaixador brasileiro.

A escritora teve de voltar ao Brasil, onde se separou de Oswald e foi presa novamente. Dessa vez, em 1935, ficou quatro anos e meio na cadeia e foi torturada pelo governo de Getúlio Vargas. Só foi solta em 1940 e deixou de fazer parte do PCB.

Pagu voltou a publicar um livro em 1945, chamado *A Famosa Revista* – escrito em parceria com o escritor e jornalista Geraldo Ferraz, com quem se casou e teve mais um filho, também chamado Geraldo, nascido em 1941.

Pagu foi morar com a família em Santos, e lá sua presença foi fundamental para estimular grupos de estudantes e de atores amadores. Na política, decidiu ir fundo mais uma vez e se candidatou a deputada estadual pelo Partido Socialista Brasileiro (PSB) em 1950. Não foi eleita, no entanto.

Com a estreia da televisão no Brasil, mais uma oportunidade de trabalho surgiu para Pagu: ela foi pioneira na redação de críticas sobre TV para o jornal *A Tribuna*, de Santos.

Sua vida, tão dinâmica e inquieta, chegou ao fim em 1962, em decorrência de um câncer. Ao longo de todos os anos, sempre negou a remota possibilidade de ter uma rotina tranquila, preferindo usar suas forças para lutar contra o sistema opressor e antiquado do Brasil e do mundo.

Suas grandes realizações

* Pagu viveu intensamente e se sobressaiu em sua trajetória pessoal e profissional. Foi ilustradora, jornalista e escritora, com trabalhos memoráveis em todas as áreas.

* Arriscou-se em uma viagem pelo mundo, em uma época em que viajar sozinha não era algo comum entre as mulheres, muito menos incentivado.

* Os que a chamavam de "agitadora" só erraram no tom pejorativo que deram à palavra. Pagu agitou, sim, sua vida e todos os ambientes aos quais decidiu se dedicar. Em qualquer atividade que fosse, sempre foi uma revolucionária.

Frases famosas

"Quantas vezes já havia morrido? Quantas vezes eu renascia do meu congelamento? Olhava complacente para todos os desastres anteriores. E percebia que me humanizava."

"Cada pensamento que não fosse forte e calmo me enchia de vergonha."

"Esse crime, o crime sagrado de ser divergente, nós o cometeremos sempre."

54. CLARICE LISPECTOR
Nascida: Chaya Pinkhasovna Lispector
(1925-1977)

Eu era uma mulher casada. Agora sou uma mulher.

Por que ela merece a fama

Escritora, advogada, jornalista, tradutora, contista e cronista

Seu legado

A relevância da autora Clarice Lispector para a literatura nacional é incontestável. Em um período em que a tendência predominante era escrever sob uma perspectiva realista, regionalista e masculina, ela subverteu toda essa ordem: escreveu ignorando qualquer forma de prosa restrita, escreveu sob a perspectiva feminina e deu conselhos sobre a realidade das mulheres de sua época, mencionando ainda questões urbanas, íntimas, psicológicas.

Clarice deixou uma obra que sugere, implícita ou explicitamente, que as mulheres não precisavam seguir padrões ou regras estabelecidas pela sociedade; que podiam dar vazão a seus sentimentos e colocar o amor-próprio em primeiro lugar. Feminista, tradutora, jornalista, contista, cronista, colunista, ela teve várias facetas, e mostrou que, livres da dominância masculina, as mulheres podem ser o que quiserem.

Sua história

Clarice nasceu em Tchetchelnik, na Ucrânia, mas veio para o Brasil com os pais e duas irmãs quando tinha apenas dois meses de vida. De ascendência judaica, foi naturalizada brasileira e cresceu entre Maceió e Recife. A carreira como escritora começou precocemente: aos 7 anos, escreveu sua primeira peça de teatro e enviou contos para a seção infantil do *Diário de Pernambuco*. Aos 12, mudou-se com a família para o Rio de Janeiro, e, aos 19, formou-se advogada.

Foi no início dos anos 1940 que Clarice iniciou o trabalho como jornalista e contista. Ela ia às redações de jornais e revistas oferecer textos que escrevia no quarto de empregada da casa da irmã, onde morava. O primeiro trabalho publicado em uma revista foi o conto feminista *Eu e Jimmy* (1940), sobre um romance entre um homem e uma mulher. Foi contratada para trabalhar como tradutora na Agência Nacional (a primeira mulher ali) e, em 1944, publicou seu primeiro livro: o romance *Perto do Coração Selvagem*. De pronto, a obra foi muito bem avaliada pela crítica literária e teve muita repercussão.

Clarice se casou com o diplomata Mauri Gurgel Valente, e por um período ficou afastada do cenário cultural brasileiro. Teve dois filhos e passou a morar com a família fora do Brasil, entre Suíça, Itália e Estados Unidos. Mesmo assim, contos que ela escreveu nesses países foram publicados em vários jornais do Brasil.

A escritora voltou definitivamente em 1958, quando se separou do marido para cuidar melhor dos dois filhos (um deles, tinha esquizofrenia) e se dedicar à carreira. Em 1959, passou a assinar a coluna Correio Feminino – Feira de Utilidades do jornal carioca *Correio da Manhã*, sob o pseudônimo de Helen Palmer.

Nos textos, dava conselhos para leituras sobre temas variados: falava sobre Simone de Beauvoir, sobre como arrumar a casa para um coquetel, sobre amor-próprio, sobre como manter acesa a chama de um casamento, sobre trabalho – enfim, sobre a perspectiva de uma mulher de sua época e as várias perspectivas que envolviam "ser mulher".

Como escritora, a obra de Clarice Lispector é reconhecida no Brasil e no exterior como extraordinária. Com prosa poética e essência voraz, ela tratou de questões urbanas, psicológicas e femininas. O livro de contos *Laços de Família* e os romances *A Paixão Segundo G.H.*, *A Hora da Estrela* e *A Maçã no Escuro* são suas obras de maior sucesso. Clarice, que começou a carreira como tradutora, é a escritora brasileira com maior número de obras traduzidas para outros idiomas, sendo considerada uma das mais importantes da história do Brasil.

Em 1977, descobriu um câncer no ovário em fase avançada e inoperável. Em seus últimos dias, ainda ditava frases para que sua melhor amiga, Olga Borelli, escrevesse e prosseguisse com o trabalho. A obra de Clarice é homenageada, replicada e analisada até hoje em teses de mestrado e doutorado, filmes e adaptações teatrais.

Suas grandes realizações

* Clarice superou uma situação financeira complicada após a morte dos pais e uma situação conjugal delicada com as viagens do marido e a doença de um dos filhos. Superou e cuidou de tudo isso, ao mesmo tempo em que se empenhava em ter uma carreira, em se afirmar como escritora, área a que se dedicava desde muito jovem.

* Clarice é considerada uma das escritoras mais importantes do Brasil e, além de escrever e traduzir livros que se tornaram clássicos, ganhou também diversos prêmios, como o Jabuti, em 1961 e em 1978, e a Ordem do Mérito Cultural, em 2011.

Frases famosas

"Bem sei que é assustador sair de si mesmo, mas tudo o que é novo assusta."

"Pegue para você o que lhe pertence, e o que lhe pertence é tudo aquilo que a sua vida exige. Parece uma moral amoral. Mas o que é verdadeiramente imoral é ter desistido de si mesma."

"Você é perfeitamente aceitável com os defeitos que tem. Um último conselho: seja você mesma, lembra?"

55. ROSE MARIE MURARO
(1930-2014)

Acho que só é honestidade a luta contra a injustiça.

Por que ela merece a fama

Escritora, editora e intelectual feminista

Seu legado

Rose Muraro começou a carreira de escritora e editora de livros em uma empresa ligada à Igreja Católica, e mesmo assim não se deixou intimidar pelos valores conservadores da instituição nem da época. Visionária e ousada, falou sobre as condições, os obstáculos e a sexualidade da mulher, suportando toda a crítica, perseguição e represálias que vieram pela frente.

A brilhante intelectual contribuiu para a divulgação de ideias que no período da Ditadura Militar eram consideradas contestadoras e até subversivas. Rose foi autora de mais de quarenta livros e editou cerca de 1.600. Além disso, deixou também como legado o Instituto Cultural Rose Marie Muraro, cujo objetivo é preservar o acervo de mais de seus quatro mil livros.

Sua história

Rose Marie Muraro nasceu no Rio de Janeiro e se formou em Física pela universidade federal do estado, mas nunca trabalhou na área. Ela também tinha formação em Economia. Entretanto, foi com a experiência que adquiriu na educação que começou a refletir e a estudar sobre as condições das mulheres e o papel do feminismo.

Na juventude, Rose passou a escrever para jornais estudantis, e em 1960 foi contratada para trabalhar na União Católica de Imprensa. No ano seguinte, conseguiu uma vaga na editora Vozes de Petrópolis. A partir de então, iniciou forte ligação com os membros mais progressistas da Igreja Católica e coordenou, por essa editora, a publicação de vários títulos desse teor, em meio à repressão e ao conservadorismo extremos do período da Ditadura Militar.

O início da carreira de Rose como escritora aconteceu entre 1965 e 1967, quando ela fundou a própria empresa: a Editora Forense Universitária. No cargo de diretora editorial, publicou *Automação e o Futuro do Homem* (1968). Em 1969, assumiu a posição de editora-chefe da Vozes e, no ano seguinte, publicou, em meio a livros de orações, uma obra na qual falava com mais clareza e de forma nada pudica sobre um aspecto fundamental e ainda pouco discutido da vida feminina. Tal marco se deu com o livro *Libertação Sexual da Mulher*.

A atuação de Rose no feminismo não se limitou à publicação de livros. Em 1971, promoveu a visita ao Brasil da escritora feminista norte-americana Betty Friedan, evento que teve grande repercussão na época, no Rio de Janeiro. Rose chegou a enfrentar o machismo dos jornalistas da revista *O Pasquim* ao dar uma entrevista sobre o trabalho de Betty, em uma reportagem que teve muita importância para o debate sobre as condições das mulheres na sociedade brasileira.

A partir daí, a luta pelos direitos das mulheres cresceu no país. Em 1975, Rose foi uma das fundadoras do Centro da Mulher Brasileira (CMB), entidade pioneira na divulgação e propagação do feminismo no Brasil.

Mas é claro que as ações de Rose não passaram despercebidas aos militares. Como represália, o governo federal censurou os livros dela, alegando conteúdo pornográfico. Ainda assim, muitos eram adotados nas universidades.

Rose também começou a atuar como conferencista no fim da década de 1970. Fez palestras em todos os estados brasileiros e viajou para fora do país, também para falar sobre a condição feminina. Em 1983, reafirmou seu conhecimento sobre a causa no livro *A Sexualidade da Mulher Brasileira: Corpo e Classe Social no Brasil*.

Foi nomeada conselheira do Conselho Nacional dos Direitos das Mulheres no ano de criação da instituição, em 1985, e continuou a chocar a sociedade conservadora com seu trabalho. Foi expulsa da Vozes em 1986, por ordem do Vaticano, após a publicação da obra *Sexualidade, Libertação e Fé por uma Erótica Cristã: Primeiras Indagações*, do qual foi organizadora. Mesmo assim, continuou trabalhando e fundou mais duas empresas, uma delas a primeira editora só de mulheres no Brasil (a Rosa dos Tempos, que criou ao lado de Laura Civita, Neuma Aguiar e Ruth Escobar).

Rose se candidatou a deputada federal duas vezes (em 1986 e em 1994), mas não foi eleita. Em 1990, após a primeira campanha eleitoral, publicou um livro em que contava sobre as dificuldades de ser mulher e

atuar no ambiente político, intitulado *Os Seis Meses em Que Fui Homem*. A escritora foi indicada e reconhecida com diversos prêmios ao longo da carreira e escreveu livros até 2007. Embora acometida por problemas de saúde durante toda a vida (ela era quase cega e teve câncer na medula óssea na velhice), Rose superou todas as adversidades, principalmente o machismo e o conservadorismo, para perseguir seus ideais.

Suas grandes realizações

* Rose Marie Muraro se superou desde a primeira linha que escreveu em sua vida: ela nasceu praticamente cega e trabalhou durante décadas com dificuldades enormes para enxergar. Foi só aos 66 anos que fez uma cirurgia para recuperar a visão.

* A intelectual teve participação abrangente no feminismo no Brasil e atuação intensa na edição e publicação de livros sobre o amor, a sexualidade e a condição feminina. Por esse trabalho, recebeu muitos prêmios importantes, como o título de Matrona do Feminismo Brasileiro pelo Congresso Nacional e o Prêmio Teotônio Villela, concedido pelo Senado federal pela resistência ao regime militar.

Frases famosas

"Educar um homem é educar um indivíduo, mas educar uma mulher é educar uma sociedade."

"O homem pensa primeiro nele e depois nos outros, daí sai a corrupção. A mulher pensa primeiro nos outros, depois nela."

"Quando eu comecei me chamavam de prostituta, mal-amada, machona, solteirona. Hoje, os tapetes vermelhos estão abertos para mim. Já não sou vista como uma bruxa contra os homens."

56. HELEIETH SAFFIOTI
Nascida: Heleieth Iara Bongiovani Saffioti
(1934-2010)

O gênero carrega uma dose apreciável de ideologia.

Por que ela merece a fama

Socióloga e professora feminista

Seu legado

Em tempos de Ditadura Militar (1964-1985) e de extremo conservadorismo no Brasil, Heleieth Saffioti abriu um novo caminho para pesquisas acadêmicas no campo da sociologia: o de trabalhos relacionados a gênero no nosso país, focados principalmente na condição (até então bastante ignorada) da mulher. Ela escreveu um *best-seller* que influenciou estudantes e interessados no assunto, também divulgando seus pensamentos e ideias nas aulas que ministrou em universidades e nos trabalhos de alunos que orientou.

Além da contribuição intelectual, Heleieth ajudou materialmente a vida acadêmica no Brasil, doando a própria chácara em que morava, no interior de São Paulo, para que servisse como um novo centro cultural a estudantes universitários.

Sua história

Heleieth nasceu em Ibirá, cidadezinha do estado de São Paulo. Filha de um pedreiro e uma costureira, conseguiu ter boa base de estudo na infância e ingressou no curso de Ciências Sociais da Faculdade de Filosofia, Ciências Humanas e Letras da Universidade de São Paulo (USP). Foi lá que começou as pesquisas sobre a condição em que as mulheres viviam no Brasil, trabalho que foi concluído na Universidade Estadual Paulista.

Sob orientação do professor e famoso sociólogo Florestan Fernandes, Heleieth defendeu uma tese chamada *A Mulher na Sociedade de Classes – Mito e Realidade*. A obra se diferenciou e chamou a atenção por relacionar a experiência feminina no Brasil com os valores e a realidade do capitalismo. Em 1967, o trabalho foi muito bem recebido, sendo publicado dois anos depois. Em 1976, a Editora Vozes, coordenada por Rose Marie Muraro, reeditou a obra. Sob a efervescência do movimento feminista na época, com vários outros livros, palestras e organizações em voga, a obra de Heleieth se tornou um *best-seller*. Até hoje, é considerada referência nos estudos de gênero.

O destaque desse trabalho alçou Heleieth a um novo patamar na carreira acadêmica. Ela foi contratada como professora participante da Pontifícia Universidade Católica (PUC) de São Paulo e da Faculdade de Serviço Social da Universidade Federal do Rio de Janeiro. Ali, foi responsável por criar um núcleo de estudos de gênero, classe e etnia na sociedade brasileira.

A socióloga foi responsável por orientar muitas teses de pesquisa na PUC e se aposentou pela Unesp, na qual era regente da cadeira de Sociologia, com o cargo de professora emérita. A contribuição dela por essa instituição, no entanto, não terminou aí.

Heleieth foi casada com o químico Waldemar Saffioti, professor, autor de livros didáticos e vereador na cidade de Araraquara, interior de São Paulo. Após a morte dele, em 2000, ela decidiu que era hora de fazer uma grande doação à Unesp. Heleieth cedeu a chácara onde viveu com o marido para que fosse transformada em um centro cultural da universidade. O local já havia pertencido ao tio de Mário de Andrade, e foi lá que o escritor criou sua obra-prima: *Macunaíma*.

Depois da aposentadoria, Heleieth continuou ativa no feminismo, participando de seminários e congressos e orientando alunos. Também tornou-se pesquisadora do Departamento de Psicologia da USP.

A importância de Heleieth na sociologia foi reconhecida até internacionalmente. Em 2005, o nome dela esteve presente na lista de indicação coletiva de mil mulheres para concorrerem ao Prêmio Nobel da Paz, rol criado pela organização suíça Mulheres pela Paz ao Redor do Mundo.

Mesmo aposentada, Heleieth se manteve ativa até o fim de sua vida, em 2010. Publicou cerca de dez trabalhos, entre livros e artigos, como *Mulher Brasileira: Opressão e Exploração* (1984) e *Mulher Brasileira É Assim* (1994), todos focados em alertar a sociedade sobre as duras condições às quais as mulheres eram submetidas no Brasil.

Sua grande realização

✱ Os estudos de gênero foram um tema central na carreira profissional de Heleieth, que defendeu suas ideias com muito sucesso e reconhecimento em um ambiente acadêmico predominantemente masculino. Ter uma carreira intelectual de destaque, focada nas dificuldades de mulheres como ela, de origem humilde, é um feito não só para a própria Heleieth, mas para muitas mulheres brasileiras, que tiveram suas histórias e realidades bem representadas e analisadas por alguém que entendia muito bem essa realidade.

Frases famosas

"Não é precisamente por meio do gênero que o sexo aparece sempre vinculado ao poder? O estupro não é um ato de poder, independentemente da idade e da beleza da mulher, não estando esta livre

de sofrê-lo mesmo aos 98 anos de idade? Não são todos os abusos sexuais atos de poder?"

"A violência é constitutiva das relações entre homens e mulheres na fase histórica da ordem patriarcal de gênero."

"Todo mundo está de acordo [com] que o gênero não é biológico, [mas sim] que ele é social. Esse é o único acordo; não existe consenso sobre mais nada."

57. LEILA DINIZ
Nascida: Leila Roque Diniz
(1945-1972)

Em primeiro lugar, luto pela posição da mulher na sociedade. Isto quer dizer que luto por mim mesma. Em segundo lugar, luto por minha luta diária. Brigo por tanta coisa que nem sei.

Por que ela merece a fama
Professora, atriz e feminista

Seu legado
Ex-professora e atriz, Leila Diniz falava o que queria, fazia o que queria e não estava nem aí para o que os outros pensavam. Essa qualidade não mereceria tanto destaque se não fosse pelo fato de que ela fez tudo isso nos anos 1960 e 1970, em meio à opressão da Ditadura Militar e de uma sociedade extremamente preconceituosa e conservadora. Mesmo sem se juntar às lutas políticas por mais direitos e liberdades para as mulheres, Leila abriu caminho à força para que essa libertação viesse. Expôs a própria pele para divulgar seus valores ousados e contestadores, chegando a exibir na mídia a própria barriga de grávida em um biquíni e o próprio seio ao

amamentar a filha. Foi massacrada pelo simples fato de ser uma mulher, expondo seu lado mais feminino.

Leila esteve à frente de seu tempo e foi uma feminista por natureza, desde sempre.

Sua história

Leila nasceu em Niterói, Rio de Janeiro. Na infância, viveu com o pai e a madrasta, e na adolescência mudou de endereço com frequência. Morou com a mãe biológica (uma católica fervorosa), com uma tia e na casa de amigas. Começou a frequentar bares da zona sul do Rio, convivendo com a elite intelectual da época. Fez um curso no Ministério da Educação e se tornou professora de educação infantil.

Ao lecionar, Leila fazia teatrinhos, falava "escatologias" como "bunda" e "cocô" na classe, e não usava a mesa da professora, para se colocar como igual aos alunos. Em uma das escolas em que trabalhou, em 1963, deixou uma aluna com síndrome de Down entrar em sua turma. A diretora era contra; as mães dos outros alunos também se opuseram. Quando a menina foi obrigada a deixar a escola, Leila também foi embora e nunca mais voltou a dar aulas.

Aos 17 anos, conheceu o cineasta Domingos de Oliveira (com quem se casou) e passou a trabalhar como atriz. No cinema, como protagonista de *Todas as Mulheres do Mundo*, Leila viveu a personagem mais importante de sua vida. O filme levantava questões sobre o amor e as novas formas de relacionamento dos anos 1960.

Na TV, foi estrela da primeira novela da Globo, *Ilusões Perdidas* (1965), e costumava tomar cachaça num boteco, vestida com o figurino das cenas. Outras novelas das quais participou, como *Paixão de Outono* e *O Direito dos Filhos* (1968), da Excelsior, alçaram-na à fama nacional.

O reconhecimento rendeu-lhe muita atenção da imprensa, e as entrevistas que Leila dava eram marcantes pela sinceridade, espontaneidade e verborragia. A reportagem sobre a atriz no jornal *O Pasquim*, em 1969, foi um divisor de águas em sua vida e na história das mulheres no Brasil – Leila dizia palavrões, falava de sexo e se mostrava inteiramente livre.

As declarações incendiaram a sociedade, mas a entrevista foi prejudicial a Leila. Ela foi julgada e muito criticada, chegando a emagrecer onze quilos devido ao estresse causado por toda a repercussão causada pelo episódio.

As palavras – e palavrões – de Leila foram o estopim para a implantação da censura prévia na imprensa, também conhecida como Decreto Leila Diniz, que proibia publicações contrárias à moral e aos bons costumes, para proteger a família e os valores éticos.

Leila passou a ser perseguida pela ditadura. Não conseguia mais emprego, e alguns colegas chamavam-na de "puta". Ao participar como jurada no programa de Flávio Cavalcanti, teve ordem de prisão decretada. Conseguiu fugir, escondendo-se na casa do animador durante um mês. Só foi absolvida ao assinar um documento prometendo não falar mais palavrões.

Em 1971, ela engravidou de sua única filha, Janaína, cujo pai era o cineasta moçambicano Ruy Guerra. Uma amiga de infância de Leila que trabalhava na revista *Claudia* sugeriu uma matéria com a atriz gestante. Na sessão de fotos, Leila posou com a barriga de cinco meses exposta. Ela foi a primeira mulher a aparecer publicamente grávida, com a barriga exposta e de biquíni.

Em 1972, Leila decidiu acompanhar seu amigo Luiz Carlos Lacerda em uma viagem à Austrália, para participar de um festival de cinema. Várias escalas estavam planejadas em outros países, mas Leila decidiu voltar para o Brasil antes do planejado. A viagem, no entanto, foi tragicamente interrompida: o avião em que voava caiu quando passava por Nova Délhi, na Índia. Leila estava com 27 anos quando veio a falecer. Marieta Severo e Chico Buarque, grandes amigos de Leila, cuidaram da pequena Janaína até que o pai tivesse condições para tomar conta dela.

Sua grande realização

* Leila Diniz não teve grande projeção na mídia durante sua vida breve graças aos papéis que interpretou no teatro, no cinema ou na TV. Ela conquistou seu maior reconhecimento (e seus maiores problemas também) por ser quem era e pela espontaneidade de expor suas verdades sem censura, sem pudor. Atrevida, fez o que quase todas as mulheres de seu tempo tinham vergonha ou eram proibidas de fazer: coisas simples, como conversar sobre sexo, falar palavrão e andar de biquíni durante a gravidez. Se hoje as mulheres têm mais liberdade com relação a esses aspectos, sem temer a perseguição do governo ou a rejeição no ambiente de trabalho, é porque Leila suportou parte desse fardo e ajudou a torná-lo mais leve.

Frases famosas

"Eu acho o palavrão gostoso e é uma coisa normal pra mim. Virou verdade em mim, e quando as coisas são verdade as pessoas aceitam."

"Esse negócio de idade é bobagem. Você deixa de ser virgem quando está com vontade."

"Você pode amar muito uma pessoa e ir pra cama com outra. Isso já aconteceu comigo."

58. MARIA DA PENHA
Nascida: Maria da Penha Maia Fernandes
(1945-)

O poder público precisa investir na Educação para mostrar aos homens e mulheres que nós temos os mesmos deveres e os mesmos direitos. O homem tem que respeitar a sua mulher como pessoa humana.

Por que ela merece a fama
Farmacêutica e líder na luta contra a violência doméstica

Seu legado
A Lei Maria da Penha, sancionada em 2006, é o maior registro e a maior arma da luta brasileira contra a violência doméstica. Após sobreviver a duas tentativas de assassinato, Maria da Penha batalhou judicialmente durante quase vinte anos para que as agressões que sofreu fossem reconhecidas. Conseguiu mais do que imaginava. A criação da lei, considerada uma das melhores do mundo no combate à violência contra a mulher, ajudou milhares de mulheres e ampliou muito a conscientização de que não só a agressão física é característica de um relacionamento abusivo e criminoso. O aumento dos relatos no disque-denúncia e a criação de delegacias da mulher também são consequências diretas da luta dessa guerreira.

O Brasil ainda tem muito que evoluir na questão da violência doméstica e das denúncias ligadas ao feminicído, mas a história de Maria da Penha foi fundamental para salvar muitas vidas pelo país.

Sua história

Maria da Penha nasceu em Fortaleza, no Ceará, em uma família de classe média. Ela foi incentivada pela avó, parteira, a estudar Farmácia, e assim o fez na Universidade Federal do Ceará. No segundo ano de curso, conheceu um rapaz em uma festa e acabou se casando com ele, aos 19 anos, com a condição de que continuaria seus estudos após o casamento.

Esse acordo, no entanto, não correu conforme o combinado. O marido de Maria da Penha era um homem muito ciumento e a prendia em casa para proibi-la de estudar. Devido a esse comportamento do marido, ela decidiu se separar.

Maria da Penha voltou a estudar e ingressou em um curso de mestrado em Parasitologia na Universidade de São Paulo. Foi nesse período, por meio de amigos em comum, que ela conheceu seu segundo marido, o economista e professor universitário colombiano Marco Antonio Heredia Viveros. Foram morar juntos e, com o fim da pós-graduação, mudaram-se de novo para Fortaleza, onde o casal teve três filhas.

Descrito como um homem simpático, solícito e prestativo pela própria Maria da Penha durante o namoro, com o tempo seu comportamento mudou completamente. Viveros passou a agredir física e psicologicamente as filhas e a aterrorizar a mulher. A farmacêutica tinha medo de se separar e acreditava que a denúncia das agressões não seria levada a sério; na época não havia delegacia da mulher.

Em 1983, o relacionamento chegou a um momento drástico. Durante a madrugada, Maria da Penha levou um tiro de espingarda nas costas. Foi a primeira tentativa de assassinato do marido, que ainda tentou provar a própria inocência, colocando uma corda no próprio pescoço e afirmando que assaltantes haviam invadido a casa.

Maria da Penha passou por cirurgias em Fortaleza e em Brasília, e ficou no hospital durante quatro meses. Saiu paraplégica. De volta a sua casa, sofreu outra tentativa de homicídio do marido: ele tentou eletrocutá-la no chuveiro, durante o banho. Na cadeira de rodas, Maria da Penha gritou e foi salva pela babá das crianças.

Investigações da Secretaria de Segurança local encontraram diversas incongruências nos relatos de Viveros sobre os dois atos de violência, e as autoridades chegaram à conclusão de que ele havia atentado contra a vida da mulher.

Maria da Penha conseguiu na Justiça uma ordem para poder sair de casa com as três filhas, mas a luta para que o ex-marido fosse preso pelo que fez foi longa. Ele só foi a júri em 1991, e, mesmo condenado a quinze anos de prisão, conseguiu um recurso que anulou o julgamento.

Decepcionada com a Justiça brasileira, ela escreveu um livro de memórias e apelou para a Justiça internacional. Pela primeira vez, a Comissão Interamericana de Direitos Humanos da Organização dos Estados Americanos (OEA) acatou uma denúncia de violência doméstica, e Viveros ficou preso durante dois anos, até 2002.

A consequência mais importante de tudo pelo que a farmacêutica passou foi a aprovação da Lei Maria da Penha, em 2006, que só foi criada após o Brasil ser condenado por negligenciar a violência doméstica até então. A lei que leva o nome dela tem a intenção de coibir abusos e agressividade de aspectos físicos, sexuais, psicológicos, morais e patrimoniais. Até hoje, Maria da Penha é engajada na causa feminista, participa de conferências e continua a contar sua história, como forma de alertar e estimular outras mulheres a denunciarem e lutarem contra relacionamentos abusivos e a violência doméstica.

Suas grandes realizações

Além de conquistar a liberdade e tirar as filhas da influência de um homem perigoso, Maria da Penha não quis deixar seu drama passar despercebido. Ela fez de sua trajetória uma parte importante da história recente das mulheres e das leis brasileiras. A farmacêutica desafiou toda uma sociedade que acreditava que "em briga de marido e mulher ninguém mete a colher", envolvendo até mesmo entidades internacionais em um processo de violência doméstica.

Com o livro que escreveu, sua história e a lei que leva seu nome, ela vem transformando até hoje as ações para o combate da violência contra a mulher.

Frases famosas

"As falhas existentes não estão na lei em si, mas nos aplicadores. São falhas oriundas da cultura machista. Alguns delegados, promotores e juízes ainda deixam que o machismo intrínseco na sociedade tenha uma interferência negativa nos casos que julgam."

"Tem-se que cobrar dos gestores públicos a obrigação que eles têm de atender as mulheres de seus municípios, criando as ferramentas, os equipamentos que fazem com que a lei saia do papel."

"[Minha grande batalha hoje é] ampliar o número de delegacias da mulher e que todos os lugares tenham esse atendimento especializado com pessoas capacitadas."

59.

SUELI CARNEIRO
Nascida: Aparecida Sueli Carneiro Jacoel
(1950-)

O movimento de mulheres negras emergiu, introduzindo novos temas na agenda do movimento negro e enegrecendo as bandeiras de luta do movimento feminista.

Por que ela merece a fama

Filósofa, escritora e líder feminista

Seu legado

Sueli Carneiro trabalha e luta pela comunidade negra há décadas, e sempre teve disposição para olhar as necessidades de seus iguais e lutar por elas, enfrentando quem estivesse pela frente. A batalha por mais igualdade racial já começou com uma defasagem de vários séculos, mas Sueli encara os desafios e organiza recursos para promover uma sociedade mais justa.

Em 1988, ela criou um instituto que auxilia mulheres negras nas mais diversas frentes de atuação e já transformou a vida de milhares delas. Sueli também já escreveu livros, artigos e fundou projetos para confrontar o racismo. Ela é influência e referência na luta contra o racismo e no movimento feminista negro do país, uma figura fundamental no Brasil de ontem, de hoje e de amanhã, para milhares de mulheres que, antes dela, não tinham a devida representação.

Sua história

Sueli Carneiro nasceu em São Paulo e se formou em Filosofia pela Universidade de São Paulo, onde também concluiu doutorado em Educação. Desde a década de 1980, ela é um dos grandes nomes do movimento negro no Brasil e luta para garantir os direitos das mulheres negras.

Em 1983, o governo do estado de São Paulo criou o Conselho Estadual da Condição Feminina, que contava com 32 integrantes, nenhuma delas negra. Foi então que Sueli se engajou na mobilização para a abertura de uma vaga para uma mulher negra, obtendo sucesso. Dois anos depois, ela escreveu, com Thereza Santos e Albertina de Oliveira Costa, o livro *Mulher Negra: Política Governamental e a Mulher* (1985).

Em 1988, Sueli também foi convidada a integrar o Conselho Nacional da Condição Feminina, em Brasília. No mesmo ano, deu início a seu maior projeto, que funciona plenamente até hoje.

Sueli fundou o Instituto Geledés – Instituto da Mulher Negra, primeira organização negra e feminista independente de São Paulo. Trata-se de uma entidade dirigida exclusivamente por mulheres negras, que tem como missão a luta contra o racismo e o sexismo, bem como a valorização e promoção das mulheres e da comunidade negra em geral. Para consolidar esse trabalho, além de fomentar discussões sobre a temática de gênero no Brasil, o Geledés tem diversas frentes de atuação: direitos humanos, educação, comunicação, mercado de trabalho, pesquisas, políticas públicas e saúde.

Nessa última área, a ação de Sueli foi especialmente importante. O programa de saúde para a mulher negra do Geledés já atendeu centenas de mulheres, com psicólogos e assistentes sociais. O instituto também promove palestras e publica artigos sobre temas como sexualidade, métodos de contracepção, saúde física e mental.

O nome de Sueli Carneiro está diretamente ligado às lutas contra o racismo há décadas, e as iniciativas sociais dela não se limitam às causas femininas. Em 1992, foi procurada por um grupo de *rappers* da periferia de São Paulo que se queixavam de serem vítimas frequentes de abuso e agressão policial. A ativista criou então o Projeto Rappers, no qual os jovens têm chance de atuar também como agentes de denúncia e de conscientização sobre seus direitos e sua cidadania.

Em 2011, Sueli publicou o livro *Racismo, Sexismo e Desigualdade no Brasil*, no qual faz uma reflexão crítica sobre o comportamento humano na sociedade brasileira e apresenta pontos em que o país tem avançado para tentar superar a desigualdade, consequência de séculos de discriminação racial.

Ela criou ainda o serviço de atendimento jurídico e psicológico SOS Racismo, para atender vítimas de discriminação, e participou de uma audiência do Supremo Tribunal Federal sobre cotas para negros em universidades. Seu posicionamento a favor da medida foi fundamental para o debate que acabou por mantê-la em vigor.

Aos 67 anos, Sueli continua ativa em seus movimentos sociais, coordenando e orientando toda uma comunidade na luta diária por mais respeito e mais direitos.

Suas grandes realizações

* A criação do Instituto Geledés é, por si só, uma iniciativa importantíssima para a sociedade brasileira, e não só por sua grandeza, mas também pelos detalhes que fazem a diferença. Na área de saúde, a equipe de Sueli orienta mulheres a descobrirem e cuidarem melhor de seu corpo e mente. Na área profissional, as auxilia a ganhar mais capacitação e buscar melhor qualidade de vida para suas famílias.

* Fundamental também é a atuação do Geledés *on-line*: com artigos embasados e forte presença nas redes

sociais, o instituto se torna fonte de sabedoria para as mulheres, em particular as jovens, que se lançam ao mundo entendendo melhor seu papel e sua força nele.

* Sueli construiu uma ampla rede de grandes iniciativas e, com certeza, com toda a sua garra e engajamento, ainda tem muito o que realizar.

Frases famosas

"Nossa responsabilidade histórica é responder aos desafios que estão colocados, através de uma expressão política que represente os anseios do povo negro desse país."

"A sociedade precisa reconstruir o imaginário social da mulher negra."

"Mobilizar pela equidade racial e de gênero significa convocar e organizar recursos para o enfrentamento do racismo e do sexismo e para a superação das desigualdades raciais; significa ainda construir e/ou potencializar instrumentos políticos para a visibilização e o equacionamento das demandas sociais de mulheres e negros; supõe também sensibilizar para o acolhimento dessas demandas como pressuposto do respeito à dignidade humana em sua diversidade."

60.

DJAMILA RIBEIRO
Nascida: Djamila Taís Ribeiro
dos Santos

(1980-)

Se eu luto contra o machismo, mas ignoro o racismo, eu estou alimentando a mesma estrutura.

Por que ela merece a fama
Escritora, ativista social e filósofa feminista

Seu legado
Djamila Ribeiro ainda é jovem, mas desde quando é preciso ter idade para se tornar uma referência e transformar a vida das pessoas ao redor? Desde a infância e a adolescência, ela esteve envolvida em movimentos sociais, e as formações que teve, humana e acadêmica, só a ajudaram a transmitir, com clareza e forte embasamento, todas as suas ideias em relação ao feminismo, ao respeito às mulheres, à visibilidade e oportunidades a mulheres negras, para construir um país sem tanta desigualdade social, racial e de gênero.

Sua voz é respeitada, cultuada e muito ouvida nas redes sociais, e ela acredita que o povo negro será mais forte se conseguir se unir em torno do conhecimento de seus direitos e valor. Assim, Djamila já estabeleceu seu nome entre as mulheres mais importantes do Brasil contemporâneo, embora ainda tenha um longo caminho pela frente.

Sua história

Djamila Ribeiro nasceu em Santos, litoral de São Paulo, filha de um estivador, militante comunista e dono de uma biblioteca com cerca de trezentos livros em casa. Assim, Djamila começou a ter contato com movimentos sociais ainda na infância – ela passava as tardes jogando xadrez na União Cultural Brasil-União Soviética e na sede do Partido Comunista de Santos, do qual o pai foi um dos fundadores.

Também na infância, Djamila conheceu o preconceito. Foi alvo de xingamentos racistas e da exclusão por parte dos colegas de escola. Quando tinha 19 anos, passou a se engajar mais nas questões de raça e gênero ao se envolver e trabalhar com a ONG santista Casa da Cultura da Mulher Negra.

Djamila chegou a entrar na faculdade de Jornalismo, mas trocou de área e formou-se em Filosofia pela Universidade Federal de São Paulo (Unifesp). Fez mestrado em Filosofia Política na mesma instituição, com ênfase em Teoria Feminista.

Desde então, vem se consagrando como voz importantíssima no Brasil nas questões de raça, gênero e justiça social. Conquistou espaços importantes na mídia, principalmente na digital, em que se tornou referência no movimento feminista negro. É colunista das revistas *CartaCapital* e *AzMina*, e do site Blogueiras Negras. Segundo declaração de Djamila para o site Vice, foi na internet que as pessoas negras passaram a existir.

A atuação dela também chegou ao governo da maior cidade do país. Em 2016, assumiu a Secretaria Adjunta de Direitos Humanos da Cidade de São Paulo, na gestão do prefeito Fernando Haddad.

"A representatividade é importante, porque não basta ser mulher e mulher negra; tem que estar comprometida com as questões, e eu estou. Comprometida com as pautas feministas, com a questão racial, com a agenda dos direitos humanos no Brasil", ela disse na ocasião em que tomou posse do cargo, sobre a importância da diversidade e representatividade negra e feminina no governo.

Como secretária-adjunta, cargo que exerceu até dezembro de 2016, Djamila colaborou na implantação de um programa de bolsas de estudos para jovens, na formação em direitos humanos, para quarenta mil professores, e na oferta de atendimento psicossocial para mães que perderam filhos em decorrência da violência policial.

É também autora do prefácio do livro *Mulheres, Raça e Classe*, da filósofa norte-americana Angela Davis. Hoje, Djamila continua sua atuação social em conferências, palestras e atos de ativismo, sempre na luta por uma sociedade mais justa e com mais equidade para mulheres, negros e mulheres negras no Brasil.

Suas grandes realizações

* Com voz suave e discurso claro, sem precisar subir o tom ou usar artimanhas de retórica, Djamila Ribeiro conquista seus interlocutores expressando de modo objetivo aquilo em que acredita. Não foi por acaso que ela conquistou um cargo administrativo na prefeitura de São Paulo e, em pouco tempo, implantou medidas significativas para o bem-estar social da população. Djamila não é só teoria, é também ação.

* Em sua trajetória no feminismo e nos movimentos sociais, ela já se mostra como uma das mais importantes intelectuais do Brasil atual, e todo o reconhecimento que tem é muito merecido.

Frases famosas

"Não ter esse entendimento de que somos diferentes faz com que muitas vezes as mulheres que têm algum privilégio fiquem reproduzindo opressões sobre as que estão numa posição mais vulnerável. Essa é a discussão que o movimento feminista negro traz. A gente também quer ser representada."

"Eu acho que ninguém nasce sabendo da opressão que sofre. É uma consciência que a gente vai adquirindo ao longo do tempo."

"Minha luta diária é para ser reconhecida como sujeito, impor minha existência numa sociedade que insiste em negá-la. E, ao fazer isso, lutar coletivamente com outras mulheres, para que possamos enfrentar o machismo e o racismo."

BIBLIOGRAFIA

Mary Wollstonecraft

Falco, Maria J. *Feminist Interpretations of Mary Wollstonecraft.* Penn State Press, 2010.

James, Henry Rosher. *Mary Wollstonecraft: A Sketch.* 1932. Londres: Oxford University, 2008.

Jump, Harriet Devine. *Modern Woman: The Lost Sex (Mary Wollstonecraft and the Critics, 1788-2001.)* Volume 1. Taylor & Francis US, 2003.

Laird, Susan. *Mary Wollstonecraft.* Londres: Bloomsbury, 2014.

Lewis, Jone Johnson. "Mary Wollstonecraft Legacy." *About Education.* About.com, 2015. 17 de agosto de 2015. <http://women-shistory.about.com/od/wollstonecraft/a/wollstonecraft-legacy.htm>.

"Mary Wollstonecraft." *British Humanist Association.* British Humanist Association, 2015. 17 de agosto de 2015. <https://humanism.org.uk/humanism/the-humanist-tradition/enlightenment/mary-wollstonecraft/>.

"Mary Wollstonecraft Biography." *Biography.com.* A&E Television Networks, 2015. 17 de agosto de 2015. <http://www.biography.com/people/mary-wollstonecraft-9535967>.

Nehring, Cristina. "'Romantic Outlaws,' About the Lives of Mary Wollstonecraft and Mary Shelley." *The New York Times.* The New York Times Company, 2015. 8 de maio de 2015. <http://www.nytimes.com/2015/05/10/books/review/romantic-outlaws-about-the-lives-of-mary-wollstonecraft-and-mary-shelley.html>.

Shukla, Bhaskar A. *Feminism: from Mary Wollstonecraft To Betty Friedan.* Nova Delhi: Sarup and Sons, 2007.

Simkin, John. "Mary Wollstonecraft." *Spartacus Educational.* Spartacus-educational.com, 1997. 17 de agosto de 2015. <http://spartacus-educational.com/Wwollstonecraft.htm>.

Todd, Janet. "Mary Wollstonecraft: A 'Speculative and Dissenting Spirit.'" *BBC*. BBC.com, 2011. 17 de agosto de 2015. <http://www.bbc.co.uk/history/british/empire_seapower/wollstonecraft_01.shtml>.

Tomalin, Claire. *The Life and Death of Mary Wollstonecraft*. 2. ed. rev. Penguin UK, 2004.

Tomaselli, Sylvana. "Mary Wollstonecraft." *The Stanford Encyclopedia of Philosophy*. Verão de 2014. 16 de abril de 2008. <http://plato.stanford.edu/entries/wollstonecraft/>.

Waters, Mary A. "'The First of a New Genus:' Mary Wollstonecraft as a Literary Critic and Mentor to Mary Hays." *Eighteenth-Century Studies*. Vol. 37, N. 3. Critical Networks, Primavera de 2004. Johns Hopkins University Press, 2004. Jstor.org. 17 de agosto de 2015. <http://www.jstor.org/stable/25098067>.

Wollstonecraft, Mary. "A Vindication of the Rights of Men." Impresso por J. Johnson. 2. ed. 1790. Liberty Fund, 2015. 17 de agosto de 2015. <http://oll.libertyfund.org/titles/991>.

Wollstonecraft, Mary. "A Vindication of the Rights of Women." Impresso em Boston, por Peter Edes para Thomas e Andrews, estátua de Fausto, n. 45, Newbury-street, MDCCXCII. 1792. Bartleby.com, 1999. 17 de agosto de 2015. <http://www.bartleby. com/144/>.

Wollstonecraft, Mary. *A vindication of the rights of women: with strictures on political and moral subjects*. Vol 1. Johnson, 1796. Oxford University, 2006.

"Writer Mary Wollstonecraft Marries William Godwin." *History.com*. A+E Networks, 2009. 17 de agosto de 2015. <http://www. history.com/this-day-in-history/writer-mary-wollstonecraft-marries-william-godwin>.

Sojourner Truth

"14 Great Sojourner Truth Quotes." *NLCATP*. NLCATP, 4 de dezembro de 2014. 20 de agosto de 2015. <http://nlcatp.org/14-great-sojourner-truth-quotes/>.

Butler, Mary G. "Sojourner Truth: A Life and Legacy of Faith." *Sojourner Truth Institute*. SojournerTruth.org. 20 de agosto de 2015. <http://www.sojournertruth.org/Library/Archive/LegacyOfFaith.htm>.

Horn, Geoffrey M. *Sojourner Truth: Speaking Up for Freedom*. Crabtree Publishing Company, 2009.

Lapham, Thea Rozetta. "Sojourner Truth: A Life Led By Faith." *Sojourner Truth Institute*. 20 de agosto de 2015. <http://www.sojournertruth.org/Library/Archive/LifeLedByFaith.htm>.

Lewis, Jone Johnson. "Sojourner Truth." *About Education*. About.com, 2015. 20 de agosto de 2015. <http://womenshistory. about.com/od/sojournertruth/a/sojourner_truth_bio.htm>.

"Recruiting African American soldiers for the Union Army." *Frederick Douglass Heritage*. 20 de agosto de 2015. <http://www.frederick-douglass-heritage.org/african-american-civil-war/>.

Richardson, Elaine B., and Ronald L. Jackson. "Shirley Wilson Logan." *African American Rhetoric(s): Interdisciplinary Perspectives.* Illinois: Southern Illinois UP, 2007. 22.

Salamon, Jenni. "'Ain't I a Woman?' Sojourner Truth's Famous Speech in the Newspapers." *Ohio History Connection Collections Blog.* 16 de setembro de 2013. 20 de agosto de 2015. <https://ohiohistory.wordpress.com/2013/09/16/aint-i-a-woman-sojourner-truths-famous-speech-in-the-newspapers/>.

"Sojourner Truth." *History.com.* A&E Television Networks, 2009. 20 de agosto de 2015. <http://www.history.com/topics/black-history/sojourner-truth>.

"Sojourner Truth." *This Far by Faith.* PBS. The Faith Project, 2003. 20 de agosto de 2015. <http://www.pbs.org/thisfarbyfaith/people/sojourner_truth.html>.

"Sojourner Truth (1797-1883)." *National Women's History Museum.* NWHM. 20 de agosto de 2015. <https://www.nwhm.org/education-resources/biography/biographies/sojourner-truth/>.

"Sojourner Truth – Biography." *Inspirational Black Literature.* 2010. 20 de agosto de 2015. <http://www.inspirational-black-literature.com/sojourner-truth.html>.

"Sojourner Truth Biography." *Biography.com.* A&E Networks Television, 2015. 20 de agosto de 2015. <http://www.biography.com/people/sojourner-truth-9511284>.

"Sojourner Truth Biography." *Encyclopedia of World Biography.* Advameg, 2015. 20 de agosto de 2015. <http://www.notablebiographies.com/St-Tr/Truth-Sojourner.html>.

"Soujourner Truth's 'Ain't I a Woman?'" *Nolo.com.* Nolo, 2015. 20 de agosto de 2015. <http://www.nolo.com/legal-encyclopedia/content/truth-woman-speech.html>.

"Sojourner's Words and Music." *Sojourner Truth Memorial.* Sojourner Truth Memorial, 2015. 20 de agosto de 2015. <http://sojournertruthmemorial.org/her-words/>.

Stowe, Harriet Beecher. "Sojourner Truth, the Libyan Sibyl." *The Atlantic Monthly.* Abril de 1863. The Atlantic Monthly Group, 2015. 9 de outubro de 2015. <http://www.theatlantic.com/magazine/archive/1863/04/sojourner-truth-the-libyan-sibyl/308775/>.

"Who Was Sojourner Truth?" *Sojourner Truth Academy.* 20 de agosto de 2015. <http://www.sojournertruthacademy.org/our-mission>.

"Women's Rights From Past To Present Primary Source Lessons." *Women in World History Curriculum Showcase.* 2013. 20 de agosto de 2015. <http://www.womeninworldhistory.com/sample-191.html>.

"Women Suffrage Timeline (1840-1920)." *National Women's History Museum.* NWHM. 20 de agosto de 2015. <https://www.nwhm.org/education-resources/history/woman-suffrage-timeline>.

Elizabeth Blackwell

Blackwell, Elizabeth. *Pioneer Work in Opening the Medical Profession to Women: Autobiographical Sketches.* Source Book Press, 1895.

Boyer, Paul S. "Blackwell." *Notable American Women, 1607-1950: A Biographical Dictionary*. Org. Edward T. James. Vol. 1. Cambridge: Harvard UP, 1971. 165.

Clark, Cat. "Dr. Elizabeth Blackwell." *Feminists for Life.* Feminists for Life, 2013. 20 dc agosto de 2015. <http://www.feminists-forlife.org/herstory/elizabethblackwell>.

"Dr. Elizabeth Blackwell." *Changing the face of Medicine.* US National Library of Medicine. 20 de agosto de 2015. <http://www.nlm.nih.gov/changingthefaceofmedicine/physicians/biography_35. html>.

"Elizabeth Blackwell (1821-1910)." *National Women's History Museum.* NWHM. 20 de agosto de 2015. <https://www.nwhm.org/education-resources/biography/biographies/elizabeth-blackwell/>.

"Elizabeth Blackwell Biography." *Biography.com.* A&E Television Networks, 2015. 20 de agosto de 2015. <http://www.biography.com/people/elizabeth-blackwell-9214198>.

Fuller, Michael. "Elizabeth Blackwell: Woman Attends Medical School." *Hobart and Williams Smith College.* Maio/Junho de 2003. Hobart and William Smith Colleges, 2015. 20 de agosto de 2015. <http://www.hws.edu/about/blackwell/articles/oldnews.aspx>.

Harrison, Pat. "Elizabeth Blackwell's Struggle to Become a Doctor." *Schlesinger Library Newsletter.* Radcliffe Institute For Advanced Study. Harvard University, 2015. 20 de agosto de 2015. <https:// www.radcliffe.harvard.edu/news/schlesinger-newsletter/elizabeth-blackwells-struggle-become-doctor>.

Markel, Howard. "How Elizabeth Blackwell became the first female doctor in the U.S." *The Rundown.* PBS. NewsHour Productions, 23 de janeiro de 2014. 20 de agosto de 2015. <http:// www.pbs.org/newshour/rundown/elizabeth-blackwell-becomes-the-first-woman-doctor-in-the-united-states/>.

Ramsey, Heather. "The First Female Doctor In The US Was Allowed to Study Only As A Joke." *KnowledgeNuts.* Jamie Frater, 2014. 30 de maio de 2015. 20 de agosto de 2015. <http://knowledge-nuts.com/2015/05/30/the-first-female-doctor-in-the-us-was-allowed-to-study-only-as-a-joke>.

"The State of Women in Academic Medicine: The Pipeline and Pathways to Leadership, 2013-2014." *Association of American Medical Colleges.* AAMC, 2015. 20 de agosto de 2015. <https:// www.aamc.org/members/gwims/statistics>.

"Women's History Month Quotes." *Jesuit Resource.* Xavier University. JesuitResource.org. 20 de agosto de 2015. <http://www. xavier.edu/jesuitresource/online-resources/Womens-History-Month-Quotes.cfm>.

Marie Curie

Cooper-White, Macrina. "Marie Curie Mixed Science and Sex, and 9 Other Surprising Facts About Famous Chemist." *The Huffington Post.* TheHuffingtonPost.com, 2015. 7 de novembro de 2013. 21 de agosto de 2015. <http://www.huffingtonpost.com/2013/11/07/10-marie-curie-facts_n_4018373.html>.

Curie, Marie. *Pierre Curie: With Autobiographical Notes.* Trad. Charlotte e Vernon Kellogg. Nova York: Macmillan, 1923.

E., Sarah e Nyssa Spector. "Discovery of Radioactivity." *UC Davis ChemWiki.* 2013. 21 de agosto de 2015. <http://chemwiki.ucdavis.edu/Physical_Chemistry/Nuclear_Chemistry/Radioactivity/Discovery_of_Radioactivity>.

"Einstein's Letter to Marie Curie: Ignore the Haters." *Biography.com.* A&E Television Networks, 2014. 20 de agosto de 2015. <http://www.biography.com/news/albert-einstein-letter-to-marie-curie>.

Long, Tony. "Jan. 23, 1911: Science Academy Tells Marie Curie, 'Non.'" *Wired.* Condé Nast. 23 de janeiro de 2009. 21 de agosto de 2015. <http://www.wired.com/2012/01/jan-23-1911-marie-curie>.

"Marie Curie." *Famous Scientists.* Famousscientists.org. 8 de setembro de 2014. 21 de agosto de 2015. <http://www.famousscientists.org/marie-curie>.

"Marie Curie." *HerstoryNetwork.com.* HerstoryNetwork.com, 2010. 20 de agosto de 2015. <http://www.herstorynetwork.com/herstory-lessons/marie-curie/>.

"Marie Curie – Biographical." *Nobelprize.org.* Nobel Media AB, 2014. 20 de agosto de 2015. <http://www.nobelprize.org/nobel_prizes/physics/laureates/1903/marie-curie-bio.html>.

"Marie Curie – Nobel Lecture: Radium and the New Concepts in Chemistry." *Nobelprize.org.* Nobel Media AB, 2014. 20 de agosto de 2015. <http://www.nobelprize.org/nobel_prizes/chemistry/laureates/1911/marie-curie-lecture.html>.

"Marie Curie – Photo Gallery." *Nobelprize.org.* Nobel Media AB, 2014. 21 de agosto de 2015. <http://www.nobelprize.org/nobel_prizes/physics/laureates/1903/marie-curie-photo.html>.

"Marie Curie Biography." *Biography.com.* A&E Television Networks, 2015. 20 de agosto de 2015. <http://www.biography.com/people/marie-curie-9263538>.

"Marie Curie Enshrined in Pantheon." *The New York Times.* The New York Times Company, 2015. 21 de abril de 1995. 21 de agosto de 2015. <http://www.nytimes.com/1995/04/21/world/marie-curie-enshrined-in-pantheon.html>.

"Marie Curie: Her Story in Brief." Exposição do Centro da História da Física e de Naomi Pasachoff. American Institute of Physics, 2015. <https://www.aip.org/history/curie/brief/index.html>.

"Marie Curie's Struggle against Sexism and Xenophobia." *Community Alliance.* Community Alliance, 2015. 1º de maio de 2011. 21 de agosto de 2015. <http://fresnoalliance.com/wordpress/?p=2910>.

"Marie Sklodowska Curie." *American Institute of Physics.* Happy Planet. 20 de agosto de 2015. <http://www.lchr.org/a/40/b4/sp_marie_curie.htm>.

Mould, R. F. "Pierre Curie, 1859-1906." *Current Oncology.* 14.2. 2007. 74-82. 21 de agosto de 2015. <http://www.ncbi.nlm.nih.gov/pmc/articles/PMC1891197/>.

Pycior, Stanley W. *Marie Skłodowska Curie and Albert Einstein: A Professional And Personal Relationship. The Polish Review.* Vol. 44, N. 2. University of Illinois Press, 1999. 131-142. Jstor.org. 21 de agosto de 2015. <http://www.jstor.org/stable/25779116>.

"Science Quotes by Marie Curie." *Today in Science History.* Todayinsci, 2016. 21 de agosto de 2015. <http://todayinsci.com/C/Curie_Marie/CurieMarie-Quotations.htm>.

Steinke, Ann E. e Roger Xavier. *Marie Curie and the Discovery of Radium.* Barron's Educational Series, 1987.

Quinn, Susan. "A Test of Courage: Marie Curie and the 1911 Nobel Prize." *International Year of Chemistry 2011. The Clinical Chemist.* Clinical Chemistry 57:4 (2011): 653-58. <http://www.clinchem.org/content/57/4/653.full.pdf>.

Valiunas, Algis. "The Marvelous Marie Curie." *The New Atlantis.* N. 37, Outono de 2012. 51-70. <http://www.thenewatlantis.com/publications/the-marvelous-marie-curie>.

Williams, Wendy M. and Stephen J. Ceci. "When Scientists Choose Motherhood." *American Scientist.* Março-Abril 2012. Vol. 100, N. 2. 138. Sigma Xi, 2015. 21 de agosto de 2015. <http://www.americanscientist.org/issues/pub/when-scientists-choose-motherhood>.

Amy Jacques Garvey

"Amy Jacques Garvey." *Black History Pages.* 5x5 Media and African Images, 2008. 21 de agosto de 2015. <http://www.blackhistorypages.net/pages/agarvey.php>.

"Amy Jacques Garvey." *Institute for Gender and Development Studies. The University of the West Indies.* Sta.uwi.edu, 2015. 21 de agosto de 2015. <http://sta.uwi.edu/igds/20thanniversary/amyjacquesgarvey.asp>.

"Amy Jacques Garvey Biography: Trail Blazing Feminist and Civil Rights Leader." *Amy Jacques Garvey Institute*. Quincy French and Amy Jacques Garvey Institute, 2010. 21 de agosto de 2015. <http://amyjacquesgarvey.0catch.com/Archive.html>.

Espiritu, Allison. "Garvey, Amy Jacques (1896-1973)." *BlackPast.org.* BlackPast.org, 2015. 21 de agosto de 2015. <http://www.blackpast.org/aah/garvey-amy-jacques-1896-1973>.

Garvey, Amy Euphemia Jacques. "Women As Leaders." *The Negro World.* History Is A Weapon. 25 de outubro de 1925. 21 de agosto de 2015. <http://www.historyisaweapon.com/defcon1/garveywomenasleaders.html>.

Garvey, Marcus. *The Marcus Garvey and Universal Negro Improvement Association Papers, Vol. II: Agosto 1919-Agosto 1920.* Org. Robert A. Hill. Vol. II. University of California, 1983. 169.

Johnson, Joan. "In Her Own Right: Amy Jacques Garvey." *H-Women.* Agosto de 2003. *H-Net Online.* H-Net, 2003. 21 de agosto de 2015. <https://www.h-net.org/reviews/showrev.php?id=8053d>.

Kuryla, Peter. "Pan-Africanism." *Encyclopædia Britannica. Encyclopædia Britannica Online.* Encyclopædia Britannica Inc., 2015. 21 de agosto de 2015. <http://www.britannica.com/topic/Pan-Africanism>.

"People & Events: Amy Jacques, 1896-1973." *American Experience*. PBS. PBS Online, 2000. 25 de janeiro de 2015. <http://www.pbs.org/wgbh/amex/garvey/peopleevents/p_jacques.html>.

Taylor, Ula Y. *The Veiled Garvey*. Chapel Hill: University of North Carolina Press, 2002.

Van Leeuwen, David. "Marcus Garvey and the Universal Negro Improvement Association." *National Humanities Center*. 21 de agosto de 2015. <http://nationalhumanitiescenter.org/tserve/twenty/tkeyinfo/garvey.htm>.

Frida Kahlo

Alcántara, Isabel e Sandra Egnolff. *Frida Kahlo and Diego Rivera*. Munich: Prestel, 1999.

Armstrong, Kate. "Three days with Frida Kahlo and Diego Rivera in Mexico City." *BBC*. BBC, 2015. 21 de janeiro de 2014. 25 de Agosto de 2015. <http://www.bbc.com/travel/story/20131230-three-days-with-frida-kahlo-and-diego-rivera-in-mexico-city>.

"Artist Frida Kahlo born." *Jewish Women's Archive*. 24 de agosto de 2015. <http://jwa.org/thisweek/jul/06/1907/frida-kahlo>.

Big Think Editors. "Frida Kahlo and Solidarity of the Strange." *Big Think*. The Big Think, 2015. 25 de agosto de 2015. <http://bigthink.com/words-of-wisdom/frida-kahlo-and-solidarity-of-the-strange>.

"Biography." *Frida Kahlo Website*. Fridakahlo.com, 2015. 25 de agosto de 2015. <http://www.fridakahlo.com>.

"Chronology." *Frida Kahlo Fans*. 24 de agosto de 2015. <http://www.fridakahlofans.com/chronologyenglish.html>.

Collins, Amy Fine. "Diary Of A Mad Artist." *Vanity Fair*. Condé Nast, 2015. 3 de setembro de 2013. 25 de agosto de 2015. <http://www.vanityfair.com/culture/1995/09/frida-kahlo-diego-rivera-art-diary>.

"Frida and Diego." *The New York Times*. Fodors.com, 2006. 25 de agosto de 2015. <http://www.nytimes.com/fodors/top/features/travel/destinations/mexico/mexicocity/fdrs_feat_101_9.html?n=Top/Features/Travel/Destinations/Mexico/Mexico%20City>.

"Frida Kahlo." *Biography.com*. A&E Television Networks, 2015. 24 de agosto de 2015. <http://www.biography.com/people/frida-kahlo-9359496>.

"Frida Kahlo Biography." *FridaKahlo.org*. FridaKahlo.org, 2015. 24 de agosto de 2015. <http://www.fridakahlo.org/frida-kahlo-biography.jsp>

"Frida Kahlo Quotes." *FridaKahlo.org*. Frida-Kahlo.org, 2015. 25 de agosto de 2015. <http://www.fridakahlo.org/frida-kahlo-quotes.jsp>.

Johnston, Lissa Jones e Frida Kahlo. "The Art World." *Frida Kahlo: Painter of Strength*. Mankato: Capstone, 2007. 16.

Julio. "The Revolutionary Artist: Frida Kahlo." *Feminist Art Archive.* University of Washington's Department of Gender, Women & Sexuality Studies. 24 de agosto de 2015. <http://courses.washington.edu/femart/final_project/wordpress/frida-kahlo/>.

Kahlo, Frida. *The Diary of Frida Kahlo.* Londres: Bloomsbury, 1995.

Latimer, Joanna. "Paper 112: Unsettling Bodies: Frida Khalo's portraids and in/dividuality." *Cardiff School of Sciences.* Cardiff University. 25 de agosto de 2015. <http://www.cardiff.ac.uk/socsi/resources/wp112.pdf>.

Lister, Kat. "Kahlo's work still tells a story we struggle to talk about, even today." *Feminist Times.* Feminist Times, 2014. 24 de agosto de 2015. <http://www.feministtimes.com/kahlos-work-still-tells-a-story-we-struggle-to-talk-about-even-today/>.

McMahan, Elysia. "Frida Kahlo Quotes." *Knoworthy.* Knoworthy, 2013. 25 de agosto de 2015. <http://knoworthy.com/quoteworthy-frida-kahlo/>.

Mencimer, Stephanie. "The Trouble With Frida Kahlo." *The Washington Monthly.* Junho de 2002. The Washington Monthly, 2006. 24 de agosto de 2015. <http://www.washingtonmonthly.com/features/2001/0206.mencimer.html>.

Rami, Trupti. "Return to Sender." *New York Magazine.* New York Media, 2015. 1º de dezembro de 2013. 25 de agosto de 2015. <http://nymag.com/news/intelligencer/us-stamp-controversy-2013-12/>.

"Stamps in the News: USPS honors Mexican artist Frida Kahlo." *Savannah Now.* Savannah Morning News, 2015. 3 de junho de 2001. 25 de agosto de 2015. <http://savannahnow.com/stories/060301/LOCstampsap.shtml#.VhhOJPlVhBd>.

Treacy, Christopher. "A Bisexual Luminary: Frida Kahlo." *Pridesource.* 2317. 23 de abril de 2015. 25 de agosto de 2015. <http://www.pridesource.com/article.html?article=71111>.

Walter, Natasha. "Feel my pain." *The Guardian.* Guardian News and Media, 2015. 20 de maio de 2005. 25 de agosto de 2015. <http://www.theguardian.com/artanddesign/2005/may/21/art>.

Wolfe, Bertram David. *The Fabulous Life of Diego Rivera.* Nova York: Stein and Day, 1963.

Simone de Beauvoir

Abernethy, Mackenzie. "A Woman Not Easily Forgotten." *Alliance Francaise DC Blog.* 25 de agosto de 2013. 24 de agosto de 2015. <http://blog.francedc.org/a-woman-not-easily-forgotten/>.

Appignanesi, Lisa. "The heart of Simone de Beauvoir." *Open Democracy.* 8 de janeiro de 2008. 24 de agosto de 2015. <https://www.opendemocracy.net/arts-Literature/feminist_2670.jsp>.

Bair, Deirdre. *Simone de Beauvoir: A Biography.* Simon and Schuster, 1991.

De Beauvoir, Simone. *Force of Circumstance: The Autobiography of Simone de Beauvoir.* Paragon House, 1992.

De Beauvoir, Simone. *The Second Sex.* Vintage Books, 2011.

Gillette, Allison. "Simone de Beauvoir." *Women in World History.* 24 de agosto de 2015. <http://www.womeninworldhistory.com/imow-deBeauvoir.pdf>.

Hazareesingh, Sudhir. "The 10 most celebrated French thinkers." *The Guardian.* Guardian News and Media, 2015. 13 de junho de 2015. <http://www.theguardian.com/books/2015/jun/13/10-most-celebrated-french-thinkers-philosophy>.

Jones, Josh. "Simone de Beauvoir Explains 'Why I'm a Feminist' in a Rare TV Interview (1975)." *Open Culture.* Open Culture, 2015. 23 de maio de 2013. <http://www.openculture.com/2013/05/simone_de_beauvoir_explains_why_im_a_feminist_in_a_rare_tv_interview_1975.html>.

Mcclintock, Anne. "Simone (Lucie Ernestine Marie Bertrand) de Beauvoir." *European Writers: The Twentieth Century.* Vol. 12. Org. George Stade. Charles Scribner's Sons, 1990. From the University of Wisconsin. 24 de agosto de 2015. <http://www.english.wisc.edu/amcclintock/beauvoir.htm>.

Meisler, Stanley. "De Beauvoir, Writer and Feminist, Dies." *The Los Angeles Times.* The Los Angeles Times, 2015. 15 de abril de 1986. <http://articles.latimes.com/1986-04-15/news/mn-4814_1_feminist-movement>.

Mussett, Shannon. "Simone de Beauvoir (1908–1986)." *Internet Encyclopedia of Philosophy.* 24 de agosto de 2015. <http://www.iep.utm.edu/beauvoir/>.

"Simone Beauvoir – Biography." *The European Graduate School.* European Graduate School, 2012. 24 de agosto de 2015. <http://www.egs.edu/library/simone-de-beauvoir/biography>.

Smith, Bonnie G. *The Oxford Encyclopedia of Women in World History.* Oxford University Press, 2008.

Thurman, Judith. "Introduction to Simone de Beauvoir's 'The Second Sex'." *The New York Times.* The New York Times, 2015. 29 de maio de 2010. 24 de agosto de 2015. <http://www.nytimes.com/2010/05/30/books/excerpt-introduction-second-sex.html>.

Thurman, Judith. "Todd Akin and the Second Sex." *The New Yorker.* Condé Nast, 2015. 27 de agosto de 2012. 24 de agosto de 2015. <http://www.newyorker.com/news/news-desk/todd-akin-and-the-second-sex>.

Wolters, Eugene. "Incredible Candid Photos of Jean-Paul Sartre and Simone de Beauvoir in Cuba." *Critical Theory.* 20 de junho de 2014. 24 de agosto de 2015. <http://www.critical-theory.com/incredible-candid-photos-of-jean-paul-sartre-and-simone-de-beauvoir-in-cuba>.

Pauli Murray

"Biography." *Pauli Murray Project.* 29 de agosto de 2015. <http://paulimurrayproject.org/pauli-murray/biography/>.

Blagg, Deborah. "Pauli Murray: A One-Woman Civil Rights Movement." *Shlesinger Newsletter.* Radcliffe Institute for Advanced Study. Harvard University, 2015. 29 de agosto de 2015. <https://www.radcliffe.harvard.edu/news/schlesinger-newsletter/pauli-murray-one-woman-civil-rights-movement>.

Cooper, Brittney. "Black, queer, feminist, erased from history: Meet the most important legal scholar you've likely never heard of." *Salon*. Salon Media, 2015. 18 de fevereiro de 2015. <http://www.salon.com/2015/02/18/black_queer_feminist_erased_from_history_meet_the_most_important_legal_scholar_youve_likely_never_heard_of/>.

Downs, Kenya. "The 'Black, Queer, Feminist' Legal Trailblazer You've Never Heard Of." *NPR*. NPR, 2015. 19 de fevereiro de 2015. <http://www.npr.org/sections/codeswitch/2015/02/19/387200033/the-black-queer-feminist-legal-trailblazer-youve-never-heard-of>.

Gebreyes, Rahel. "How 'Respectability Politics' Muted The Legacy of Black LGBT Activist Pauli Murray." *The Huffington Post*. TheHuffingtonPost.com, 2015. 10 de fevereiro de 2015. <http://www.huffingtonpost.com/2015/02/10/lgbt-activist-pauli-murray_n_6647252.html>.

Guy-Sheftall, Beverly. *Words of Fire: An Anthology of African-American Feminist Thought*. The New Press, 2013.

Hartmann, Susan M. "Pauli Murray and the 'Juncture of Women's Liberation and Black Liberation.'" *Journal of Women's History*. Vol 14, Nº 2. Verão de 2002. 74-77. 29 de agosto de 2015. <https://muse.jhu.edu/login?auth=0&type=summary&url=/journals/journal_of_womens_history/v014/14.2hartmann.pdf>.

Meyerowitz, Joanne J. *How Sex Changed: A History of Transsexuality in the United States*. Harvard University Press, 2009.

Murray, Pauli. "An American Credo." *Common Ground*. Winter 1945. 22-24. From Unz.org. 30 de agosto de 2015. <http://www.unz.org/Pub/CommonGround-1945q4-00022>.

Murray, Pauli. *Dark Testament and Other Poems*. Norwalk: Silvermine, 1970.

Murray, Pauli. *States' Laws on Race and Color*. Athens: University of Georgia, 1997.

Nahmias, Leah. "Women Battling Jim Crow and Jane Crow." *Now & Then: An American Social History Project Blog*. American Social History Productions, 2015. 26 de abril de 2010. <http://nowandthen.ashp.cuny.edu/2010/04/when-women-battled-jim-crow-and-jane-crow/>.

"Pauli Murray." *Civil Rights Women Leaders of the Carolinas*. 30 de agosto de 2015. <https://ncwomenofcivilrights.wordpress.com/pauli-murray/>.

"Pauli Murray." *LGBT History Month*. A Project of Equality Forum, 2015. 29 de agosto de 2015. <http://lgbthistorymonth.com/pauli-murray?tab=biography>.

"Pauli Murray Biography." *Biography.com*. A&E Television Networks, 2015. 29 de agosto de 2015. <http://www.biography.com/people/pauli-murray-214111>.

"Pauli Murray: Early Years and Education." *Civil Rights Women Leaders of the Carolinas*. 29 de agosto de 2015. <https://ncwomenofcivilrights.wordpress.com/pauli-murray/early-years-and-education/>.

Pinn, Anthony B. "Biographies." *The African American Religious Experience in America*. Westport: Greenwood, 2006. 255.

"The Reverent Pauli Murray, 1910–1985." *The Church Awakens: African-Americans and the Struggle for Justice.* The Archives of the Episcopal Church, 2008. 30 de agosto de 2015. <http://www.episcopalarchives.org/Afro-Anglican_history/exhibit/leadership/murray.php>.

Rosenberg, Rosalind. "The Conjunction of Race and Gender." *Journal of Women's History.* Vol. 14, N. 2. Inverno 2002. 68-73. 29 de agosto de 2015. <https://muse.jhu.edu/login?auth=0&type=summary&url=/journals/journal_of_womens_history/v014/14.2rosenberg.html>.

Simkin, John. "Anna (Pauli) Murray." *Spartacus Educational.* Spartacus Educational, 2015. 30 de agosto de 2015. <http://spartacus-educational.com/USAmurrayA.htm>.

"Timeline." *Pauli Murray Project.* 29 de agosto de 2015. <http://paulimurrayproject.org/pauli-murray/timeline>.

Rosa Parks

Boggs, Grace Lee e Alice B. Jennings. "Rosa Parks, Champion for Human Rights." *Yes! Magazine.* Yes! Magazine. 4 de fevereiro de 2013. <http://www.yesmagazine.org/peace-justice/rosa-parks-champion-for-human-rights>.

"The Book." *At the Dark End of the Street.* At the Dark End of the Street, 2015. 27 de agosto de 2015. <http://atthedarkendofthestreet.com/the-book/>.

Curtis, Mary C. "Rosa Parks' Other (Radical) Side." *The Root.* The Root. 21 de setembro de 2010. 27 de agosto de 2015. <http://www.theroot.com/articles/politics/2010/09/rosa_parks_had_a_radical_side_championing_the_rights_of_rape_victims. html?page=0%2C0%2527>.

Fastenberg, Dan. "Rosa Parks (1913-2005)." *Time Magazine.* Time, 2015. 18 de novembro de 2010. 27 de agosto de 2015. <http://content.time.com/time/specials/packages/article/0,28804,2029774_2029776_2031835,00.html>.

Franklin, Morgan. "More Than Just Sitting Down: The Unyielding Activism of Rosa Parks." *Anna Julia Cooper Center.* Anna Julia Cooper Center. 26 de agosto de 2013. 27 de agosto de 2015. <http://cooperproject.org/more-than-just-sitting-down-the-unyielding-activism-of-rosa-parks/>.

Griffin, Rachel. "Black Herstory: Rosa Parks Did Much More than Sit on a Bus." *Ms. Magazine Blog.* Ms. Magazine, 2015. 3 de fevereiro de 2012. 26 de agosto de 2015. <http://msmagazine.com/blog/2012/02/03/rosa-parks-did-way-more-than-sit-on-a-bus/>.

McGuire, Danielle. "Opinion: It's time to free Rosa Parks from the bus." *In America.* CNN, 2015. 1º de dezembro de 2012. 27 de agosto de 2015. <http://inamerica.blogs.cnn.com/2012/12/01/opinion-its-time-to-free-rosa-parks-from-the-bus/comment-page-2/>.

Pingue, Danielle. "Celebrating Black History Month – Rosa Parks." *Center for African American Studies.* Princeton University, 2015. 16 de fevereiro de 2014. 27 de agosto de 2015. <http://www.princeton.edu/africanamericanstudies/news/archive/index.xml?id=9637>.

"Quote of the Week: Rosa Parks." *Biography.com.* A&E Television Networks, 2015. 3 de fevereiro de 2015. 27 de agosto de 2015. <http://www.biography.com/news/rosa-parks-famous-quotes>.

Rathod, Nicholas. "Honoring Rosa Parks: Moving from Symbolism to Action." *Center for American Progress*. 1º de dezembro de 2005. 27 de agosto de 2015. <https://www.americanprogress.org/issues/civil-liberties/news/2005/12/01/1743/honoring-rosa-parks-moving-from-symbolism-to-action/>.

Reeves, Joshua. *Spiritual Narrative*. Lulu.com, 2015.

"Rosa Parks." *History.com*. A+E Networks, 2009. 26 de agosto de 2015. <http://www.history.com/topics/black-history/rosa-parks>.

"Rosa Parks." *United States History*. U-S-History.com, 2015. 27 de agosto de 2015. <http://www.u-s-history.com/pages/h1697.html>.

"Rosa Parks Biography." *Academy of Achievement*. 27 de agosto de 2015. <http://www.achievement.org/autodoc/page/par-0bio-1>.

"Rosa Parks Biography." *Biography.com*. A&E Television Networks, 2015. 26 de agosto de 2015. <http://www.biography.com/people/rosa-parks-9433715>.

"Rosa Parks, 'The First Lady of Civil Rights.'" *Bill of Rights Institute*. Bill of Rights Institute, 2015. 2 de março de 2012. 26 de agosto de 2015. <http://billofrightsinstitute.org/rosaparks/>.

Sigerman, Harriet. *The Columbia Documentary History of American Women since 1941*. Nova York: Columbia University Press, 2003. 127-28.

Florynce Kennedy

Africa Woman. Issues 19–24. Africa Journal Limited, 2009.

Burstein, Patricia. "Lawyer Flo Kennedy Enjoys Her Reputation as Radicalism's Rudest Mouth." *People Magazine*. Vol. 3, N. 14. Time, 2015. 14 de abril de 1975. <http://www.people.com/people/archive/article/0,,20065145,00.html>.

Finkelman, Paul. *Encyclopedia of African American History, 1896 to the Present*. Oxford University Press, 2009.

"Florynce Kennedy Biography." *Encyclopedia of World Biography*. Advameg, 2015. 27 de agosto de 2015. <http://www.notablebiographies.com/supp/Supplement-Ka-M/Kennedy-Florynce.html>.

French, Ellen e Christine Minderovic. "Kennedy, Florynce 1916–2000." *Contemporary Black Biography*. 2002. Encyclopedia.com, 2015. 27 de agosto de 2015. <http://www.encyclopedia.com/topic/florynce_kennedy.aspx>.

Kennedy, Florynce. *Color Me Flo: My Hard Life and Good Times*. Prentice-Hall, 1976.

Kennedy, Florynce. "Papers of Florynce Kennedy, 1915-2004 (inclusive), 1947-1993 (bulk)." *Schlesinger Library. Radcliffe Institute*. Harvard University, 2009. <http://oasis.lib.harvard.edu/oasis/deliver/~sch01221>.

Love, Barbara e Cott, Nancy. *Feminists Who Changed America, 1963-1975*. University of Illinois Press, 2015.

Martin, Douglas. "Flo Kennedy, Feminist, Civil Rights Advocate and Flamboyant Gadfly, Is Dead at 84." *The New York Times*. The New York Times Company, 2015. 23 de dezembro de 2000. <http://www.nytimes.com/2000/12/23/us/flo-kennedy-feminist-civil-rights-advocate-and-flamboyant-gadfly-is-dead-at-84.html>.

Randolph, Sherie M. "The Lasting Legacy of Florynce Kennedy, Black Feminist Fighter." *Solidarity*. 2011. 7 de setembro de 2015. <https://www.solidarity-us.org/node/3272>.

Scanlon, Jennifer. *Significant Contemporary American Feminists: A Biographical Sourcebook*. Greenwood Press, 1999.

Steinem, Gloria. "The Verbal Karate of Florynce R. Kennedy, Esq." *Ms. Magazine*. Verão de 2011. Ms. Magazine, 1973. 27 de agosto de 2015. <http://www.msmagazine.com/summer2011/verbalkarate.asp>.

Theoharis, Jeanne e Komozi Woodard. *Want to Start a Revolution?* NYU Press, 2009.

Woo, Elaine. "Florynce Kennedy; Irreverent Activist for Equal Rights." *The Los Angeles Times*. The Los Angeles Times, 2015. 28 de dezembro de 2000. <http://articles.latimes.com/2000/dec/28/local/me-5531>.

Shirley Chisholm

"About." *America's Congressional Black Caucus*. The Congressional Black Caucus, 2015. 30 de agosto de 2015. <http://cbc-butterfield.house.gov/about>.

Carr, Glynda C. "Shirley Chisholm's Birthday Wish." *The Brock Report*. 30 de agosto de 2015. <http://thebrockreport.net/shirley-chisolms-birthday-wish/>.

"Chisholm, Shirley Anita." *History, Art & Archives. US House of Representatives*. 30 de agosto de 2015. <http://history.house.gov/People/Detail/10918>.

Chisholm, Shirley. *Unbought and Unbossed: Expanded 40th Anniversary Edition*. Take Root Media, 2010.

Lewis, Jone Johnson. "Shirley Chisholm." *About Education*. About.com, 2015. 30 de agosto de 2015. <http://womenshistory.about.com/od/congress/p/shirleychisholm.htm>.

Mayhead, Molly A. e Brenda DeVore Marshall. *Women's Political Discourse: A 21st-century Perspective*. Lanham: Rowman & Littlefield, 2005.

"Shirley Anita Chisholm." *National Women's History Museum*. NWHM. 30 de agosto de 2015. <https://www.nwhm.org/education-resources/biography/biographies/shirley-anita-chisholm/>.

"Shirley Chisholm." *The Sixties: The Years That Shaped a Generation. PBS.org*. Oregon Public Broadcasting, 2005. 30 de agosto de 2015. <http://www.pbs.org/opb/thesixties/topics/politics/newsmakers_2.html>.

"Shirley Chisholm Biography." *Encyclopedia of World Biography*. Advameg, 2015. 30 de agosto de 2015. <http://www.notablebiographies.com/Ch-Co/Chisholm-Shirley.html#ixzz3NPjeAE3d>.

"Shirley Chisholm, 'For the Equal Rights Amendment,' 10 August 1970." *Voices of Our Democracy.* The U.S. Oratory Project. 30 de agosto de 2015. <http://voicesofdemocracy.umd.edu/shirley-chisholm-for-the-equal-rights-amendment-10-august-1970/>.

"Shirley Chisholm, Political Trailblazer." *IIP Digital.* US Department of State, 2015. 4 de janeiro de 2012. 30 de agosto de 2015. <http://iipdigital.usembassy.gov/st/english/publication/2012/01/20120104115938nerual0.3313671.html#axzz3kH0oaGcN>.

"Shirley Chisholm – Quotes." *Anti-Defamation League.* Anti-Defamation League, 2005. 30 de agosto de 2015. <http://archive.adl.org/education/chisholm_quotes.pdf>.

Maya Angelou

Angelou, Maya. *And Still I Rise.* Nova York: Random House, 1978.

Angelou, Maya. *I Know Why the Caged Bird Sings.* Nova York: Random House, 1970.

"Biography." *Caged Bird Legacy.* Caged Bird Legacy, 2015. 30 de agosto de 2015. <http://www.mayaangelou.com/biography>.

Kelly, Cara. "Before Maya Angelou, there was Miss Calypso." *The Washington Post.* The Washington Post, 2015. 28 de maio de 2014. <https://www.washingtonpost.com/news/style-blog/wp/2014/05/28/before-maya-angelou-there-was-miss-calypso/>.

"Maya Angelou." *Poetry Foundation.* Poetry Foundation, 2015. 30 de agosto de 2015. <http://www.poetryfoundation.org/bio/maya-angelou>.

"Maya Angelou Biography." *Academy of Achievement.* American Academy of Achievement, 2015. 28 de maio de 2014. <http://www.achievement.org/autodoc/page/ang0bio-1>.

"Maya Angelou Biography." *Biography.com.* A&E Television Networks. 30 de agosto de 2015. <http://www.biography.com/people/maya-angelou-9185388>.

"Maya Angelou – the most banned author in the US." *New African Magazine.* New African. 5 de agosto de 2014. <http://newafricanmagazine.com/maya-angelou-banned-author-us/>.

Nichols, John. "Maya Angelou's Civil Rights Legacy." *The Nation.* The Nation, 2015. 28 de maio de 2014. <http://www.the-nation.com/article/maya-angelous-civil-rights-legacy/>.

"Remembering Dr. Maya Angelou." *Wake Forest University.* Wake Forest University, 2015. 30 de agosto de 2015. <http://mayaangelou.wfu.edu/story/>.

Salters, J.N. "35 Maya Angelou Quotes That Changed My Life." *The Huffington Post.* TheHuffingtonPost.com, 2015. 29 de maio de 2014. <http://www.huffingtonpost.com/jn-salters/35-maya-angelou-quotes-th_b_5412166.html>.

Serwer, Adam. "Maya Angelou, radical activist." *MSNBC.* NBC Universal, 2015. 29 de maio de 2015. <http://www.msnbc.com/msnbc/maya-angelou-radical-activist>.

Sorel, Nancy Caldwell. "When Maya Angelou met Billie Holiday." *The Independent.* Independent Digital News and Media, 2015. 22 de julho de 1995. <http://www.independent.co.uk/arts-entertainment/when-maya-angelou-met-billie-holiday-1592757.html>.

Stephens, Rodeena. "Dr. Maya Angelou: Phenomenal Woman." *New York Women in Communications.* New York Women in Communications, 2013. 4 de fevereiro de 2014. <http://www.nywici.org/blog/aloud/dr-maya-angelou-phenomenal-woman>.

Stringer, Mary. "Nine of the most amazing women of 2014." *Metro.co.uk.* Metro. 2 de janeiro de 2015. <http://metro.co.uk/2015/01/02/nine-of-the-most-amazing-women-in-2014-5003919/>.

Vilkomerson, Sara. "Maya Angelou: Saying goodbye to a literary giant." *Entertainment Weekly.* Entertainment Weekly, 2015. 28 de maio de 2014. <http://www.ew.com/article/2014/05/28/maya-angelou-obituary>.

Wills, Amanda. "15 Other Jobs Maya Angelou Once Held." *Mashable.* Mashable. 28 de maio de 2014. <http://mashable.com/2014/05/28/maya-angelou-jobs/#T4wdWbzuqqkV>.

Winfrey, Oprah e Janet Lowe. *Oprah Winfrey Speaks: Insight from the World's Most Influential Voice.* Nova York: Wiley, 1998.

Yayoi Kusama

Adams, Tim. "Yayoi Kusama – review." *The Guardian.* Guardian News and Media, 2015. 11 de fevereiro de 2012. <http://www.theguardian.com/artanddesign/2012/feb/12/yayoi-kusama-tate-modern-review>.

Corbett, Rachel. "Yayoi Kusama: The Last Word." *Artnet Magazine.* Artnet Worldwide Corporation, 2015. 13 de setembro de 2015. <http://www.artnet.com/magazineus/books/corbett/yayoi-kusama-autobiography-2-15-12.asp>.

Darling, Gala. "Yayoi Kusama." *Gala Darling.* Darling Industries, 2015. 29 de setembro de 2009. <http://galadarling.com/article/yayoi-kusama>.

Frank, Priscilla. "Polka Dot Queen: Yayoi Kusama On Her Whitney Retrospective and Vuitton Collaboration (PHOTOS, INTERVIEW)." *The Huffington Post.* TheHuffingtonPost.com, 2015. 7 de agosto de 2012. <http://www.huffingtonpost.com/2012/08/07/yayoi-kusama-interview_n_1749378.html>.

Foster, Gwendolyn Audrey. "Self-Stylization and Performativity in the Work of Yoko Ono, Yayoi Kusama e Mariko Mori." *Quarterly Review of Film and Video.* Vol. 27, N. 4. 2010. 13 de setembro de 2015. <http://www.tandfonline.com/doi/abs/10.1080/10509200802350307?journalCode=gqrf20>.

Gómez, Edward M. "Kusama, In Her Own Words." *The Brooklyn Rail.* The Brooklyn Rail, 2015. 2 de abril de 2012. <http://www.brooklynrail.org/2012/04/art_books/kusama-in-her-own-words>.

Itoi, Kay. "Kusama Speaks." *Artnet.* Artnet Worldwide Corporation, 2015. 13 de setembro de 2015. <http://www.artnet.com/Magazine/features/itoi/itoi8-22-97.asp>.

"Love Forever: Yayoi Kusama, 1958-1968." *LACMA. Japan Foundation.* From WalkerArt.org. 13 de dezembro de 1998-7 de março de 1999. <http://www.walkerart.org/archive/8/A973D5586A-A1C2926161.htm>.

Morris, Frances. "The fantastical world of Yayoi Kusama." *Phaidon*. Phaidon Press, 2015. 2 de fevereiro de 2012. <http://www.phaidon.com/agenda/art/picture-galleries/2012/february/02/the-fantastical-world-of-yayoi-kusama/?idx=1>.

Osborne, Catherine. "Yayoi Kusama's Obliteration Room." *Azure*. Azure Magazine, 2015. 10 de janeiro de 2012. <http://www.azuremagazine.com/article/yayoi-kusamas-obliteration-room/>.

Patel, Nilesh. "Yayoi Kusama: The Self-Obliteration Of Japan's Troubled Artist." *The Culture Trip*. The Culture Trip, 2015. 13 de setembro de 2015. <http://theculturetrip.com/asia/japan/articles/the-self-obliteration-of-yayoi-kusama/>.

Suhr, Trine. "Yayoi Kusama." *Feminist Art Archive*. University of Washington. 13 de setembro de 2015. <http://courses.washington.edu/femart/final_project/wordpress/yayoi-kusama/>.

Turner, Grady T. "Yayoi Kusama." *BOMB Magazine*. 66. Winter 1999. BOMB Magazine. 13 de setembro de 2015. <http://bombmagazine.org/article/2192/yayoi-kusama>.

"Yayoi Kusama." *Gagosian Gallery*. Gagosian Gallery, 2015. 13 de setembro de 2015. <http://www.gagosian.com/artists/yayoi-kusama>.

"Yayoi Kusama." *Victoria Miro*. Victoria Miro. 13 de setembro de 2015. <http://www.victoria-miro.com/artists/31-yayoi-kusama/overview/>.

"Yayoi Kusama." *Yayoi-kusama.jp*. Yayoi Kusama. 13 de setembro de 2015. <http://www.yayoi-kusama.jp/e/biography/index.html>.

Zwirner, David. "Yayoi Kusama." *David Zwirner*. David Zwirner, 2015. 13 de setembro de 2015. <http://www.davidzwirner.com/artists/yayoi-kusama/biography/>.

Faith Ringgold

Biggs, Mary. *Women's Words: The Columbia Book of Quotations by Women*. Columbia University Press, 1996.

"Faith Ringgold." *America Quilts*. PBS.org, 2007. 7 de setembro de 2015. <http://www.pbs.org/americaquilts/century/stories/faith_ringgold.html>.

"Faith Ringgold." *Craft in America*. Craft in America, 2015. 7 de setembro de 2015. <http://www.craftinamerica.org/artists/faith-ringgold/>.

"Faith Ringgold." *Elizabeth A. Sackler Center for Feminist Art*. Brooklyn Museum. 7 de setembro de 2015. <https://www.brooklynmuseum.org/eascfa/feminist_art_base/faith-ringgold>.

"Faith Ringgold." *Guggenheim*. The Solomon R. Guggenheim Foundation, 2015. 7 de setembro de 2015. <http://www.guggenheim.org/new-york/collections/collection-online/artists/bios/791>.

"Faith Ringgold." *Makers*. Makers, 2015. 7 de setembro de 2015. <http://www.makers.com/faith-ringgold>.

"Faith Ringgold Biography." Biography.com. A&E Television Networks. 7 de setembro de 2015. <http://www.biography.com/people/faith-ringgold-9459066>.

"Faith Ringgold Chronology." Faith Ringgold. Faithringgold.com. 7 de setembro de 2015. <http://www.faithringgold.com/ringgold/chron_rev.pdf>.

"Faith Ringgold: No 'Knock Down, Drag Out Black Woman Story." NPR. NPR, 2013. 19 de agosto de 2013. <http://www.npr.org/templates/story/story.php?storyId=213500929>.

"Faith Ringgold: *Story Quilts*." *Danforth Art*. Danforth Art, 2015. 7 de setembro de 2015. <http://www.danforthart.org/faith_ringgold_quilt.html>.

"Faith Ringgold: Street Story Quilt (1990.237a-c)." *Heilbrunn Timeline of Art History*. Nova York: The Metropolitan Museum of Art, 2015. Outubro de 2006. <http://www.metmuseum.org/toah/works-of-art/1990.237a-c>.

Koolish, Lynda. *African American Writers: Portraits and Visions*. University Press of Mississippi, 2001.

Ringgold, Faith. "Biography." *Faith Ringgold*. Faith Ringgold, 2002. 7 de setembro de 2015. <http://www.faithringgold.com/ringgold/bio.htm>.

Ringgold, Faith. "Frequently Asked Questions." *Faith Ringgold*. Faith Ringgold, 2002. 7 de setembro de 2015. <http://www.faithringgold.com/ringgold/faq.htm>.

Ringgold, Faith. "Faith Ringgold Biography." *Scholastic.com*. Scholastic, 2015. 7 de setembro de 2015. <http://www.scholastic.com/teachers/contributor/faith-ringgold>.

Ringgold, Faith. *Talking to Faith Ringgold*. Knopf, 1996.

Ringgold, Faith. *We Flew Over the Bridge: The Memoirs of Faith Ringgold*. Duke University Press, 2005.

Zimmer, William. "ART; Politics With Subtlety, On Quilts and in Books." *The New York Times*. The New York Times Company, 2015. 14 de abril de 2002. <http://www.nytimes.com/2002/04/14/nyregion/art-politics-with-subtlety-on-quilts-and-in-books.html>.

Yoko Ono

Adler, Margot. "After 40 Years, The Bed-In Reawakens." *NPR*. NPR, 2015. 25 de agosto de 2009. <http://www.npr.org/templates/story/story.php?storyId=112082796>.

Barnett, Emma. "Yoko Ono to judge Twitter haiku competition." *The Telegraph*. Telegraph Media Group, 2015. 18 de maio de 2009. <http://www.telegraph.co.uk/technology/twitter/5343746/Yoko-Ono-to-judge-Twitter-haiku-competition.html>.

Blaney, John. *John Lennon: Listen to This Book*. John Blaney, 2005.

Carmen. "Artist Attack! Yoko Ono is My Hero and I'm Not Sorry." *Autostraddle*. The Excitant Group, 2015. 20 de fevereiro de b2012. <http://www.autostraddle.com/artist-attack-yoko-ono-is-my-hero-and-im-not-sorry-127603/>.

Cott, Jonathan. "Yoko Ono and Her Sixteen-Track Voice." *The Rolling Stone*. Rolling Stone, 2015. 18 de março de 1971. <http://www.rollingstone.com/music/news/yoko-ono-and-her-sixteen-track-voice-19710318>.

Douglass, Lynn. "Yoko Ono Honored For Feminist Art, Says Not Saying Anything With Art 'A Waste.'" *Forbes*. Forbes.com, 2015. 19 de novembro de 2012. <http://www.forbes.com/sites/lynndouglass/2012/11/19/yoko-ono-honored-for-feminist-art-says-not-saying-anything-with-art-a-waste/>.

Frank, Peter. "Yoko Ono As An Artist." *Art Commotion*. 8 de setembro de 2015. <http://www.artcommotion.com/Issue2/VisualArts/>.

Halliday, Ayun. "Yoko Ono Lets Audience Cut Up Her Clothes in Conceptual Art Performance (Carnegie Hall, 1965)." *Open Culture*. Open Culture, 2015. 19 de maio de 2015. <http://www.openculture.com/2015/05/yoko-ono-lets-audience-cut-up-her-clothes.html>.

Kumeh, Titania. "15 Minutes With Yoko Ono." *Mother Jones*. Mother Jones and the Foundation for National Progress, 2015. 22 de fevereiro de 2010. <http://www.motherjones.com/riff/2010/02/music-monday-yoko-ono-john-lennon-noise-pop-deerhoof>.

Lifton, Dave. "46 Years Ago: John Lennon and Yoko Ono Begin 'Bed-in for Peace.'" *Ultimate Classic Rock*. Townsquare Media. 25 de março de 2015. <http://ultimateclassicrock.com/john-lennon-yoko-ono-bed-in/>.

Mahoney, J.W. "From the Archives: Transmodern Yoko." *Art in America*. Art in America Magazine. 13 de julho de 2015. <http://www.artinamericamagazine.com/news-features/magazine/from-the-archives-transmodern-yoko/>.

Meecham, Pam e Julie Sheldon. *Modern Art: A Critical Introduction*. Routledge, 2013.

"Ono launches peace prize." *BBC News*. BBC, 2015. 10 de outubro de 2002. <http://news.bbc.co.uk/2/hi/entertainment/2315665.stm>.

Rutkowski, Stephanie. "Dec. 8: John Lennon Shot, Killed 1980." *ABC News*. ABC News Internet Ventures, 2015. 8 de dezembro de 2011. <http://abcnews.go.com/blogs/extras/2011/12/08/dec-8-john-lennon-shot-killed-1980/>.

Silverman, Stephen M. "Dixie Chick Marries, Emmys Tone Down." *People Magazine*. Time, 2015. 26 de setembro de 2001. <http://www.people.com/people/article/0,,622259,00.html>.

Sturges, Fiona. "'I was doing this before you were born': Yoko Ono on John Lennon, infidelity and making music into herb eighties." *The Independent*. Independent Digital News and Media, 2015. 1º de setembro de 2013. <http://www.independent.co.uk/news/people/profiles/i-was-doing-this-before-you-were-born-yoko-ono-on-john-lennon-infidelity-and-making-music-into-her-8788694.html>.

Valdimarsson, Omar e Niklas Pollard. "Yoko Ono awards Lady Gaga peace prize in Iceland." *Reuters*. Thomas Reuters. 10 de outubro de 2012. <http://www.reuters.com/article/2012/10/10/entertainment-us-ladygaga-prize-idUSB-RE8981G820121010>.

"What is fracking and why is it controversial?" *BBC News*. BBC, 2015. 27 de junho de 2013. <http://www.bbc.com/news/uk-14432401>.

"Yoko Ono and Artists Against Fracking Find Out What Fracking Has Done to Pennsylvania." *Artists Against Fracking*. Artists Against Fracking, 2015. 10 de setembro de 2015. <http://artistsagainstfracking.com/about/>.

"Yoko Ono Biography." *Biography.com*. A&E Television Networks. 8 de setembro de 2015. <http://www.biography.com/people/yoko-ono-9542162>.

Yoshimoto, Midori. *Into Performance: Japanese Women Artists in New York*. Rutgers University Press, 2005.

Audre Lorde

"Audre Lorde." *Encyclopædia Britannica. Encyclopædia Britannica Online*. Encyclopædia Britannica Inc., 2015. 13 de setembro de 2015. <http://www.britannica.com/biography/Audre-Lorde>.

"Audre Lorde." *Poetry Foundation*. Poetry Foundation, 2015. 13 de setembro de 2015. <http://www.poetryfoundation.org/bio/audre-lorde>.

"Audre Lorde." *Poets.org*. Academy of American Poets. 13 de setembro de 2015. <https://www.poets.org/poetsorg/poet/audre-lorde>.

"Audre Lorde." *Reclaiming History*. University of Illinois at Chicago. 13 de setembro de 2015. <http://www.uic.edu/depts/quic/history/audre_lorde.html>.

Demakis, Joseph M. *The Ultimate Book of Quotations*. Createspace, 2012.

Gerund, Katharina. *Transatlantic Cultural Exchange: African American Women's Art and Activism in West Germany*. Transcript Verlag, 2014.

Kulii, Beverly Threatt, Ann E. Reuman, e Ann Trapasso. "Audre Lorde's Life and Career." *Modern American Poetry*. 13 de setembro de 2015. <http://www.english.illinois.edu/maps/poets/g_l/lorde/life.htm>.

Lorde, Audre. *A Burst of Light: Essays*. Ithaca: Firebrand, 1988.

Lorde, Audre. *Cables to Rage*. London: Paul Breman, 1970.

Lorde, Audre. *Sister Outsider: Essays and Speeches*. Berkeley: Crossing, 2007.

Lorde, Audre. *The Cancer Journals*. Argyle: Spinsters, Ink, 1980.

Lorde, Audre. *Zami, a New Spelling of My Name*. Trumansburg: Crossing, 1982.

Lorde, Audre, e Joan Wylie. Hall. *Conversations with Audre Lorde*. Jackson: University of Mississippi, 2004.

Ulysse, Gina Athena. "How Audre Lorde Made Queer History." *Ms. Magazine Blog*. Ms. Magazine, 2015. 31 de outubro de 2011. <http://msmagazine.com/blog/2011/10/31/how-audre-lorde-made-queer-history/>.

Jane Goodall

Bagley, Mary. "Jane Goodall Biography." *Livescience*. Purch, 2015. 29 de março de 2014. <http://www.livescience.com/44469-jane-goodall.html>.

Bardhan-Quallen, Sudipta. *Up Close: Jane Goodall: A Twentieth-century Life*. Nova York: Penguin Group/Viking, 2008.

Hollow, Michele C. e William P. Rives. *The Everything Guide to Working with Animals: From dog groomer to wildlife rescuer—tons of great jobs for animal lovers.* Massachusetts: Adams Media, 2009.

"Jane Goodall." *National Geographic.* National Geographic Society, 2015. 14 de setembro de 2015. <http://www.nationalgeographic.com/explorers/bios/jane-goodall>.

"Jane Goodall Biography." *Academy of Achievement.* American Academy of Achievement, 2015. 14 de setembro de 2015. <http://www.achievement.org/autodoc/page/goo1bio-1>.

"Jane Goodall Biography." *Biography.com.* A&E Television Networks. 14 de setembro de 2015. <http://www.biography.com/people/jane-goodall-9542363>.

Lewis, Jone Johnson. "Jane Goodall Quotes." *About Education.* About.com, 2015. 14 de setembro de 2015. <http://womenshistory.about.com/od/quotes/a/jane_goodall.htm>.

Loriggio, Paola. "'Little things' change world: Jane Goodall." *Thestar.com.* Toronto Star Newspapers, 2015. 14 de novembro de 2008. <http://www.thestar.com/news/gta/2008/11/14/little_things_change_world_jane_goodall.html>.

Peterson, Dale. *Jane Goodall: The Woman Who Redefined Man.* Houghton Mifflin Harcourt, 2006.

Schnall, Marianne. "Exclusive Interview with Dr. Jane Goodall." *The Huffington Post.* TheHuffingtonPost.com, 2015. 1º de junho de 2010. <http://www.huffingtonpost.com/marianne-schnall/exclusive-interview-with_b_479894.html>.

"Study Corner – Biography." *The Jane Goodall Institute.* The Jane Goodall Institute, 2013. 14 de setembro de 2015. <http:// www.janegoodall.org/study-corner-biography>.

Judy Blume

"1996 Margaret A. Edwards Award Winner." *Young Adult Library Services Association.* American Library Association, 2015. 10 de setembro de 2015. <http://www.ala.org/yalsa/booklistsawards/bookawards/margaretaedwards/maeprevious/1996awardwinner>.

Blume, Judy. *Forever.* Simon and Schuster, 2012.

Blume, Judy. "How I Became an Author." *Judy Blume.* Judy Blume, 2007. 8 de setembro de 2015.

Blume, Judy. "Judy Blume Talks About Censorship." *Judy Blume.* Judy Blume, 2007. 9 de setembro de 2015. <http://www.judyblume.com/censorship.php>.

Blume, Judy. "Judy's Official Bio." *Judy Blume.* Judy Blume, 2007. 8 de setembro de 2015. <http://www.judyblume.com/about.php>.

Blue, Judy. "National Book Awards Acceptance Speeches: Judy Blume, Winner of the 2004 Distinguished Contribution to American Letters Award." *National Book Foundation.* Judy Blume and the National Book Foundation, 2004. 17 de novembro de 2004. <http://www.nationalbook.org/nbaacceptspeech_jblume04.html#.Vh6FJflVhBd>.

Blume, Judy. *Tiger Eyes.* Simon and Schuster, 2014.

Dunham, Lena. "Lena Dunham meets Judy Blume." *The Telegraph.* Telegraph Media Group, 2015. 1º de junho de 2014. <http://www.telegraph.co.uk/culture/hay-festival/10848610/Lena-Dunham-meets-Judy-Blume.html>.

Gottlieb, Amy. "Judy Blume." *Jewish Women: A Comprehensive Historical Encyclopedia.* 1º de março de 2009. On Jewish Women's Archive. 11 de setembro de 2015. <http://jwa.org/encyclopedia/article/blume-judy>.

Green, Michelle. "After Two Divorces, Judy Blume Blossoms as An Unmarried Woman—and Hits the Best-Seller List Again." *People Magazine.* Vol 21, No 11. Time, 2015. 19 de março de 1984. <http://www.people.com/people/archive/article/0,,20087381,00.html>.

"Judy Blume." *Scholastic.* Scholastic, 2015. 10 de setembro de 2015. <http://www.scholastic.com/teachers/article/judy-blume>.

"Judy Blume Biography." *Biography.com.* A&E Television Networks. 8 de setembro de 2015. <http://www.biography.com/people/judy-blume-9216512>.

"Judy Blume – Living Legends." *Library of Congress.* Library of Congress. 10 de setembro de 2015. <http://www.loc.gov/about/awards-and-honors/living-legends/judy-blume>.

"Judy Blume: Often Banned, But Widely Beloved." *NPR.* NPR, 2015. 28 de novembro de 2011. <http://www.npr.org/2011/11/28/142859819/judy-blume-banned-often-but-widely-beloved>.

"Most frequently challenged authors of the 21st century." *Office for Intellectual Freedom of the American Library Association.* American Library Association, 2015. 10 de setembro de 2015. <http://www.ala.org/bbooks/frequentlychallengedbooks/challengedauthors>.

Nemy, Enid. "It's Judy Blume, New Yorker." *The New York Times.* The New York Times Company, 2015. 3 de outubro de 1982. <http://www.nytimes.com/1982/10/03/style/it-s-judy-blume-new-yorker.html>.

Prichep, Deena. "This Blumesday Celebrates Judy, Not Joyce." *NPR.* NPR, 2015. 17 de junho de 2013. <http://www.npr.org/2013/06/17/191651560/this-blumesday-celebrates-judy-not-joyce>.

Szymanski, Mallory. "Adolescence, Literature and Censorship: Unpacking The Controversy Surrounding Judy Blume." *NeoAmericanist.* Vol 3, No 1. Primavera/Verão de 2007. NeoAmericanist, 2015. <http://www.neoamericanist.org/paper/adolescence-literature-and-censorship-unpacking-controversy-surrounding-judy-blume-szymanski>.

Tracy, Kathleen. *Judy Blume: A Biography.* Greenwood, 2008.

West, Mark I. "Judy Blume: A Leader in the Anticensorship Movement." *The Five Owls.* Janeiro/Fevereiro 2000. On *Judy Blume.* Judy Blume, 2007. <http://www.judyblume.com/censorship/leader.php>.

Whitelocks, Sadie. "Author Judy Blume reveals she is suffering from breast cancer and has had a mastectomy." *Daily Mail.* Associated Newspapers. 5 de setembro de 2012. <http://www.dailymail.co.uk/femail/article-2198830/Judy-Blume-reveals-suffering-breast-cancer-mastectomy.html>.

Judy Chicago

Beckman, Rachel. "Her Table Is Ready." *The Washington Post.* The Washington Post Company, 2007. 22 de abril de 2007. <http://www.washingtonpost.com/wp-dyn/content/article/2007/04/20/AR2007042000419.html>.

Bennetts, Leslie. "Judy Chicago: Women's Lives and Art." *The New York Times.* The New York Times Company, 2015. 8 de abril de 1985. <http://www.nytimes.com/1985/04/08/style/judy-chicago-women-s-lives-and-art.html>.

"Biography." *Judy Chicago.* Judy Chicago & Donald Woodman, 2015. 11 de setembro de 2015. <http://www.judychicago.com/about/bio.php>.

"Chicago in L.A.: Judy Chicago's Early Work, 1963–74." *Elizabeth A. Sackler Center for Feminist Art.* Brooklyn Museum. 10 de setembro de 2015. <https://www.brooklynmuseum.org/exhibitions/judy_chicago_los_angeles/>.

Chicago, Judy. "Judy Chicago: What I Learned From Male Chauvinists." *LA Weekly.* LA Weekly, 2015. 22 de setembro de 2011. <http://www.laweekly.com/arts/judy-chicago-what-i-learned-from-male-chauvinists-2172063>.

Chicago, Judy. *Through the Flower: My Struggle as a Woman Artist.* IUniverse, 2006.

Cooke, Rachel. "The art of Judy Chicago." *The Guardian.* Guardian News and Media, 2015. 3 de novembro de 2012. <http://www.theguardian.com/artanddesign/2012/nov/04/judy-chicago-art-feminism-britain>.

Dixler, Elsa. "A Place at the Table." *The New York Times.* The New York Times Company, 2015. 4 de março de 2007. <http://www.nytimes.com/2007/03/04/books/review/Dixler.t.html?_r=0>.

Gerhard, Jane F. *The Dinner Party: Judy Chicago and the Power of Popular Feminism, 1970–2007.* University of Georgia Press, 2013.

"Judy Chicago." *The Art Story.* The Art Story Foundation, 2015. 10 de setembro de 2015. <http://www.theartstory.org/artist-chicago-judy.htm>.

"Judy Chicago Biography." *Biography.com.* A&E Television Networks. 11 de setembro de 2015. <http://www.biography.com/people/judy-chicago-9246631>.

"Judy Chicago, Education." *Judy Chicago.* Judy Chicago & Donald Woodman, 2015. 10 de setembro de 2015. <http://www.judychicago.com/educator/>.

"Judy Chicago: Through the Archives." *Radcliffe Institute for Advanced Study.* Harvard University, 2015. 11 de setembro de 2015. <https://www.radcliffe.harvard.edu/schlesinger-library/exhibition/judy-chicago-through-the-archives>.

"The Dinner Party: Place Settings: Sojourner Truth." *Elizabeth A. Sackler Center for Feminist Art.* Brooklyn Museum. 10 de setembro de 2015. <https://www.brooklynmuseum.org/eascfa/dinner_party/place_settings/sojourner_truth>.

"The Dinner Party: Place Settings: Susan B. Anthony." *Elizabeth A. Sackler Center for Feminist Art.* Brooklyn Museum. 10 de setembro de 2015. <https://www.brooklynmuseum.org/eascfa/dinner_party/place_settings/susan_b_anthony>.

"The Dinner Party: Place Settings: Virginia Woolf." *Elizabeth A. Sackler Center for Feminist Art.* Brooklyn Museum. 10 de setembro de 2015. <https://www.brooklynmuseum.org/eascfa/dinner_party/place_settings/virginia_woolf>.

Umansky, Lauri. *Impossible to Hold.* NYU Press, 2005.

Wacks, Debra. "Judy Chicago." *Jewish Women: A Comprehensive Historical Encyclopedia.* 1º de março de 2009. From Jewish Women's Archive. 11 de setembro de 2015. <http://jwa.org/encyclopedia/article/chicago-judy>.

Yood, James W. "Judy Chicago." *Encyclopædia Britannica. Encyclopædia Britannica Online.* Encyclopædia Britannica Inc., 2015. 9 de setembro de 2015. <http://www.britannica.com/biography/Judy-Chicago>.

Wilma Rudolph

Biggs, Mary. *Women's Words: The Columbia Book of Quotations by Women.* Columbia University Press, 1996.

Engel, KeriLynn. "Wilma Rudolph, Olympic gold medalist & civil rights pioneer." *Amazing Women in History.* Amazing Women in History. 19 de setembro de 2015. <http://www.amazingwomeninhistory.com/wilma-rudolph-olympic-gold-medalist-civil-right-pioneer/>.

Litsky, Frank. "Wilma Rudolph, Star of the 1960 Olympics, Dies at 54." *The New York Times.* The New York Times Company, 2015. 13 de novembro de 1994. <http://www.nytimes.com/1994/11/13/obituaries/wilma-rudolph-star-of-the-1960-olympics-dies-at-54.html>.

Porter, David L. *African-American Sports Greats: A Biographical Dictionary.* ABC-CLIO, 1995.

Roberts, M.B. "Rudolph ran and the world went wild." *ESPN.com.* ESPN. 19 de setembro de 2015. <https://espn.go.com/sportscentury/features/00016444.html>.

Stiller, Joachim K. *Success By Quotes.* Lulu Press, 2015.

"Wilma Rudolph." *Know Southern History.* Knowsouthernhistory.net. 19 de setembro de 2015. <http://www.knowsouthernhistory.net/Biographies/Wilma_Rudolph/>.

"Wilma Rudolph." *TN History for Kids!* Tennessee History for Kids, 2010. 19 de setembro de 2015. <http://www.tnhistoryforkids.org/people/wilma_rudolph>.

"Wilma Rudolph Biography." *Biography.com.* A&E Television Networks. 19 de setembro de 2015. <http://www.biography.com/people/wilma-rudolph-9466552>.

"Women Subjects on United States Postage Stamps." *United States Postal Service.* USPS. Fevereiro de 2013. <https://about.usps.com/who-we-are/postal-history/women-stamp-subjects.pdf>.

Wangari Maathai

Gettleman, Jeffrey. "Wangari Maathai, Nobel Peace Prize Laureate, Dies at 71." *The New York Times.* The New York Times Company, 2015. 26 de setembro de 2011. <http://www.nytimes.com/2011/09/27/world/africa/wangari-maathai-nobel-peace-prize-laureate-dies-at-71.html?_r=0>.

Gilbert, Natasha. "Nobel peace prize laureate and environmental campaigner dies." *Nature.com.* Macmillan Publishers, 2015. 26 de setembro de 2011. <http://blogs.nature.com/news/2011/09/nobel_pcace_prize_laureate_and.html>.

Hoagland, Jim. "Seeds of Hope in Africa." *The Washington Post.* The Washington Post, 2015. 12 de maio de 2005. <http://www.washingtonpost.com/wp-dyn/content/article/2005/05/11/AR2005051101765.html>.

Lechter, Sharon. *Think and Grow Rich for Women.* Penguin, 2014.

Lewis, Jone Johnson. "Wangari Maathai." *About Education.* About.com, 2015. 19 de setembro de 2015. <http://womenshistory.about.com/od/wangarimaathai/p/wangari_maathai.htm>.

Maathai, Wangari. *Unbowed: A Memoir.* Knopf, 2006.

MacDonald, Mia. "The Green Belt Movement: The Story of Wangari Maathai." *Yes! Magazine.* Yes! Magazine. 25 de março de 2005. <http://www.yesmagazine.org/issues/media-that-set-us-free/the-green-belt-movement-the-story-of-wangari-maathai>.

MacNair, Rachel M. *ProLife Feminism: Yesterday and Today.* Xlibris Corporation, 2006.

North, Anna. "Peace Prize-Winner Wangari Maathai Dies At 71." *Jezebel.* Jezebel.com. 26 de setembro de 2011. <http://jezebel.com/5843853/peace-prize-winner-wangari-maathai-dies-at-71>.

O'Connor, Karen. *Gender and Women's Leadership.* SAGE Publications, 2010.

O'Neill, Patrick. "Pro-life, eco-feminists work for consist ethic of life." *National Catholic Reporter.* The National Catholic Reporter Publishing Company. 22 de janeiro de 2009. <http://ncronline.org/news/pro-life-eco-feminists-work-consist-ethic-life>.

Schnall, Marianne. "Conversation with Wangari Maathai." *Feminist.com.* Marianne Schnall. 19 de setembro de 2015. <http://www.feminist.com/resources/artspeech/interviews/wangarimaathai.html>.

Seay, Bob. "A Pioneering African Environmentalist's Legacy Lives On." *WBGH.* WBGH, 2015. 14 de outubro de 2011. <http://www.wgbh.org/articles/A-Pioneering-African-Environmentalists-Legacy-Lives-On-4509>.

Taylor, Alice. *The Gift of a Garden.* O'Brien Press, 2013.

Valenti, Jessica. "Wangari Maathai, Feminist, Environmentalist, and Nobel Peace Prize Laureate." *Jessica Valenti.* Jessica Valenti, 2012. <http://jessicavalenti.com/post/10688983993/wangari-maathai-feminist-environmentalist-and>.

"Wangari Maathai." *Encyclopædia Britannica. Encylopædia Britannica Online.* Encyclopædia Britannica Inc., 2015. 19 de setembro de 2015. <http://www.britannica.com/biography/Wangari-Maathai>.

"Wangari Maathai – Biographical." *Nobelprize.org.* Nobel Media AB, 2014. 19 de setembro de 2015. <http://www.nobelprize.org/nobel_prizes/peace/laureates/2004/maathai-bio.html>.

"Wangari Maathai Biography." *Biography.com.* A&E Television Networks. 19 de setembro de 2015. <http://www.biography.com/people/wangari-maathai-13704918>.

"Wangari Maathai Biography." *Encyclopedia of World Biography*. Advameg, 2015. 19 de setembro de 2015. <http://www.notablebiographies.com/newsmakers2/2005-La-Pr/Maathai-Wangari.html>.

"Wangari Maathai: Biography." *The Green Belt Movement*. The Green Belt Movement, 2015. 19 de setembro de 2015. <http://www.greenbeltmovement.org/wangari-maathai/biography>.

"Wangari Maathai – Facts." *Nobelprize.org*. Nobel Media AB, 2014. 19 de setembro de 2015. <http://www.nobelprize.org/nobel_prizes/peace/laureates/2004/maathai-facts.html>.

"Who We Are." *The Green Belt Movement*. The Green Belt Movement, 2015. 19 de setembro de 2015. <http://www.greenbelt-movement.org/who-we-are>.

Frances M. Beal

"Black Women's Manifesto." *Atlanta Lesbian Feminist Alliance Archives*. David M. Rubenstein Rare Book & Manuscript Library. Duke University. 8 de setembro de 2015. <http://library.duke.edu/digitalcollections/wlmpc_wlmms01009/>.

Breines, Winifred. *The Trouble Between Us*. Oxford University Press, 2006.

Burnham, Linda. "Frances M. Beal." *The Women's Building*. The Women's Building, 2012. 8 de setembro de 2015. <http://www.womensbuilding.org/twb/index.php/frances-m-beal>.

Carson, Clayborne e Heidi Hess. "Student Nonviolent Coordinating Committee." *Black Women in America: An Historical Encyclopedia*. Org. Darlene Clark Hine. Nova York: Carlson Publishing, 1993. <http://web.stanford.edu/~ccarson/articles/black_women_3.htm>.

Crow, Barbara A. *Radical Feminism*. NYU Press, 2000.

"The Death of Emmett Till." *History.com*. A+E Networks, 2010. 8 de setembro de 2015. <http://www.history.com/this-day-in-history/the-death-of-emmett-till>.

Keetley, Dawn e John Pettegrew. *Public Women, Public Words*. Vol 2. Rowman & Littlefield, 2005.

Kinser, Amber E. *Motherhood and Feminism*. Seal Press, 2010.

Love, Barbara J. e Nancy F. Cott. *Feminists Who Changed America, 1963–1975*. University of Illinois Press, 2015.

Ross, Loretta J. "Voices of Feminism Oral History Project." Interview transcript. *Sophia Smith Collection. Smith College*. Sophia Smith Collection, 2006. 18 de março de 2005. <https://www.coursehero.com/file/11726918/Beal/>.

Springer, Kimberly. *Living for the Revolution: Black Feminist Organizations, 1968–1980*. Duke University Press, 2005.

Vidal, Ava. "'Intersectional feminism'. What the hell is it? (And why you should care.)" *The Telegraph*. Telegraph Media Group, 2015. 15 de janeiro de 2014. <http://www.telegraph.co.uk/women/womens-life/10572435/Intersectional-feminism.-What-the-hell-is-it-And-why-you-should-care.html>.

Angela Davis

"Angela Davis Biography." *Biography.com.* A&E Television Networks. 8 de setembro de 2015. <http://www.biography.com/people/angela-davis-9267589>.

Applewhite, Ashton, Tripp Evans e Andrew Frothingham. *And I Quote: The Definitive Collection of Quotes, Sayings, and Jokes for the Contemporary Speechmaker.* ed. rev. Macmillan, 2003.

Caldwell, Earl. "Angela Davis Acquitted on All Charges." *The New York Times.* The New York Times Company, 1998. 5 de junho de 1972. <https://www.nytimes.com/books/98/03/08/home/davis-acquit.html>.

"Civil Rights Activist Angela Davis Speaks at PSC March 17." *Pensacola State College.* Pensacola State College, 2015. 8 de setembro de 2015. <http://www.pensacolastate.edu/civil-rights-activist-angela-davis-speaks-at-psc-march-17/>.

Davis, Angela Y. *Are Prisons Obsolete?* Nova York: Seven Stories Press, 2003.

Davis, Angela Y. *Women, Culture & Politics.* Knopf Doubleday, 2011.

Davis, Angela Y. *Women, Race & Class.* Nova York: Vintage Books, 2011.

"Davis, Angela Yvonne." *West's Encyclopedia of American Law.* 2005. The Gale Group, 2005. From Encyclopedia.com. 8 de setembro de 2015. <http://www.encyclopedia.com/topic/Angela_Yvonne_Davis.aspx>.

Goodman, Amy. "Angela Davis on the Prison Abolishment Movement, Frederick Douglass, the 40th Anniversary of Her Arrest and President Obama's First Two Years." *Democracy Now!* Democracy Now! 19 de outubro de 2010. <http://www.democracynow.org/2010/10/19/angela_davis_on_the_prison_abolishment>.

Greene, Helen Taylor e Shaun L. Gabbidon. *Encyclopedia of Race and Crime.* SAGE Publications, 2009.

"Is Prison Obsolete Conference 2014." *Is Prison Obsolete?* Sisters Inside Inc. 8 de setembro de 2015. <http://www.sistersinside.com.au/conference2014.htm>.

Jones, Ann. "Black Women: On Their Own." *The New York Times.* The New York Times Company, 1998. 10 de janeiro de 1982. <https://www.nytimes.com/books/98/03/08/home/davis-raceclass.html>.

Marable, Manning e Leith Mullings. *Let Nobody Turn Us Around: An African American Anthology.* Rowman & Littlefield, 2009.

McDuffie, Erik S. *Sojourning for Freedom.* Duke University Press, 2011.

Mitchell, Charlene. *The Fight to Free Angela Davis.* Nova York, Outlook, 1972.

O'Brien, Matt. "Angela Davis commemorates 50th anniversary of Alabama church bombing." *San Jose Mercury News.* Digital First Media, 2015. 12 de setembro de 2013. <http://www.mercurynews.com/breaking-news/ci_24078761/angela-davis-commemorates-50th-anniversary-alabama-church-bombing>.

Parker, Suzi. "Activist Angela Davis: Education Is Critical for Prison Reform." *TakePart.* TakePart. 26 de outubro de 2012. <http://www.takepart.com/article/2012/10/26/political-activist-angela-davis-says-education-critical-prison-reform>.

Radosh, Ronald. "Jury isn't out on Angela Davis." *The Washington Times.* The Washington Times, 2015. 11 de março de 2012. <http://www.washingtontimes.com/news/2012/mar/11/jury-isnt-out-on-angela-davis/?page=all>.

Rockefeller, Terry e Louis Massiah. "Interview with Angela Davis." *Eyes on the Prize II Interviews.* Washington University Digital Gateway Texts. 24 de maio de 1989. <http://digital.wustl.edu/e/eii/eiiweb/dav5427.0115.036marc_record_interviewer_process.html>.

Warner, Carolyn. *The Words of Extraordinary Women.* HarperCollins, 2010.

"Women on FBI's most wanted list: Angela Yvonne Davis." *CBS News.* CBS Interactive, 2015. 8 de setembro de 2015. <http://www.cbsnews.com/pictures/women-on-fbis-most-wanted-list/3/>.

Alice Walker

"Alice Walker. Author. Pulitzer Prize Winner. Publisher. Voter Registration Activist." *Black Ladies.* Black-ladies.org. 8 de setembro de 2015. <http://www.black-ladies.org/alice-walker-literature>.

"Alice Walker Biography. *Biography.com.* A&E Television Networks. 8 de setembro de 2015. <http://www.biography.com/people/alice-walker-9521939>.

"Alice Walker Biography." *Encyclopedia of World Biography.* Advameg, 2015. 8 de setembro de 2015. <http://www.notablebiographies.com/Tu-We/Walker-Alice.html>.

Bloom, Harold. *Alice Walker.* Infobase, 2009.

Chang, Larry e Roderick Terry. *Wisdom for the Soul of Black Folk.* Gnosophia, 2007.

Clark, Alex. "Alice Walker: 'I feel dedicated to the whole of humanity.'" *The Guardian.* Guardian News and Media, 2015. 9 de março de 2013. <http://www.theguardian.com/books/2013/mar/09/alice-walker-beauty-in-truth-interview>.

Collins, Patricia Hill. *Black Feminist Thought: Knowledge, Consciousness, and the Politics of Empowerment.* Routledge, 2002.

"The Darlings of Broadway: 2006 Tony Award Winners." *The New York Times.* The New York Times Company, 2015. 16 de maio de 2006. <http://www.nytimes.com/2006/05/16/theater/16tony.list.html>.

Donnelly, Mary. *Alice Walker: The Color Purple and Other Works.* Marshall Cavendish, 2009.

G., Waddie. "18 Most Profound & Inspiring Quotes by Alice Walker." *The G-List Society.* The G-List Society, 2015. 8 de setembro de 2015. <http://www.glistsociety.com/2014/08/18-most-profound-inspiring-quotes-by-alice-walker/>.

Gumbs, Alexis Pauline, China Martens, e Mai'a Williams. "Alice Walker: Official Biography." *Alice Walker.* Alice Walker, 2015. <http://alicewalkersgarden.com/about-2/>.

Hoover, Julie. "More than Just Sisters." *Chicken Soup for the Teenage Soul IV*. Org. Jack Canfield, Mark Victor Hansen, Kimberly Kirberger e Mitch Claspy. Nova York: Chicken Soup for the Soul, 2012. <http://www.chickensoup.com/book-story/50469/more-than-just-sisters>.

Hospital, Janette Turner. "What They Did to Tashi." *The New York Times*. The New York Times Company, 1998. 28 de junho de 1992. <https://www.nytimes.com/books/98/10/04/specials/walker-secret.html>.

Kreitner, Richard e The Almanac. "18 de abril de 1983: Alice Walker Becomes the First Woman of Color to Win the Pulitzer Prize for Fiction." *The Nation*. 18 de abril de 2015. <http://www.thenation.com/article/april-18-1983-alice-walker-becomes-first-woman-color-win-pulitzer-prize-fiction/>.

Labrise, Megan. "Alice Walker: Writing What's Right." *Guernica*. Guernica, 2015. 1º de outubro de 2012. <https://www.guernicamag.com/daily/alice-walker-writing-whats-right/>.

Maslin, Janet. "The Color Purple (1985): Film: 'The Color Purple,' from Steven Spielberg." *The New York Times*. The New York Times Company, 2015. 18 de dezembro de 1985. <http://www.nytimes.com/movie/review?res=9F06E5DC153BF93BA25751C1A963948260>.

Napikoski, Linda. "Womanist." *About Education*. About.com, 2015. 8 de setembro de 2015. <http://womenshistory.about.com/od/feminism/a/womanist.htm>.

"Pratibha Parmar." *Women Make Movies*. Women Make Movies, 2005. 8 de setembro de 2015. <http://www.wmm.com/filmcatalog/makers/fm48.shtml>.

"Quote Page: Alice Walker." *Yes! Magazine*. Yes! Magazine. 1º de fevereiro de 2012. <http://www.yesmagazine.org/issues/9-strategies-to-end-corporate-rule/quote-page-alice-walker>.

Schacht, Steven. *Feminism and Men: Reconstructing Gender Relations*. NYU Press, 1998.

Walker, Alice. "After 20 Years, Meditation Still Conquers Inner Space." *The New York Times*. The New York Times Company, 2015. 23 de outubro de 2000. <http://www.nytimes.com/2000/10/23/arts/23WALK.html>.

Walker, Alice. *In Search of Our Mothers' Gardens: Prose*. Open Road Media, 2011.

Walker, Alice. *The World Has Changed: Conversations with Alice Walker*. New Press, 2013.

White, Evelyn C. *Alice Walker: A Life*. Nova York: W.W. Norton & Company, 2004.

White, Evelyn C. "An interview with Alice Walker: Alice Walker: On Finding Your Bliss." *Ms. Magazine*. Setembro/Outubro de 1999. From BookBrowse.com. <https://www.bookbrowse.com/author_interviews/full/index.cfm/author_number/314/alice-walker#interview>.

Whitted, Quiana. "Alice Walker (b. 1944)." *New Georgia Encyclopedia*. 12 de agosto de 2014. <http://www.georgiaencyclopedia.org/articles/arts-culture/alice-walker-b-1944>.

Shirin Ebadi

Adarlan, Davar e Rasool Nafisi. "My Name is Iran." *American RadioWorks*. American Public Media, 2015. <http://americanradioworks.publicradio.org/features/iran/htmlversion/cast.html>.

Afary, Janet e Kevin B. Anderson. *Foucault and the Iranian Revolution: Gender and the Seductions of Islamism.* University of Chicago Press, 2010.

"Congratulations to the Award-Winning One Million Signatures Campaign!" *Nobel Women's Initiative.* Nobel Women's Initiative. 23 de novembro de 2009. <http://nobelwomensinitiative. org/2009/11/congratulations-to-the-award-winning-one-million-signatures-campaign/>.

Ebadi, Shirin e Azadeh Moaveni. *Iran Awakening.* Knopf Canada, 2011.

"Ebadi Wins Round with U.S. over Memoirs." *All Things Considered.* NPR, 2015. 19 de dezembro de 2004. <http://www.npr.org/templates/story/story.php?storyId=4235765>.

Goodman, Amy. "Iranian Nobel Peace Prize Laureate Shirin Ebadi on Nuclear Deal, Islamic State, Women's Rights." *Democracy Now!* Democracy Now! 28 de abril de 2015. <http://www.democracynow.org/2015/4/28/iranian_nobel_peace_prize_laureate_shirin>.

LoLordo, Ann. "Girl's murder shames Iran Torture: She was as much a victim of Iran's child custody laws as of relatives who killed her." *The Baltimore Sun.* The Baltimore Sun. 28 de janeiro de 1998. <http://articles.baltimoresun.com/1998-01-28/news/1998028066_1_ebadi-iran-arian>.

Mattin, David. "Iranian author Shirin Ebadi talks about writing a personal history." *The National.* Abu Dhabi Media. 15 de agosto de 2011. <http://www.thenational.ae/arts-culture/books/iranian-author-shirin-ebadi-talks-about-writing-a-personal-history>.

Monshipouri, Mahmood. "The Road to globalization runs through women's struggle: Iran and the impact of the Nobel Peace Prize." *Iran Chamber Society.* Iran Chamber Society, 2015. 2004. <http://www.iranchamber.com/society/articles/globalization_women_struggle_iran1.php>.

Pal, Amitabh. "Shirin Ebadi Interview." *The Progressive.* The Progressive, 2014. 2 de agosto de 2004. <http://www.progressive.org/mag_intv0904>.

Penketh, Anne. "The new suffragettes: Shirin Ebadi – the campaigner who has become an international figurehead for women's rights." *The Independent.* Independent Digital News and Media, 2015. 30 de maio de 2013. <http://www.independent.co.uk/news/people/profiles/the-new-suffragettes-shirin-ebadi-the-campaigner-who-has-become-an-international-figurehead-for-8638504.html>.

"Shirin Ebadi." *Do One Thing.* The Emily Fund. 18 de setembro de 2015. <http://www.doonething.org/heroes/pages-e/ebadi-quotes.htm>.

"Shirin Ebadi – Biographical." *Nobelprize.org.* Nobel Media AB, 2014. 18 de setembro de 2015. <http://www.nobelprize.org/nobel_prizes/peace/laureates/2003/ebadi-bio.html>.

"Shirin Ebadi Fast Facts." *CNN Library.* CNN, 2015. 12 de junho de 2015. <http://www.cnn.com/2013/01/01/world/meast/shirin-ebadi---fast-facts/>.

"Shirin Ebadi – Iran, 2003." *Nobel Women's Initiative.* Nobel Women's Initiative. 18 de setembro de 2015. <http://nobelwomensinitiative.org/meet-the-laureates/shirin-ebadi/>.

Wallbridge, Wendy. *Spiraling Upward: The 5 Co-Creative Powers for Women on the Rise.* Bibliomotion, 2015.

"Women's rights under Iran's revolution." *BBC News*. BBC, 2015. 12 de fevereiro de 2009. <http://news.bbc.co.uk/2/hi/7879797.stm>.

Hillary Clinton

Barcella, Laura. "Hillary Isn't Even Running For President Yet, & She's Already Winning." *Refinery29*. Refinery29, 2015. 9 de fevereiro de 2015. <http://www.refinery29.com/2015/02/82028/hillary-clinton-winning-president-2016-polls>.

Black, Allida. "Hillary Rodham Clinton." *The First Ladies of the United States of America*. The White House Historical Association. From WhiteHouse.gov. 18 de setembro de 2015. <https://www.whitehouse.gov/1600/first-ladies/hillaryclinton>.

Bombardieri, Marcella. "From conservative roots sprang a call for change." *The Boston Globe*. Globe Newspaper Company, 2007. 21 de outubro de 2007. <http://www.boston.com/news/nation/articles/2007/10/21/from_conservative_roots_sprang_a_call_for_change/?page=full>.

Chozick, Amy. "Hillary Clinton Draws Scrappy Determination From a Tough, Combative Father." *The New York Times*. The New York Times Company, 2015. 19 de julho de 2015. <http://www.nytimes.com/2015/07/20/us/politics/hillary-clinton-draws-scrappy-determination-from-a-tough-combative-father.html?_r=0>.

Clinton, Hillary Rodham. *Hard Choices*. Simon & Schuster, 2014.

Clinton, Hillary Rodham. "Helping Women Isn't Just a 'Nice' Thing to Do." *The Daily Beast*. The Daily Beast Company, 2014. 5 de abril de 2013. <http://www.thedailybeast.com/witw/articles/2013/04/05/hillary-clinton-helping-women-isn-t-just-a-nice-thing-to-do.html>.

Clinton, Hillary Rodham. *Living History*. Nova York: Simon & Schuster, 2014.

Clinton, Hillary Rodham. "Remarks for the United Nations Fourth World Conference on Women." *United Nations*. 5 de setembro de 1995. <http://www.un.org/esa/gopher-data/conf/fwcw/conf/gov/950905175653.txt>.

Clinton, Hillary Rodham and Bill Frist. "Save the Children's Insurance." *The New York Times*. The New York Times Company, 2015. 12 de fevereiro de 2015. <http://www.nytimes.com/2015/02/13/opinion/hillary-clinton-and-bill-frist-on-health-care-for-americas-kids.html>.

Collins, Laura. "EXCLUSIVE: Hillary Clinton's camp fears a new 'bimbo eruption' will put the kibosh on candidacy – especially from Gennifer Flowers who claimed Bill liked to be blindfolded and tied up with silk scarves and called his wife 'Hilla the Hun.'" *Daily Mail*. Associated Newspapers. 31 de julho de 2015. <http://www.dailymail.co.uk/news/article-3180398/Hillary-Clinton-s-camp-fears-new-bimbo-eruption-kibosh-candidacy-especially-Gennifer-Flowers-claimed-Bill-liked-blindfolded-tied-silk-scarves-called-wife-Hilla-Hun.html>.

Garber, Megan. "Hillary Clinton Traveled 956,733 Miles During Her Time as Secretary of State." *The Atlantic*. The Atlantic Monthly, 2015. 29 de janeiro de 2013. <http://www.theatlantic.com/politics/archive/2013/01/hillary-clinton-traveled-956-733-miles-during-her-time-as-secretary-of-state/272656/>.

Goodman, Amy. "Iranian Nobel Peace Prize Laureate Shirin Ebadi on Nuclear Deal, Islamic State, Women's Rights." *Democracy Now!* Democracy Now! 28 de abril de 2015. <http://www.democracynow.org/2015/4/28/iranian_nobel_peace_prize_laureate_shirin>.

"Hillary Clinton: On the Issues." *On The Issues.* OnTheIssues.org, 2015. <http://www.ontheissues.org/Hillary_Clinton.htm>.

"Hillary Rodham Clinton." *American Experience.* PBS, 2015. 18 de setembro de 2015. <http://www.pbs.org/wgbh/americanexperience/features/biography/clinton-hillary/>.

Kanyoro, Musimbi. "Hillary's Legacy: Women and Girls Take A Front Seat." *Global Fund for Women.* Thomas Reuters Foundation, 2015. 1º de fevereiro de 2013. <http://www.trust.org/item/20130201133000-9ni2s/>.

Klein, Edward. *Blood Feud: The Clintons vs. The Obamas.* Kensington, 2015.

Klein, Rick. "What Went Wrong? How Hillary Lost." *ABC News.* ABC News Internet Ventures, 2015. 3 de junho de 2008. <http://abcnews.go.com/Politics/Vote2008/story?id=4978839>.

"Most Admired Man and Woman." *Gallup.* Gallup, 2015. 18 de setembro de 2015. <http://www.gallup.com/poll/1678/most-admired-man-woman.aspx>.

Penketh, Anne. "The new suffragettes: Shirin Ebadi – the campaigner who has become an international figurehead for women's rights." *The Independent.* Independent Digital News and Media, 2015. 30 de maio de 2013. <http://www.independent.co.uk/news/people/profiles/the-new-suffragettes-shirin-ebadi-the-campaigner-who-has-become-an-international-figurehead-for-8638504.html>.

Rogak, Lisa. *Hillary Clinton in Her Own Words.* Seal Press, 2014.

Sugarman, Eli. "5 Top Highlights in Hillary Clinton's Secretary of State Tenure." *Policy.Mic.* Mic Network. 2 de janeiro de 2013. <http://mic.com/articles/21829/5-top-highlights-in-hillary-clinton-s-secretary-of-state-tenure>.

Waldman, Ayelet. "Is This Really Goodbye?" *Marie Claire.* Hearst Communications, 2015. 18 de outubro de 2012. <http://www.marieclaire.com/politics/news/a7354/hillary-clinton-farewell/>.

Kate Bornstein

"An interview with Kate Bornstein on Gender Outlaws." *Five Books.* Five Books, 2015. 26 de abril de 2012. <http://fivebooks.com/interviews/kate-bornstein-on-gender>.

"Book Reivews: Gender Outlaw." *Kirkus Reviews.* 15 de abril de 1994. Kirkus Reviews. <https://www.kirkusreviews.com/book-reviews/kate-bornstein/gender-outlaw/>.

Bornstein, Kate. "About." *Kate Bornstein.* 18 de setembro de 2015. <http://katebornstein.typepad.com/about.html>.

Bornstein, Kate. "Don't Be Mean? Really?" *Kate Bornstein.* 6 de outubro de 2010. <http://katebornstein.typepad.com/kate_bornsteins_blog/2010/10/dont-be-mean-really.html>.

Bornstein, Kate. *Hello, Cruel World.* Nova York: Seven Stories Press, 2006.

Bornstein, Kate. *My Gender Workbook*. Nova York: Routledge, 1997.

Bornstein, Kate. *A Queer and Pleasant Danger*. Beacon Press, 2012.

Fox, Katrina. "Gender Outlaw, Kate Bornstein offers some alternatives to Suicide in her New Book. She spoke with Katrina Fox." *Polare Magazine*. Julho de 2007. The Gender Centre, 2005. <http://www.gendercentre.org.au/resources/polare-archive/archived-articles/katrina-fox-interviews-kate-bornstein.htm>.

"Kate Bornstein Biography." *Speak Out Now*. 18 de setembro de 2015. <http://www.speakoutnow.org/speaker/bornstein-kate>.

Ortega, Tony. "Kate Bornstein's Amazing Voyage." *The Village Voice*. Village Voice, 2015. 2 de maio de 2012. <http://www.villagevoice.com/news/kate-bornsteins-amazing-voyage-6434753>.

Pasulka, Nicole. "'A Queer and Pleasant Danger': Kate Bornstein, Trans Scientology Survivor." *Mother Jones*. Mother Jones and the Foundation for National Progress, 2015. 5 de maio de 2012. <http://www.motherjones.com/media/2012/04/kate-bornstein-gender-outlaw-queer-and-pleasant-danger-interview>.

Signorile, Michelangelo. "Kate Bornstein, Transgender Writer and Activist, Discusses Life In And Exit From The Church Of Scientology." *The Huffington Post*. TheHuffingtonPost.com, 2015. 5 de maio de 2012. <http://www.huffingtonpost.com/2012/05/05/kate-bornstein-transgender-scientology_n_1483590.html>.

"The Thetan." *Scientology.org*. Church of Scientology International, 2015. <http://www.scientology.org/what-is-scientology/basic-principles-of-scientology/the-thetan.html>.

Leslie Feinberg

"Biography." *Transgender Warrior*. 25 de setembro de 2015. <http://transgenderwarrior.org/biography/fullbio.htm>.

Currah, Paisley. "Leslie Feinberg's Gender Revolution." *The Brooklyn Quarterly*. The Brooklyn Quarterly, 2015. 25 de setembro de 2015. <http://brooklynquarterly.org/leslie-feinbergs-gender-revolution-paisley-currah/>.

Enszer, Julie R. "Leslie Feinberg, Transgender Warrior." *The Toast*. The Toast, 2015. 2 de dezembro de 2014. <http://the-toast.net/2014/12/02/leslie-feinberg-transgender-warrior/>.

Feinberg, Leslie. *Trans Liberation: Beyond Pink Or Blue*. Beacon Press, 1999.

Feinberg, Leslie. *Transgender Warriors: Making History from Joan of Arc to Dennis Rodman*. Beacon Press, 1996.

"Leslie Feinberg." *Jewish Women's Archive*. 25 de setembro de 2015. <http://jwa.org/people/feinberg-leslie>.

Miller, Shauna. "The Importance of Leslie Feinberg." *The Atlantic*. The Atlantic Monthly Group, 2015. 17 de novembro de 2014. <http://www.theatlantic.com/entertainment/archive/2014/11/the-importance-of-leslie-feinberg/382852/>.

Pratt, Minnie Bruce. "Transgender Pioneer and *Stone Butch Blues* Author Leslie Feinberg Has Died." *The Advocate.* Here Media, 2015. 17 de novembro de 2014. <http://www.advocate.com/arts-entertainment/books/2014/11/17/transgender-pioneer-leslie-feinberg-stone-butch-blues-has-died>.

Pratt, Minnie Bruce. "Transgender warrior Leslie Feinberg united all struggles for liberation." *Workers World.* Warriors.org, 2015. 31 de março de 2015. <http://www.workers.org/articles/2015/03/31/transgender-warrior-leslie-feinberg-united-all-struggles-for-liberation/>.

Schaub, Michael. "Author and transgender activist Leslie Feinberg is dead at 65." *The Los Angeles Times.* Los Angeles Times, 2015. 18 de novembro de 2014. <http://www.latimes.com/books/jacket copy/la-et-jc-author-and-transgender-activist-leslie-feinberg-is-dead-at-65-20141117-story.html>.

Stryker, Susan e Stephen Whittle. *The Transgender Studies Reader.* Routledge, 2013.

Tyroler, Jamie. "Transmissions – Interview with Leslie Feinberg." *Camp Kansas City.* 28 de julho de 2006. <http://www.campkc.com/campkc-content.php?Page_ID=225>.

Weber, Bruce. "Leslie Feinberg, Writer and Transgender Activist, Dies at 65." *The New York Times.* The New York Times Company, 2015. 24 de novembro de 2015. <http://www.nytimes.com/2014/11/25/nyregion/leslie-feinberg-writer-and-transgender-activist-dies-at-65.html?_r=0>.

Sally Ride

"Astronaut Sally Ride: In Her Own Words." *Space.com.* Purch, 2015. 24 de julho de 2012. <http://www.space.com/16732-sally-ride-quotes-women-science.html>.

Bilger, Audrey. "The Private Life and Natural Feminism of Sally Ride." *Ms. Magazine.* Ms. Magazine, 2015. 4 de novembro de 2014. <http://msmagazine.com/blog/2014/11/04/the-private-life-and-natural-feminism-of-sally-ride/>.

Burby, Liza N. *Mae Jemison: The First African American Woman Astronaut.* Rosen Publishing, 1997.

"Dr. Sally Ride." *Sally Ride Science.* Sally Ride Science, 2015. 25 de setembro de 2015. <https://sallyridescience.com/about-us/dr-sally-ride>.

"Dr. Sally Ride Former astronaut, first American woman in space CEO of Sally Ride Science and Professor Emerita University of California, San Diego." *NASA.* NASA, 2015. 26 de setembro de 2015. <http://www.nasa.gov/offices/hsf/members/ride-bio.html>.

Grady, Denise. "American Woman Who Shattered Space Ceiling." *The New York Times.* The New York Times Company, 2015. 23 de julho de 2012. <http://www.nytimes.com/2012/07/24/science/space/sally-ride-trailblazing-astronaut-dies-at-61.html?_r=0>.

The 'How to' of performance management. Management Training Australia, 2015.

"Kalpana Chawla (Ph.D.)." *NASA.* Maio de 2004. NASA, 2015. <http://www.jsc.nasa.gov/Bios/htmlbios/chawla.html>.

Kramer, Melody. "New Female Astronauts Show Evolution of Women in Space." *National Geographic*. National Geographic Society, 2015. 19 de junho de 2013. <http://news.nationalgeographic.com/news/2013/06/130618-space-female-astronauts-sally-ride-nasa-science/>.

May, Sandra. "Who Was Sally Ride?" *NASA Knows!* NASA, 2015. 18 de junho de 2014. <http://www.nasa.gov/audience/forstudents/k-4/stories/nasa-knows/who-was-sally-ride-k4.html>.

Redd, Nola Taylor. "Kalpana Chawla: Biography & Columbia Disaster." *Space.com*. Purch, 2015. 10 de agosto de 2012. <http://www.space.com/17056-kalpana-chawla-biography.html>.

Ruskai, Mary Beth. "Why Women Are Discouraged From Becoming Scientists." *The Scientist*. The Scientist, 2015. 5 de março de 1990. <http://www.the-scientist.com/?articles.view/articleNo/10951/title/Why-Women-Are-Discouraged-From-Becoming-Scientists/>.

"Sally Ride." *Harvard Business Review*. Setembro de 2012. Harvard Business School Publishing, 2015. <https://hbr. org/2012/09/sally-ride/ar/1>.

"Sally Ride Interview." *Academy of Achievement*. 2 de junho de 2006. <http://www.achievement.org/autodoc/page/rid0int-1>.

Severn, Stacey. "The Top 6 Female Astronauts Every Scientista Should Know About." *Scientista*. The Scientista Foundation, 2015. 29 de julho de 2013. <http://www.scientistafoundation.com/scientista-spotlights/the-top-6-female-astronauts-every-scientista-should-know-about>.

Trex, Ethan. "5 Things You Didn't Know About Sally Ride." *Mental Floss*. Mental Floss, 2015. 23 de julho de 2012. <http://mentalfloss.com/article/31275/5-things-you-didnt-know-about-sally-ride>.

"Valentina Tereshkova." *StarChild*. NASA, 2015. 25 de setembro de 2015. <http://starchild.gsfc.nasa.gov/docs/StarChild/ whos_who_level2/tereshkova.html>.

"The World's Top 6 Female Astronauts – Inspiring Girls & Young Women To 'Reach For The Stars.'" *Spaceflight Insider*. Spaceflight Insider, 2015. 20 de outubro de 2013. <http://www.spaceflightinsider.com/space-flight-news/the-worlds-top-6-female-astronauts-inspiring-girls-young-women-to-reach-for-the-stars/>.

Bell Hooks

Adams, Maggie e Soojung Chang. "Famed feminist preaches peace." *The Michigan Daily*. The Michigan Daily, 2003. 16 de janeiro de 2003. <https://goo.gl/nr3pnz>.

"Bell Hooks." *CNN.com*. CNN, 2001. 17 de fevereiro de 2000. <http://www.cnn.com/chat/transcripts/2000/2/hooks/index.html>.

"Bell hooks." *Encyclopædia Britannica. Encyclopædia Britannica Online*. Encyclopædia Britannica Inc., 2015. 26 de setembro de 2015. <http://www.britannica.com/biography/bell-hooks>.

"bell hooks." *Utne*. Janeiro/Fevereiro 1995. Ogden Publications, 2015. <http://www.utne.com/arts/bell-hooks-postmodernism-racism-sexism.aspx>.

"bell hooks." *Voices from the Gaps*. University of Minnesota, Driven to Discover, 2009. <http://conservancy.umn.edu/bitstream/handle/11299/166225/hooks%2c%20bell.pdf?sequence=1&isAllowed=y>.

"Bell Hooks (1952–) Biography Personal, Addresses, Career, Honors Awards, Writings, Sidelights." *Brief Biographies*. Net Industries, 2015. 27 de setembro de 2015. <http://biography.jrank.org/pages/2287/Hooks-Bell-1952.html>.

"Bell Hooks – Biography." *The European Graduate School*. European Graduate School, 2012. 27 de setembro de 2015. <http://www.egs.edu/library/bell-hooks/biography/>.

"bell hooks talks to John Perry Barlow." *Lion's Roar*. Lion's Roar, 2015. 1º de setembro de 1995. <http://www.lionsroar.com/bell-hooks-talks-to-john-perry-barlow/>.

Davidson, Maria del Guadalupe e George Yancy. *Critical Perspectives on Bell Hooks*. Routledge, 2009.

Hewlett, Jennifer. "Noted feminists celebrate opening of institute." *Lexington Herald-Leader*. Kentucky.com. 20 de setembro de 2010. <http://www.kentucky.com/2010/09/20/1442576_noted-feminists-celebrate-opening.html?rh=1>.

hooks, bell. "Dissident Heat; Fire with Fire." *Outlaw Culture: Resisting Representations*. Nova York: Routledge, 1994. 106.

hooks, bell. *Feminism Is for Everybody: Passionate Politics*. Cambridge: South End, 2000.

hooks, bell. *Feminist Theory: From Margin to Center*. Routledge, 2014.

Jankowski, Lauren. "bell hooks." *About Education*. About.com, 2015. 26 de setembro de 2015. <http://womenshistory.about.com/od/second-wave-feminists/a/Bell-Hooks.htm>.

McLeod, Melvin. "Angelou." *Shambhala Sun*. Janeiro de 1998. *Hartford Web Publishing*. <http://www.hartford-hwp.com/archives/45a/249.html>.

Cindy Sherman

Behrooz, Anahit. "10 Artists Who Changed the Course of 20th Century Art." *The Culture Trip*. The Culture Trip, 2015. 20 de setembro de 2015. <http://theculturetrip.com/north-america/usa/articles/10-artists-who-changed-the-course-of-20th-century-art/>.

Berne, Betsy. "Studio: Cindy Sherman." *Tate Magazine*. No 5. Tate. 1º de junho de 2003. <http://www.tate.org.uk/context-comment/articles/studio-cindy-sherman>.

Blessing, Jennifer. "Cindy Sherman: Untitled, #264." *Guggenheim*. The Solomon R. Guggenheim Foundation, 2015. 20 de setembro de 2015. <http://www.guggenheim.org/new-york/collections/collection-online/artwork/10791>.

"Cindy Sherman." *Art21*. PBS.org. Art21, 2015. 20 de setembro de 2015. <http://www.pbs.org/art21/artists/cindy-sherman>.

"Cindy Sherman." *Encyclopædia Britannica*. *Encyclopædia Britannica Online*. Encyclopædia Britannica Inc., 2015. 20 de setembro de 2015. <http://www.britannica.com/biography/Cindy-Sherman>.

"Cindy Sherman." *Guggenheim*. The Solomon R. Guggenheim Foundation, 2015. 20 de setembro de 2015. <http://www.guggenheim.org/new-york/collections/collection-online/artists/bios/688>.

"Cindy Sherman." *Interview Magazine.* Interview Magazine. 29 de novembro de 2008. <http://www.interviewmagazine.com/art/cindy-sherman>.

"Cindy Sherman." *The Art Story.* The Art Story Foundation, 2015. 20 de setembro de 2015. <http://www.theartstory.org/artist-sherman-cindy.htm>.

"Cindy Sherman Talks to David Frankel. ('80S Then)." *Artforum International.* Vol 41, No 7. Março de 2003. <https://www.questia.com/magazine/1G1-98918643/cindy-sherman-talks-to-david-frankel-80s-then>.

Collins, Glenn. "A Portraitist's Romp Through Art History." *The New York Times.* The New York Times Company, 2015. 1 de fevereiro de 1990. <http://www.nytimes.com/1990/02/01/arts/a--portraitist-s-romp-through-art-history.html>.

"The Complete *Untitled Film Stills* Cindy Sherman." *The Museum of Modern Art, New York.* The Museum of Modern Art, New York, 1997. 20 de setembro de 2015. <http://www.moma.org/interactives/exhibitions/1997/sherman/>.

Hattenstone, Simon. "Cindy Sherman: Me, myself and I." *The Guardian.* Guardian News and Media, 2015. 14 de janeiro de 2011. <http://www.theguardian.com/artanddesign/2011/jan/15/cindy-sherman-interview>.

Heartney, Eleanor. *After the Revolution: Women who Transformed Contemporary Art.* Dorskey Gallery, 2007.

Karlen, Neal. *Babes in Toyland: The Making and Selling of a Rock and Roll Band.* Crown/Archetype, 2013.

Kimmelman, Michael. *Portraits: Talking with Artists at the Met, the Modern, the Louvre, and Elsewhere.* Random House, 1998.

O'Neill, Claire. "Meet The World's Most Expensive Photo." *NPR.* NPR, 2015. 13 de maio de 2011. <http://www.npr.org/sections/pictureshow/2011/05/13/136273419/meet-the-worlds-most-expensive-photo>.

Respini, Eva, Johanna Burton e John Waters. *Cindy Sherman.* Museum of Modern Art, 2012.

Schmelzer, Paul. "'Completely Punk Rock': Cindy Sherman's (Nearly) Forgotten History with Babes in Toyland." *Walker Art Center.* Walker Art Center, 2015. 7 de fevereiro de 2013. <http://blogs.walkerart.org/visualarts/2013/02/07/cindy-sherman-babes-in-toyland-punk-rock/>.

Schwabsky, Barry. "ART; A Photographer's Many Faces." *The New York Times.* The New York Times Company, 2015. 18 de abril de 1999. <http://www.nytimes.com/1999/04/18/nyregion/art-a-photographer-s-many-faces.html?ref=cindysherman>.

"Sherman, Cindy." *Museum of Contemporary Photography.* Museum of Contemporary Photography at Columbia College Chicago, 2015. 20 de setembro de 2015. <http://www.mocp.org/detail.php?type=related&kv=12996&t=objects>.

Silver, Alain e James Ursini. *The Horror Film Reader.* Hal Leonard, 2000.

Vogel, Carol. "Cindy Sherman Unmasked." *The New York Times.* The New York Times Company, 2015. 16 de fevereiro de 2012. <http://www.nytimes.com/2012/02/19/arts/design/moma-to-showcase-cindy-shermans-new-and-old-characters.html?_r=0>.

Oprah Winfrey

"About The Oprah Winfrey Leadership Academy for Girls." *Oprah Winfrey Leadership Academy for Girls.* 2015. 27 de setembro de 2015. <http://owla.co.za/about-us.html>.

"Accused Child Predators Caught." *FBI.* USA.gov. 19 de outubro de 2005. <https://www.fbi.gov/news/stories/2005/october/oprah-television-viewers>.

Alderman, Abigail. "O, The Oprah Magazine Celebrates 15 Years of Publication." *Hearst.* Hearst Communications, 2015. 22 de abril de 2015. <http://www.hearst.com/newsroom/o-the-oprah-magazine-celebrates-15-years-of-publication>.

"All About Oprah: Winfrey Reflects On Her Life History In 'MAKERS' Documentary (VIDEO)." *The Huffington Post.* TheHuffingtonPost.com, 2015. 28 de fevereiro de 2015. <http://www.huffingtonpost.com/2013/02/28/about-oprah-winfrey-life-history-makers_n_2760337.html>.

Borrelli, Christopher. "Oprah had a Chicago audition to remember." *Chicago Tribune.* Chicago Tribune. 15 de maio de 2011. <http://articles.chicagotribune.com/2011-05-15/entertainment/ct-live-0516-oprah-discovered-20110515_1_wls-morning-show-focus-group>.

Cooper, Ilene. *Oprah Winfrey.* Penguin, 2008.

Ebert, Roger. "How I Gave Oprah Her Start." *Roger Ebert's Journal.* Ebert Digital, 2015. 16 de novembro de 2005. <http://www.rogerebert.com/rogers-journal/how-i-gave-oprah-her-start>.

Jacobson, Murrey. "The Oprah Effect, by the Numbers." *The Rundown. PBS.* NewsHour Productions, 2015. 25 de maio de 2011. <http://www.pbs.org/newshour/rundown/the-oprah-phenomenon-by-the-numbers/>.

Kelley, Kitty. *Oprah: A Biography.* Crown/Archetype, 2010.

Kniffel, Leonard. "Reading For Life: Oprah Winfrey." *Reading with the Stars: A Celebration of Books and Libraries.* ALA Editions, 2011. From ilovelibraries, 2015. <http://www.ilovelibraries.org/article/reading-life-oprah-winfrey>.

Krohn, Katherine E. *Oprah Winfrey.* Twenty-First Century Books, 2008.

Miller, Matthew. "The Wealthiest Black Americans." *Forbes.* Forbes.com, 2015. 6 de maio de 2009. <http://www.forbes.com/2009/05/06/richest-black-americans-busienss-billionaires-richest-black-americans.html>.

Minzesheimer, Bob. "How the 'Oprah Effect' changed publishing." *USA Today.* USA Today, 2012. 22 de maio de 2011. <http://usatoday30.usatoday.com/life/books/news/2011-05-22-Oprah-Winfrey-Book-Club_n.htm>.

Monroe, Stella. "Who Wants to Be a Billionaire?" *Power Magazine.* Power Magazine, 2006. <http://www.powermagazines.com/online_edition/who_wants_to_be_a_billionaire/index.html>.

Paprocki, Sherry Beck. *Oprah Winfrey: Talk Show Host and Media Magnate*. Infobase Publishing, 2009.

"Oprah: Charity Work, Events and Causes." *Look to the Stars*. Look to the Stars, 2015. 27 de setembro de 2015. <https://www.looktothestars.org/celebrity/oprah>.

"Oprah Gail Winfrey." *FemBio*. FemBio. 27 de setembro de 2015. <http://www.fembio.org/english/biography.php/woman/biography/oprah-winfrey/>.

"Oprah goes national." *History.com*. A+E Networks, 2009. 27 de setembro de 2015. <http://www.history.com/this-day-in-history/oprah-goes-national>.

"Oprah opens up about drugs, abuse." *Today*. NBCUniversal Media, 2015. 14 de novembro de 2005. <http://www.today.com/popculture/oprah-opens-about-drugs-abuse-2D80556369>.

"Oprah Winfrey." *Entrepreneur*. Entrepreneur Media, 2015. 8 de outubro de 2008. <http://www.entrepreneur.com/article/197558>.

"Oprah Winfrey Biography." *Academy of Achievement*. American Academy of Achievement, 2015. 31 de agosto de 2015. <http://www.achievement.org/autodoc/page/win0bio-1>.

"Oprah Winfrey Biography." *Biography.com*. A&E Television Networks. 27 de setembro de 2015. <http://www.biography.com/people/oprah-winfrey-9534419>.

"Oprah Winfrey Interview." *Academy of Achievement*. American Academy of Achievement, 2015. 13 de julho de 2012. <http://www.achievement.org/autodoc/page/win0int-1>.

"Oprah Winfrey Show, The." *Archive of American Television*. Academy of Television Arts & Sciences Foundation, 2013. 27 de setembro de 2015. <http://www.emmytvlegends.org/interviews/shows/oprah-winfrey-show-the>.

Pine, Joslyn. *Book of African-American Quotations*. Courier Corporation, 2012.

"President Obama Names Medal of Freedom." *The White House*. USA.gov. 30 de julho de 2009. <https://www.whitehouse.gov/the-press-office/president-obama-names-medal-freedom-recipients>.

Reliable Source. "Oprah gets another award: The Presidential Medal of Freedom." *The Washington Post*. The Washington Post, 2015. 20 de novembro de 2013. <https://www.washingtonpost.com/news/reliable-source/wp/2013/11/20/oprah-gets-another-award-the-presidential-medal-of-freedom/>.

Schnall, Marianne. "Conversation with Oprah Winfrey." *Feminist.com*. Feminist.com, 2013. 27 de setembro de 2015. <http://www.feminist.com/resources/artspeech/interviews/oprahwinfrey.html>.

Sellers, Patricia. "The Business Of Being Oprah." *Fortune Magazine*. Time, 2015. 1º de abril de 2002. <http://archive.fortune.com/magazines/fortune/fortune_archive/2002/04/01/320634/index.htm>.

"So Much for One Person, One Vote." *Freakonomics*. Freakonomics, 2011. 6 de agosto de 2008. <http://freakonomics.com/2008/08/06/so-much-for-one-person-one-vote/>.

Wang, Julia. "Oprah Winfrey Biography." *People Magazine*. Time, 2015. <http://www.people.com/people/oprah_winfrey/biography/>.

Western, Robin. *Oprah Winfrey: A Biography of a Billionaire Talk Show Host.* Enslow Publishers, 2013.

Wilmouth, Brad. "NYT's Maureen Dowd: Clinton's Lying 'Endearing,' While Bush 'Lies' In His Bubble." *NewsBusters.* Media Research Center, 2015. 27 de janeiro de 2006. <http://newsbusters. org/blogs/brad-wilmouth/2006/01/27/nyts-maureen-dowd-clintons-lying-endearing-while-bush-lies-his-bubble>.

"YMCA of Michiana, Inc." *A Force for Good.* Force 5. 27 de setembro de 2015. <http://force-4good.org/2012/nominee/ymca-michiana-inc>.

Geena Davis

"About Us." *Geena Davis Institute on Gender in Media.* Geena Davis Institute on Gender in Media, 2015. 28 de setembro de 2015. <http://seejane.org/about-us/>.

Associated Press. "Harry Belafonte, Geena Davis to receive Muhammad Ali awards." *The Washington Times.* The Washington Times, 2015. 18 de agosto de 2015. <http://www.washingtontimes.com/news/2015/aug/18/belafonte-davis-to-receive-ali-humanitarian-awards/>.

Coyne, Kate. "Geena Davis from Heartbreak to Happiness." *Good Housekeeping.* Hearst Communications, 2015. 31 de março de 2006. <http://www.goodhousekeeping.com/life/inspirational-stories/interviews/a17444/geena-davis-interview-arp06/>.

Davis, Geena. "Geena Davis' Two Easy Steps To Make Hollywood Less Sexist (Guest Column)." *The Hollywood Reporter.* The Hollywood Reporter, 2015. 11 de dezembro de 2013. <http://www.hollywoodreporter.com/news/geena-davis-two-easy-steps-664573>.

"Geena Davis." *The New York Times.* The New York Times Company, 2015. 28 de setembro de 2015. <http://www.nytimes.com/movies/person/17342/Geena-Davis/biography>.

Hajek, Daniel. "From Mannequin To Actor: Geena Davis' 'Ridiculous, Ridiculous' Break." *NPR.* NPR, 2015. 19 de outubro de 2014. <http://www.npr.org/2014/10/19/353323280/from-mannequin-to-actor-geena-davis-ridiculous-ridiculous-break>.

Hitchens, Christopher. "The Eggheads and I." *Vanity Fair.* Condé Nast. Setembro 1996. <http://www.vanityfair.com/news/1996/09/hitchens-199609>.

"Interview With Actress Geena Davis." *CNN News.* CNN, 2007. 22 de março de 2006. <http://www.cnn.com/TRANSCRIPTS/0603/22/lol.05.html>.

Jones, Emma. "Geena Davis: Thelma and Louise star on setting up her own film festival and getting more women on screen." *The Independent.* Independent Digital News and Media, 2015. 10 de maio de 2015. <http://www.independent.co.uk/arts-entertainment/films/features/geena-davis-thelma-and-louise-star-on-setting-up-her-own-film-festival-and-getting-more-women-on-10239457.html>.

Lipsitz, Raina. "'Thelma & Louise': The Last Great Film About Women." *The Atlantic.* The Atlantic Monthly Group, 2015. 31 de agosto de 2011. <http://www.theatlantic.com/entertainment/archive/2011/08/thelma-louise-the-last-great-film-about-women/244336/>.

Litsky, Frank. "OLYMPICS; Geena Davis Zeros In With Bow and Arrows." *The New York Times.* The New York Times Company, 2015. 6 de agosto de 1999. <http://www.nytimes.com/1999/08/06/sports/olympics-geena-davis-zeros-in-with-bow-and-arrows.html>.

"Prominent Mensans." *Mensa International.* Mensa International, 2015. 28 de setembro de 2015. <https://www.mensa.org/prominent-mensans>.

Rabin, Nathan. "Geena Davis launches Bentonville Film Festival." *The Dissolve.* Pitchfork Media, 2015. 6 de janeiro de 2015. <https://thedissolve.com/news/4372-geena-davis-helps-launch-bentonville-film-festival/>.

Richardson, Sarah. "We Heart: Geena Davis." *Ms. Magazine Blog.* Ms. Magazine, 2015. 17 de agosto de 2011. <http://msmagazine.com/blog/2011/08/17/we-heart-geena-davis>.

Silverstein, Melissa. "Geena Davis Uses Her Celebrity Power to Help Improve the Gender Disparity in Film and TV for Kids." *The Huffington Post.* TheHuffingtonPost.com. 7 de junho de 2010. <http://www.huffingtonpost.com/melissa-silverstein/geena-davis-uses-her-cele_b_528284.html>.

Yates, Carolyn. "Geena Davis Is My Feminist Hero." *Autostraddle.* The Excitant Group, 2015. 20 de agosto de 2011. <http://www.autostraddle.com/geena-davis-is-my-feminist-hero-106349/>.

Anita Hill

"Anita F. Hill." *Leigh Bureau.* 28 de setembro de 2015. <http://www.leighbureau.com/speakers/AHill/>.

Armstrong, Connie G. "Hill, Anita F." *Encyclopedia of Oklahoma History and Culture.* Oklahoma Historical Society, 2009. 28 de setembro de 2015. <http://www.okhistory.org/publications/enc/entry.php?entry=HI005>.

Associated Press. "1 year later, Anita Hill continues to speak out." *Lawrence Journal World.* 10 de outubro de 1992. From Google News Archive Search. <https://news.google.com/newspapers?id=qJEzAAAAIBAJ&sjid=IOcFAAAAIBAJ&pg=6651%2C2703949>.

Gibbs, Nancy. "Hill Vs. Thomas: An Ugly Circus." *Time Magazine.* Time, 2015. 21 de outubro de 1991. <http://content.time.com/time/magazine/article/0,9171,974074,00.html>.

Grana, Sheryl J. "Women, Their Bodies, and Violence." *Women and Justice.* 2. ed. Lanham: Rowman & Littlefield, 2010. 193.

"Hill, Anita." *Contemporary Black Biography.* 2008. From Encyclopedia.com. 28 de setembro de 2015. <http://www.encyclopedia.com/topic/Anita_Hill.aspx>.

Hill, Anita. "Opening Statement: Sexual Harassment Hearings Concerning Judge Clarence Thomas." *Gifts of Speech.* 11 de outubro de 1991. <http://gos.sbc.edu/h/hill.html>.

Kasson, Elisabeth Greenbaum. "Speaking Truth to Power: 'Anita' Tells a Tale of Transformation." *International Documentary Association.* International Documentary Association, 2015. 28 de setembro de 2015. <http://www.documentary.org/feature/speaking-truth-power-anita-tells-tale-transformation>.

Krupa, Charles. "Anita Hill vs. Clarence Thomas: The Backstory." *CBS News.* CBS, 2010. 20 de outubro de 2010. <http://www.cbsnews.com/news/anita-hill-vs-clarence-thomas-the-backstory/>.

Lithwick, Dahlia. "All These Issues Are Still With Us." *Slate.* The Slate Group, 2015. 21 de março de 2014. <http://www.slate.com/articles/double_x/doublex/2014/03/talking_to_anita_hill_at_57_the_woman_who_stood_up_to_clarence_thomas_is.html>.

Markovitz, Jonathan. "The Hill-Thomas Hearings." *Legacies of Lynching: Racial Violence and Memory.* Minneapolis: University of Minnesota, 2004.

Palmer, Barbara. "Ten years later, Anita Hill revisits the Clarence Thomas controversy." *Stanford Report.* Stanford University. 3 de abril de 2002. <http://news.stanford.edu/news/2002/april3/anitahill-43.html>.

Paludi, Michele A. *The Psychology of Teen Violence and Victimization.* Vol 2. ABC-CLIO, 2011.

Smolowe, Jill. "Sex, Lies and Politics: He Said, She Said." *Time Magazine.* Time, 2015. 21 de outubro de 1991. <http://content.time.com/time/magazine/article/0,9171,974096,00.html>.

Williams, Patricia J. "The Legacy of Anita Hill, Then and Now." *The Nation.* The Nation, 2015. 5 de outubro de 2011. <http://www.thenation.com/article/legacy-anita-hill-then-and-now/>.

Poly Styrene

Billet, Alexander. "Defiance in Day-Glo: Remembering Poly Styrene." *The Nation.* The Nation, 2015. 26 de maio de 2011. <http://www.thenation.com/article/defiance-day-glo-remembering-poly-styrene/>.

Boy George. "Poly Styrene remembered by Boy George." *The Guardian.* Guardian News and Media, 2015. 10 de dezembro de 2011. <http://www.theguardian.com/theobserver/2011/dec/11/poly-styrene-obituary-boy-george>.

Cooper, Leonie. "Poly Styrene: The Original Riot Grrrl." *NME.* Maio de 2011. <http://www.poly-styrene.com/tributes/11.jpg>.

Philby, Charlotte. "My secret life: Poly Styrene, Singer, 51," *The Independent.* Independent Digital News and Media, 2015. 23 de outubro de 2011. <http://www.independent.co.uk/news/people/profiles/my-secret-life-poly-styrene-singer-51-811129.html>.

"Poly Styrene." *The Times.* 27 de abril de 2011. 52. <http://www.poly-styrene.com/tributes/13.pdf>.

Ryzik, Melena. "Poly Styrene, Punk Singer of X-Ray Spex, Is Dead at 53." *The New York Times.* The New York Times Company, 2015. 26 de abril de 2011. <http://www.nytimes.com/2011/04/27/arts/music/poly-styrene-brash-frontwoman-of-x-ray-spex-dies-at-53.html?_r=0>.

Salewicz, Chris. "Poly Styrene: Singer who blazed a trail for punk&rsquo's feminist revolutionaries." *The Independent.* Independent Digital News and Media, 2015. 22 de outubro de 2011. <http://www.independent.co.uk/news/obituaries/poly-styrene-singer-who-blazed-a-trail-for-punkrsquos-feminist-revolutionaries-2275032.html>.

Simpson, Dave. "Poly Styrene: The Spex factor." *The Guardian.* Guardian News and Media, 2015. 23 de março de 2011. <http://www.theguardian.com/music/2011/mar/23/poly-styrene-interview>.

Sweeting, Adam. "Poly Styrene Obituary." *The Guardian*. Guardian News and Media, 2015. 26 de abril de 2011. <http://www.theguardian.com/music/2011/apr/26/poly-styrene-obituary>.

"X-Ray Spex / Poly Styrene interview '77 punk." YouTube video. <https://www.youtube.com/watch?v=D8hAqdx7g4M>.

Madonna

"About Raising Malawi." *Raising Malawi*. Raising Malawi, 2015. 28 de setembro de 2015. <http://www.raisingmalawi.org/pages/about>.

Barcella, Laura. *Madonna and Me: Women Writers on the Queen of Pop*. Soft Skull Press, 2012.

"Best-selling female recording artist." *Guinness World Records*. Guinness World Records, 2015. 28 de setembro de 2015. <http://www.guinnessworldrecords.com/world-records/best-selling-female-recording-artist>.

Curry, Tyler. "10 Celebrity Icons of HIV Activism." *The Advocate*. Here Media, 2015. 5 de abril de 2015. <http://www.advocate.com/health/hiv-aids/2015/04/05/10-celebrity-icons-hiv-activism>.

Dobnik, Verena. "Video a 'Celebration of Sex'—Madonna." *The Los Angeles Times*. Los Angeles Times, 2015. 4 de dezembro de 1990. <http://articles.latimes.com/1990-12-04/entertainment/ca-6106_1_video>.

Gandhi, Neha. "Madonna Is A True Feminist Icon – & You Need To Pay Attention To What She's Saying." *Refinery29*. Refinery29, 2015. 9 de março de 2015. <http://www.refinery29.com/2015/03/83104/madonna-rebel-heart-feminism-interview>.

Jerome, Jim. "Lady Madonna." *People Magazine*. Vol 53, No 10. Time, 2015. 13 de março de 2000. <http://www.people.com/people/archive/article/0,,20130712,00.html>.

Landrum, Gene N. *Profiles of Female Genius*. Prometheus Books, 1994.

Lynch, Joe. "Madonna Was Nearly Arrested for Simulating Masturbation 25 Years Ago Today." *Billboard*. Billboard, 2015. 29 de maio de 2015. <http://www.billboard.com/articles/news/6582939/madonna-masturbation-like-a-virgin-controversy-toronto-anniversary>.

Madonna. "Express Yourself." Music video. *Like a Prayer*. Sire Records. 9 de maio de 1989.

"Madonna Music Career Statistics." *Statistic Brain*. Statistic Brain Research Institute, 2015. 24 de outubro de 2014. <http://www.statisticbrain.com/madonna-music-career-statistics/>.

Mitchell, John. "Dick Clark, Thank You For Introducing Madonna to The World." *MTV.com*. Viacom International, 2015. 19 de abril de 2012. <http://www.mtv.com/news/1683483/dick-clark-madonna/>.

Morton, Andrew. *Madonna*. Macmillan, 2001.

Munier, Paula. *On Being Blonde*. Quayside, 2004.

Nagourney, Adam. "Madonna's Charity Fails in Bid to Finance School." *The New York Times*. The New York Times Company, 2015. 24 de março de 2011. <http://www.nytimes.com/2011/03/25/us/25madonna.html?_r=0>.

Paglia, Camille. "Madonna – Finally, a Real Feminist." *The New York Times*. The New York Times Company, 2015. 14 de dezembro de 1990. <http://www.nytimes.com/1990/12/14/opinion/madonna-finally-a-real-feminist.html>.

Robertson, Pamela. *Guilty Pleasures*. I.B. Tauris, 1996.

Sawyer, Forrest. "Interview with Madonna." *ABC Nightline*. 3 de dezembro de 1990.

Sexton, Adam. *Desperately Seeking Madonna*. Random House, 2008.

Taranto, Denis. "Madonna Interview: I Am A Nice Little Ducky." *Seventeen Magazine*. Maio de 1987. From Madonna Universe. <http://see-aych.com/madonna/madonna_interview.htm>.

Wang, Julia. "Madonna Biography." *People Magazine*. Time, 2015. 26 de setembro de 2015. <http://www.people.com/people/madonna/biography>.

Wolf, Naomi. "Madonna: The Director's Cut." *Harper's Bazaar*. Hearst Communications, 2015. 9 de novembro de 2011. <http://www.harpersbazaar.com/celebrity/latest/news/a841/madonna-interview-1211/>.

Wendy Davis

Associated Press. "Texas Senate Passes Abortion Bill." *The Huffington Post*. TheHuffingtonPost.com, 2015. 13 de julho de 2013. <http://www.huffingtonpost.com/2013/07/13/texas-senate-abortion-bill_n_3587745.html>.

Bassett, Laura. "Texas Filibuster By Wendy Davis Shut Down By Republicans As Pandemonium Erupts." *The Huffington Post*. TheHuffingtonPost.com, 2015. 26 de junho de 2013. <http://www.huffingtonpost.com/2013/06/26/texas-filibuster-wendy-davis_n_3500422.html>.

Bassett, Laura. "Wendy Davis Greeted By 'Abortion Barbie' Posters In Los Angeles." *The Huffington Post*. TheHuffingtonPost.com, 2015. 22 de maio de 2014. <http://www.huffingtonpost.com/2014/05/22/wendy-davis-abortion-barbie_n_5374101.html>.

Camia, Catalina. "EMILY's List takes risk on Wendy Davis." *USA Today Politics*. 12 de maio de 2014. <http://onpolitics.usatoday.com/2014/05/12/wendy-davis-texas-governor-emilys-list/>.

Cottle, Michelle. "When Wendy Davis Was a Republican." *The Daily Beast*. The Daily Beast Company, 2014. 24 de janeiro de 2014. <http://www.thedailybeast.com/articles/2014/01/24/when-wendy-davis-was-a-republican.html>.

Dart, Tom. "Wendy Davis's remarkable filibuster to deny passage of abortion bill." *The Guardian*. Guardian News and Media, 2015. 26 de junho de 2013. <http://www.theguardian.com/world/2013/jun/26/texas-senator-wendy-davis-abortion-bill-speech>.

Davidsen, Dana. "Wendy Davis supports medical marijuana." *CNN*. CNN, 2015. 11 de fevereiro de 2014. <http://political-ticker.blogs.cnn.com/2014/02/11/wendy-davis-supports-medical-marijuana/>.

Davidson, Amy. "What Wendy Davis Stood For." *The New Yorker*. Condé Nast. 26 de junho de 2013. <http://www.newyorker.com/news/amy-davidson/what-wendy-davis-stood-for>.

Davis, Wendy. *Forgetting to Be Afraid*. Penguin, 2014.

DePillis, Lydia. "Who is Wendy Davis?" *The Washington Post*. The Washington Post, 2015. 26 de junho de 2013. <http://www.washingtonpost.com/news/wonkblog/wp/2013/06/26/who-is-wendy-davis>.

Draper, Robert. "Can Wendy Davis Have It All?" *The New York Times Magazine*. The New York Times Company, 2015. 12 de fevereiro de 2014. <http://www.nytimes.com/2014/02/16/magazine/wendy-davis.html>.

Fernandez, Manny. "Accused of Blurring Facts of Stirring Life Story, Texas Lawmaker Offers Chronology." *The New York Times*. The New York Times Company, 2015. 20 de janeiro de 2014. <http://www.nytimes.com/2014/01/21/us/accused-of-blurring-facts-of-stirring-life-story-texas-lawmaker-offers-chronology.html >.

Fernandez, Manny e Erik Eckholm. "Texas House Restricts Abortions in a Move That Could Force Clinics to Shut." *The New York Times*. The New York Times Company, 2015. 24 de junho de 2013. <http://www.nytimes.com/2013/06/25/us/texas-house-restricts-abortions-in-a-move-that-could-force-clinics-to-shut.html>.

Hennessy-Fisk, Molly. "Wendy Davis pitches her rags-to-riches story to Texas Latinos, women." *The Los Angeles Times*. Los Angeles Times, 2015. 18 de fevereiro de 2014. <http://articles.latimes.com/2014/feb/18/nation/la-na-wendy-davis-20140219>.

Killough, Ashley. "Report: Wendy Davis' life story more complicated than compelling narrative." *CNN*. CNN, 2015. 20 de janeiro de 2014. <http://politicalticker.blogs.cnn.com/2014/01/20/report-wendy-davis-life-story-more-complicated-than-compelling-narrative/>.

Lavender, Paige. "Wendy Davis Backs Gay Marriage." *The Huffington Post*. TheHuffingtonPost.com, 2015. 13 de fevereiro de 2014. <http://www.huffingtonpost.com/2014/02/13/wendy-davis-gay-marriage_n_4783604.html>.

Martel, Frances. "Before Becoming a Democrat Darling, Wendy Davis Donated to George W. Bush." *Breitbart*. Breitbart, 2015. 27 de janeiro de 2014. <http://www.breitbart.com/big-government/2014/01/27/democrat-darling-wendy-davis-donated-to-george-w-bush/>.

"Meet Texas' Next Governor: Sen. Wendy Davis." *Texas Democrats*. <http://www.txdemocrats.org/body/accomplishments-davis.pdf>.

Mitchell, Heidi. "Stand and Deliver: After Her 12-Hour Filibuster, How Far Will Texas Senator Wendy Davis Run?" *Vogue*. Condé Nast, 2014. 15 de agosto de 2013. <http://www.vogue.com/865210/stand-and-deliver-texas-senator-wendy-davis/>.

Root, Jay. "Spotlight on Davis, the Democrats' Big Hope." *The Texas Tribune*. The Texas Tribune, 2015. 1º de setembro de 2013. <http://www.texastribune.org/2013/09/01/spotlight-democrats-big-hope/>.

Root, Jay. "Wendy Davis lost badly. Here's how it happened." *The Texas Tribune*. The Texas Tribune, 2015. 6 de novembro de 2014. <https://www.washingtonpost.com/news/the-fix/wp/2014/11/06/wendy-davis-lost-really-badly-heres-how-it-happened/>.

Slater, Wayne. "As Wendy Davis touts life story in race for governor, key facts blurred." *The Dallas Morning News*. The Dallas Morning News, 2015. 18 de janeiro de 2014. <http://www.dallasnews.com/news/politics/headlines/20140118-as-wendy-davis-touts-life-story-in-race-for-governor-key-facts-blurred.ece>.

Steinbrecher, Anna. "10 Facts About Wendy Davis, the Rookie State Senator From Texas." *News.Mic*. Mic Network. 26 de junho de 2013. <http://mic.com/articles/51249/10-facts-about-wendy-davis-the-rookie-state-senator-from-texas>.

"Texas State Senator Wendy Davis." *EpikVote*. EpikVote. 26 de setembro de 2015. <http://www.epikvote.com/political-blog/103-texas-state-senator-wendy-davis>.

Walsh, Joan. "Wendy Davis, feminist superhero." *Salon*. Salon Media Group, 2015. 25 de junho de 2013. <http://www.salon.com/2013/06/26/wendy_davis_feminist_super_hero/>.

"Wendy Davis." *Rixstep*. Rixstep. 26 de setembro de 2015. <http://rixstep.com/1/1/1/20130627,00.shtml>.

Kathleen Hanna

Aaron, Charles. "Trend of the Year: Rap-Rock Mooks." *SPIN Magazine*. Vol 16, Nº 1. Janeiro de 2000. SPIN Media, 2000. 92-94.

Barcella, Laura. "Kathleen Hanna Is My Absolute Favorite Fantasy Best Friend." *XoJane*. Say Media, 2015. 23 de novembro de 2013. <http://www.xojane.com/entertainment/kathleen-hanna-is-one-of-my-favorite-people>.

Barcella, Laura. "The A-word." *Salon*. Salon Media Group, 2015. 20 de setembro de 2004. <http://www.salon.com/2004/09/20/t_shirts>.

Breihan, Tom. "Video: The Mountain Goats and Kathleen Hanna Support Planned Parenthood at New York Rally." *Pitchfork*. Pitchfork Media, 2015. 2 de março de 2011. <http://pitchfork.com/news/41737-video-the-mountain-goats-and-kathleen-hanna-support-planned-parenthood-at-new-york-rally/>.

Brockes, Emma. "What happens when a riot grrrl grows up?" *The Guardian*. Guardian News and Media, 2015. 9 de maio de 2014. <http://www.theguardian.com/music/2014/may/09/kathleen-hanna-the-julie-ruin-bikini-kill-interview>.

Darms, Lisa. *The Riot Grrrl Collection*. Nova York: The Feminist Press at CUNY, 2014.

Hanna, Kathleen. "Kathleen Hanna: My Herstory." *Le Tigre World*. 26 de setembro de 2015. <http://www.letigreworld.com/sweepstakes/html_site/fact/khfacts.html>.

Hanna, Kathleen. "Teenager." *KathleenHanna.com*. 9 de julho de 2011. <http://www.kathleenhanna.com/teenager>.

"Kathleen Hanna Biography." *Biography.com.* A+E Television Networks. 26 de setembro de 2015. <http://www.biography.com/people/kathleen-hanna-17178854>.

Kreps, Daniel. "Kathleen Hanna Honored With 'Riot Grrrl Day' in Boston." *Rolling Stone.* Rolling Stone, 2015. 9 de abril de 2015. <http://www.rollingstone.com/music/news/kathleen-hanna-honored-with-riot-grrrl-day-in-boston-20150409>.

Monem, Nadine. *Riot Grrrl: Revolution Girl Style Now!* Black Dog Publishing, 2007.

"Revolution, Girl Style." *Newsweek.* Newsweek, 2015. 22 de novembro de 1992. <http://www.newsweek.com/revolution-girl-style-196998>.

Richards, Chris. "Bikini Kill was a girl punk group ahead of its time." *The Washington Post.* The Washington Post. 18 de novembro de 2012. <https://www.washingtonpost.com/lifestyle/style/bikini-kill-was-a-girl-punk-group-ahead-of-its-time/2012/11/18/3fdc61bc-31d8-11e2-bfd5-e202b6d7b501_story.html>.

"Riot Grrrl Collection Development Policy." *Fales Library Special Collections.* 26 de setembro de 2015. <http://www.nyu.edu/library/bobst/research/fales/rgcolldev.html>.

"Riot Grrrl Respect: Creative Women Influenced by the Punk Movement of the 90s." *MAKERS.* Makers, 2015. 31 de dezembro de 1969. <http://www.makers.com/blog/riot-grrrl-respect-creative-women-influenced-punk-movement-90s>.

Stern, Marlow. "Punk Rock-Feminist Pioneer Kathleen Hanna on Her SXSW Doc and More." *The Daily Beast.* The Daily Beast Company, 2014. 13 de março de 2013. <http://www.thedailybeast.com/articles/2013/03/13/punk-rock-feminist-pioneer-kathleen-hanna-on-her-sxsw-doc-more.html>.

Thompson, Stacy. *Punk Productions.* SUNY Press, 2012.

True, Everett. "Kathleen Hanna: the riot grrrl returns." *The Guardian.* Guardian News and Media, 2015. 14 de janeiro de 2014. <http://www.theguardian.com/music/australia-culture-blog/2014/jan/14/kathleen-hanna-julie-ruin-riot-grrrl>.

Wang, Yiyang. "Riot Grrrl's Lasting Effect on Feminism." *National Women's Law Center.* National Women's Law Center, 2015. 26 de junho de 2013. <http://www.nwlc.org/our-blog/riot-grrrl%E2%80%99s-lasting-effect-feminism>.

Wickman, Forrest. "'Girls to the Front': How Kathleen Hanna Helped Make Punk Safe for Women." *Slate.* The Slate Group, 2015. 29 de novembro de 2013. <http://www.slate.com/blogs/browbeat/2013/11/29/the_punk_singer_documentary_clip_kathleen_hanna_explains_the_riot_grrrl.html>.

Margaret Cho

Caswell, Michelle. "Margaret Cho: She's the One that She Wants." *Asia Society.* Asia Society, 2015. 28 de setembro de 2015. <http://asiasociety.org/margaret-cho-shes-one-she-wants>.

Cho, Margaret. "Feminism." *Margaret Cho.* Margaret Cho, 2015. 13 de novembro de 2012. <http://margaretcho.com/2012/11/13/feminism/>.

Cho, Margaret. *I'm the One That I Want*. Random House, 2007.

Cho, Margaret. "'You're the fattest ballerina.'" *O, The Oprah Magazine*. Junho de 2008. From CNN.com. 8 de julho de 2008. <http://www.cnn.com/2008/LIVING/personal/07/08/o.fattest.ballerina/index.html?iref=nextin>.

Eisenbach, Helen. "Cho & Tell." *New York Magazine*. New York Media, 2015. 12 de julho de 1999. <http://nymag.com/nymetro/arts/features/758/>.

McCombs, Emily. "The Same 5 Questions We Always Ask: Margaret Cho." *XoJane*. Say Media, 2015. 5 de dezembro de 2011. <http://www.xojane.com/entertainment/same-5-questions-we-always-ask-margaret-cho>.

Miserandino, Dominick A. "Cho, Margaret." *TheCelebrityCafe.com*. Bigfoot Ventures, 2015. 21 de agosto de 2000. <http://thecelebritycafe.com/2000/08/cho-margaret/>.

Tiger, Caroline. *Margaret Cho*. Infobase Learning, 2013.

"The Woman! The Comic! The Legend!" *Margaret Cho*. Margaret Cho, 2015. 28 de setembro de 2015. <http://margaretcho.com/bio/>.

Queen Latifah

"37th Annual GRAMMY Awards." *Grammy.com*. Recording Academy, 2015. 19 de outubro de 2015. <http://www.grammy.com/awards/37th-annual-grammy-awards>.

Allen, Amy Ruth. *Queen Latifah: From Jersey Girl to Superstar*. Twenty-First Century Books, 2012.

DeLuzio, Crista. *Women's Rights: People and Perspectives*. ABC-CLIO, 2009.

Johns, Robert L. "Queen Latifah." *Notable Black American Women*. Book 2. ed. Jessie Carney Smith. VNR AG, 1996. 393–394.

Keeps, David A. "Queen Latifah on Surviving Her Darkest Moment – and Finding Joy." *Good Housekeeping*. Hearst Communications, 2015. 10 de dezembro de 2013. <http://www.goodhousekeeping.com/life/inspirational-stories/interviews/ a19546/queen-latifah-interview/>.

Koestler-Grack, Rachel A. *Queen Latifah*. Infobase Publishing, 2009.

Latifah, Queen. *Ladies First*. Harper Paperbacks, 2000.

"Queen Latifah." *Encyclopædia Britannica. Encyclopædia Britannica Online*. Encyclopædia Britannica Inc., 2015. 19 de outubro de 2015.

"Queen Latifah Biography." *Biography.com*. A&E Television Networks. 19 de outubro de 2015. <http://www.biography.com/people/queen-latifah-9542419>.

"Queen Latifah Biography." *People Magazine*. Time, 2015. 19 de outubro de 2015. <http://www.people.com/people/queen_latifah/biography/>.

Robertson, Regina R. "Queen Latifah Reveals Past Sexual Abuse in July 2009 Issue of ESSENCE." *ESSENCE*. Julho de 2009. Essence Communications, 2015. 16 de dezembro de 2009. <http://www.essence.com/2009/06/10/queen-latifah-reveals-past-sexual-abuse>.

Rudulph, Heather Wood. "Why Beyoncé, Nicki, & Taylor Owe A Debt To Queen Latifah." *Refinery29*. Refinery29, 2015. 5 de agosto de 2015. <http://www.refinery29.com/2015/08/91904/queen-latifah-unity-feminist-legacy>.

Tracy, Liz. "Is Queen Latifah A Feminist?" *New Times*. New Times, 2015. 21 de março de 2013. <http://www.browardpalmbeach.com/2013-03-21/music/is-queen-latifah-a-feminist/full>.

Vena, Jocelyn. "Maya Angelou's Poem About Michael Jackson: 'We Had Him.'" *MTV.com*. Viacom International, 2015. 7 de julho de 2009. <http://www.mtv.com/news/1615416/maya-angelous-poem-about-michael-jackson-we-had-him/>.

Williams, Brennan. "Queen Latifah: Domestic Violence Is A Problem 'Every Part Of Society.'" *The Huffington Post*. TheHuffingtonPost.com, 2015. 19 de setembro de 2014. <http://www.huffingtonpost.com/2014/09/19/queen-latifah-domestic-violence_n_5850858.html>.

Ani DiFranco

"Ani DiFranco." *Billboard*. Billboard, 2015. 19 de outubro de 2015. <http://www.billboard.com/artist/279330/ani-difranco/biography>.

"Ani DiFranco Biography." *Biography.com*. A&E Television Networks. 19 de outubro de 2015. <http://www.biography.com/people/ani-difranco-20874409>.

Baine, Wallace. "With her new album 'Which Side Are You On?,' Ani DiFranco connects the progressive spirit of yesterday to today's political challenges." *Santa Cruz Sentinel*. Santa Cruz Sentinel. 22 de março de 2012. <http://www.santacruzsentinel.com/general-news/20120322/with-her-new-album-which-side-are-you-on-ani-difranco-connects-the-progressive-spirit-of-yesterday-to-todays-political-challenges>.

Baker-Whitelaw, Gavia. "Why feminist icon Ani DiFranco is being accused of 'blatant' racism." *The Daily Dot*. The Daily Dot. 29 de dezembro de 2013. <http://www.dailydot.com/lifestyle/ani-difranco-nottoway-plantation-facebook/>.

Cochrane, Kira. "'I'm considering a revolution.'" *The Guardian*. Guardian News and Media, 2015. 9 de outubro de 2007. <http://www.theguardian.com/music/2007/oct/10/folk.gender>.

Dicker, Rory. *A History of U.S. Feminisms*. Seal Press, 2008.

"Help Victims of Hurricane Katrina." *Righteous Babe*. RighteousBabe.com, 2015. 9 de setembro de 2005. <http://www.righteousbabe.com/blogs/news/6242194-help-victims-of-hurricane-katrina>.

Himan, Eric. "Regarding Ani." *Out*. Here Media, 2015. 14 de fevereiro de 2014. <http://www.out.com/entertainment/music/2014/02/14/regarding-ani>.

"March for Women's Lives 2004." *Righteous Babes*. RighteousBabes.com, 2015. 19 de outubro de 2015. <http://www.righteousbabe.com/products/ani-marches-and-sings-in-washington-d-c>.

"Musician and Activist Ani DiFranco to receive the prestigious Woody Guthrie Award on Thursday October 8th, 2009." *PRWeb*. 2015. 8 de outubro de 2009. <http://www.prweb.com/releases/anidifranco/guthrieaward/prweb3013504.htm>.

"Open Letter From Ani Difranco to *Ms.* Editors." *MTV.com.* Viacom International, 2015. 12 de janeiro de 1998. <http://www.mtv.com/news/2474/open-letter-from-ani-difranco-to-ms-editors>.

Rapp, Linda. "Ani DiFranco." *The Queer Encyclopedia of Music, Dance, & Musical Theater.* Org. Claude J. Summers. Cleis Press, 2004. 80–81.

Revkin, Andrew C. "Righteous Babe Saves Hometown; A Fiercely Independent Folk Singer's Soaring Career Lifts Buffalo, Too." *The New York Times.* The New York Times Company, 2015. 16 de fevereiro de 1998. <http://www.nytimes.com/1998/02/16/nyregion/righteous-babe-saves -hometown-fiercely-independent-folk-singer-s-soaring-career.html>.

Ruehl, Kim. "Ani DiFranco's Best Songs." *About Entertainment.* About.com, 2015. 19 de outubro de 2015. <http://folkmusic.about.com/od/anidifranco/tp/AniDiFrancoSongs.htm>.

Sion, Mike. "Going off-script with Ani DiFranco." *Reno Gazette-Journal.* 17 de março de 2015. <http://www.rgj.com/story/life/arts/2015/03/16/ani-difranco-reno-concert/24866971>.

Van Meter, Jonathan. "Righteous Babe." *SPIN.* Vol. 13, N. 5. Agosto de 1997. SPIN Media, 1997. 54–60.

Varga, George. "Ani DiFranco sings and marches on." *The San Diego Union-Tribune.* The San Diego Union-Tribune, 2015. 13 de março de 2015. <http://www.sandiegouniontribune.com/ news/2015/mar/13/ani-di-franco-moves-through-controversy/>.

Warner, Jay. *Notable Moments of Women in Music.* Hal Leonard Corporation, 2008.

Roxane Gay

Cochrane, Kira. "Roxane Gay: meet the bad feminist." *The Guardian.* Guardian News and Media, 2015. 2 de agosto de 2014. <http://www.theguardian.com/world/2014/aug/02/roxane-gay-bad-feminist-sisterhood-fake-orgasm>.

Essmaker, Tina. "Roxane Gay." *The Great Discontent.* The Great Discontent, 2015. 3 de junho de 2014. <http://thegreatdiscontent.com/interview/roxane-gay>.

Flood, Alison. "Books reviewed in New York Times are 'predominantly by white authors.'" *The Guardian.* Guardian News and Media, 2015. 12 de junho de 2012. <http://www.theguardian. com/books/2012/jun/12/reviews-new-york-times-white-authors>.

Gay, Roxane. *Bad Feminist.* Little, Brown, 2014.

Gay, Roxane. "Bad Feminist." *The Virginia Quarterly Review.* Vol 88, No 4. Fall 2012. The Virginia Quarterly Review, 2015. 22 de setembro de 2012. <http://www.vqronline.org/essay/ bad-feminist>.

Gay, Roxane. "What We Hunger For." *The Rumpus.* The Rumpus, 2012. 12 de abril de 2012. <http://therumpus.net/2012/04/what-we-hunger-for/>.

Kocak, Courtney. "Bad Feminist's Roxane Gay: 'I'm loath to use the word 'success.'" *Bustle Magazine.* Bustle.com, 2015. 9 de outubro de 2014. <http://www.bustle.com/articles/41797-bad-feminists-roxane-gay-im-loath-to-use-the-word-success>.

Long, Dayna. "Roxane Gay." *Freedom From Religion Foundation.* 19 de outubro de 2015. <http://ffrf.org/news/day/dayitems/item/22884-roxane-gay>.

Sullivan, Rebecca. "Roxane Gay, author of Bad Feminist, on Q & A: 'Men need to get over themselves.'" *News.com.au.* News Limited. 11 de março de 2015. <http://www.news.com.au/lifestyle/real-life/roxane-gay-author-of-bad-feminist-on-q-a-men-need-to-get-over-themselves/story-fnq2o7dd-1227255978472>.

Zimmerman, Jess. "How a 'Bad Feminist' Inspired Me to Become a Better One." *Dame Magazine.* Dame Media, 2015. 29 de setembro de 2014. <http://www.damemagazine.com/2014/09/29/how-bad-feminist-inspired-me-become-better-one>.

Beyoncé

Adichie, Chimamanda Ngozi. "Excerpt from We Should All Be Feminists." *Feminist.com.* Feminist.com, 2014. <http://www.feminist.com/resources/artspeech/genwom/adichie.html>.

Alexis, Nadeska. "Beyonce's 2014 VMA Performance: Fearless, Feminist, Flawless, Family Time." *MTV News.* Viacom International, 2015. 25 de agosto de 2014. <http://www.mtv.com/news/1910270/beyonce-2014-vma-perfomance/>.

"Beyoncé & Jay-Z Raise $1 Million for Charity." *People Magazine.* Time, 2015. 4 de outubro de 2011. <http://www.people.com/people/article/0,,20553903,00.html>.

"Beyoncé Helps Combat Hunger with Feeding America." *Seventeen Magazine.* Hearst Communications, 2015. 23 de junho de 2009. <http://www.seventeen.com/celebrity/news/a4962/beyonce-helps-combat-hunger-with-feeding-america/>.

Cubarrubia, RJ. "Beyonce Calls Herself a 'Modern-Day Feminist.'" *Rolling Stone.* Rolling Stone, 2015. 3 de abril de 2013. <http://www.rollingstone.com/music/news/beyonce-calls-herself-a-modern-day-feminist-20130403#ixzz3Mw8CP7QN>.

Frank, Alex. "Chimamanda Ngozi Adichie on Her 'Flawless' Speech, Out Today as an eBook." *Vogue.* Condé Nast, 2014. 29 de julho de 2014. <http://www.vogue.com/946843/chimamanda-ngozi-adicihie-feminism-beyonce-book>.

Greenburg, Zack O'Malley. "Beyonce's Net Worth In 2015: $250 Million." *Forbes.* Forbes.com, 2015. 27 de maio de 2015. <http://www.forbes.com/sites/zackomalleygreenburg/2015/05/27/beyonce-net-worth-in-2015-250-million/>.

Johnson, Rachael. "There's one huge difference between Madonna and Beyoncé." *Quartz.* The Atlantic Monthly Group, 2015. 31 de março de 2014. <http://qz.com/193390/theres-one-huge-difference-between-beyonce-and-madonna/>.

Kaufman, Gil. "Destiny's Child Announce Split." *MTV News.* Viacom International, 2015. 12 de junho de 2005. <http://www. mtv.com/news/1503975/destinys-child-announce-split/>.

Knowles-Carter, Beyoncé. "Gender Equality Is a Myth." *The Shriver Report.* 12 de janeiro de 2014. <http://shriverreport.org/gender-equality-is-a-myth-beyonce/>.

Leopold, Todd. "Beyonce tops with five Grammys." *CNN.* CNN, 2015. 9 de fevereiro de 2004. <http://www.cnn.com/2004/SHOWBIZ/Music/02/08/grammy.night/index.html?iref=newssearch>.

McCall, Erika R. *Go For Yours.* CreateSpace, 2013.

Nastasi, Alison. "15 Things We Learned from 'Beyoncé: Life Is But a Dream.'" *Flavorwire.* Flavorpill, 2015. 17 de fevereiro de 2013. <http://flavorwire.com/371704/15-things-we-learned-from-beyonce-life-is-but-a-dream>.

Payne, Chris. "Beyonce Drops New Hit Boy-Produced Track, 'Bow Down/I Been On.'" *Billboard.* Billboard, 2015. 17 de março de 2013. <http://www.billboard.com/articles/news/1552441/beyonce-drops-new-hit-boy-produced-track-bow-downi-been-on>.

Rice, Francesca. "20 Of Beyoncé's Best & Most Brilliant Quotes." *Marie Claire.* Marie Claire, 2015. 1º de setembro de 2014. <http://www.marieclaire.co.uk/blogs/545716/bow-down-bitches-15-beyonce-quotes-that-cemented-her-place-as-one-of-the-most-inspiring-women-ever.html>.

Rife, Katie. "No, the Beyoncé building isn't shaped like a giant butt." *A.V. Club.* Onion, 2015. 8 de julho de 2015. <http://www.avclub.com/article/no-beyonce-building-isnt-shaped-giant-butt-221964>.

Serpick, Evan. "Beyoncé Biography." *The Rolling Stone Encyclopedia of Rock & Roll.* Simon & Schuster, 2001. From RollingStone.com. <http://www.rollingstone.com/music/artists/beyonce/biography>.

Silman, Anna. "A Comprehensive History of Jay Z and Beyoncé's Relationship." *Vulture.* New York Media, 2015. 19 de setembro de 2014. <http://www.vulture.com/2014/07/jay-z-beyonce-relationship-history.html>.

"The Survivor Foundation Established by Knowles and Rowland Families to Provide Transitional Housing for Hurricane Evacuees." *Business Wire.* Business Wire, 2015. 16 de setembro de 2005. <http://www.businesswire.com/news/home/20050916005663/en/Survivor-Foundation-Established-Knowles-Rowland-Families-Provide#.Vgx-baarSRs>.

Swash, Rosie. "Why is Beyoncé calling herself Mrs Carter?" *The Guardian.* Guardian News and Media, 2015. 5 de fevereiro de 2013. <http://www.theguardian.com/lifeandstyle/the-womens-blog-with-jane-martinson/2013/feb/05/beyonce-calling-herself-mrs-carter>.

Ulaby, Neda. "Beyonce (And Michelle Obama) Get The Kids Moving." *NPR.* NPR, 2015. 3 de maio de 2011. <http://www.npr.org/sections/therecord/2011/05/03/135958485/beyonce-and-michelle-obama-get-the-kids-moving>.

Vena, Jocelyn. "Beyonce Considers Herself A 'Modern-Day Feminist.'" *MTV News.* Viacom International, 2015. 3 de abril de 2013. <http://www.mtv.com/news/1704878/beyonce-feminist-vogue-uk/>.

Waxman, Olivia B. "Beyoncé and Destiny's Child to Release Original Track for First Time in Eight Years." *Time Magazine.* Time, 2015. 11 de janeiro de 2013. <http://entertainment.time.com/2013/01/11/beyonce-and-destinys-child-to-release-original-track-for-first-time-in-eight-years/>.

Witherspoon, Chris. "Annie Lennox calls Beyoncé a 'token' feminist with 'cheap' lyrics." *The Grio.* D2M2, 2015. 7 de outubro de 2014. <http://thegrio.com/2014/10/07/annie-lennox-beyonce-feminist/>.

Tavi Gevinson

"The 25 Most Influential Teens of 2014." *Time Magazine.* Time, 2015. 13 de outubro de 2014. <http://time.com/3486048/most-influential-teens-2014/>.

Adams, Rebecca. "Tavi Gevinson Talks Her Right To Be At Fashion Week & That Giant Bow Incident (VIDEO)." *The Huffington Post.* TheHuffingtonPost.com, 2015. 24 de fevereiro de 2013. <http://www.huffingtonpost.com/2013/02/24/tavi-gevinson-fashion-week-bow_n_2753370.html>.

Bateman, Kristen. "My List: Tavi Gevinson in 24 Hours." *Harper's Bazaar.* Hearst Communications, 2015. 30 de outubro de 2014. <http://www.harpersbazaar.com/culture/features/a4171/tavi-gevinson-rookie-magazine/>.

Bazilian, Emma. "16-Year-Old Media Mogul Tavi Gevinson Is Expanding Her Empire." *Adweek.* Adweek, 2015. 14 de abril de 2013. <http://www.adweek.com/news/advertising-branding/16-year-old-media-mogul-tavi-gevinson-expanding-her-empire-148565>.

Bercovici, Jeff. "30 Under 30: The Next Generation of Media Moguls, Machers and Mavens." *Forbes.* Forbes.com, 2015. 17 de dezembro de 2012. <http://www.forbes.com/sites/jeffbercovici/2012/12/17/30-under-30-the-next-generation-of-media-moguls-machers-and-mavens/>.

Bercovici, Jeff. "30 Under 30: These People Are Building The Media Companies Of Tomorrow." *Forbes.* Forbes.com, 2015. 6 de janeiro de 2014. <http://www.forbes.com/sites/jeffbercovici/2014/01/06/30-under-30-these-people-are-building-the-media-companies-of-tomorrow/>.

Carlson, Erin. "'Rookie' Blogger Tavi Gevinson Sings Pet Shop Boys' 'Heart' (Audio)." *The Hollywood Reporter.* The Hollywood Reporter, 2015. 16 de janeiro de 2013. <http://www.hollywoodreporter.com/news/rookie-blogger-tavi-gevinson-sings-413048>.

Cutruzzula, Kara. "Tavi Gevinson writes her future as she lives it." *Women in the World.* Women in the World Media, 2015. 24 de abril de 2015. <http://nytlive.nytimes.com/womenintheworld/2015/04/24/tavi-gevinson-writes-her-future-as-she-lives-it/>.

Gevinson, Tavi. "A teen just trying to figure it out." *TED.* TED Conferences, 2015. Maio de 2012. <http://www.ted.com/talks/tavi_gevinson_a_teen_just_trying_to_figure_it_out/transcript>.

Kwan, Amanda. "Young fashion bloggers are worrisome trend to parents." *USA Today.* USA Today, 2011. 13 de agosto de 2008. <http://usatoday30.usatoday.com/tech/webguide/internetlife/2008-08-12-girl-fashion-blogs_N.htm>.

Larson, Jordan. "Rookie hits home run for young, fashionable feminists." *The Chicago Maroon.* The Chicago Maroon, 2015. 5 de outubro de 2012. <http://chicagomaroon.com/2012/10/05/rookie-hits-home-run-for-young-fashionable-feminists/>.

"Meet Tavi, the 12-Year-Old Fashion Blogger." *New York Magazine.* New York Media, 2015. 22 de julho de 2008. <http://nymag.com/thecut/2008/07/meet_tavi_the_12yearold_fashio.html>.

Miller, Julie. "Tavi Gevinson on Shifting from Fashion to Feminism, Surviving Blogger Mortification, and Her First Acting Gig." *Vanity Fair.* Condé Nast. 9 de novembro de 2012. <http://www.vanityfair.com/culture/2012/11/tavi-gevinson-interview-rookie-magazine-road-trip-nicole-holofcener-acting>.

Odell, Amy. "Editors Like Tavi But Don't Take Her Fashion Advice Seriously." *New York Magazine.* New York Media, 2015. 9 de dezembro de 2009. <http://nymag.com/thecut/2009/12/tavi_the_13-year-old_fashion_b.html>.

Osgerby, Bill. *Youth Media.* Routledge, 2004.

"Out of the mouths of babes." *The Economist.* The Economist Newspaper, 2015. 18 de maio de 2010. <http://www.economist.com/node/16155471>.

Sauers, Jenna. "*Elle* Editor Leads Backlash Against 13-Year-Old Fashion Blogger." *Jezebel.* Kinja. 10 de dezembro de 2009. <http://jezebel.com/5423555/elle-editor-leads-backlash-against-13-year-old-fashion-blogger>.

Schulman, Michael. "The Oracle of Girl World." *The New York Times.* The New York Times Company, 2015. 27 de julho de 2012. <http://www.nytimes.com/2012/07/29/fashion/tavi-gevinson-the-oracle-of-girl-world.html?_r=0>.

Stoeffel, Kat. "Sayonara, SAY Media! Tavi Gevinson Ditches Jane Pratt's Publisher." *Observer.* 5 de agosto de 2011. <http://observer.com/2011/08/sayanora-say-media-tavi-gevinson-ditches-jane-pratts-publisher/>.

Taras, Rebecca. "Inside A Surprising Chicago Friendship: Tavi &…Ira Glass." *Refinery29.* Refinery29, 2015. 24 de agosto de 2012. <http://www.refinery29.com/2012/08/35836/tavi-gevinson-ira-glass>.

"Tavi Gevinson." *Los Angeles Review of Books.* Los Angeles Review of Books, 2015. 21 de outubro de 2015. <https://lareviewofbooks.org/author/tavi-gevinson>.

"Tavi Gevinson." *Makers.* Makers, 2015. 21 de outubro de 2015. <http://www.makers.com/tavi-gevinson>.

"Tavi Gevinson." *TED.* TED Conferences. 21 de outubro de 2015. <https://www.ted.com/speakers/tavi_gevinson>.

"Tavi Gevinson: Teenage 'Rookie' still figuring it out." *Metro News.* Free Daily News Group, 2015. 23 de outubro de 2012. <http://www.metronews.ca/entertainment/2012/10/24/tavi-gevinson-teenage-rookie-still-figuring-it-out.html>.

Widdicombe, Lizzie. "Tavi Says." *The New Yorker.* Condé Nast. 20 de setembro de 2010. <http://www.newyorker.com/magazine/2010/09/20/tavi-says>.

Wiseman, Eva. "Girlhood explained online." *The Guardian.* Guardian News and Media, 2015. 21 de abril de 2012. <http://www.theguardian.com/lifeandstyle/2012/apr/22/girls-internet-rookie-eva-wiseman>.

Zeisler, Andi. "An Interview With Rookie Editor Tavi Gevinson." *Bitch Media.* Bitch Media, 2015. 9 de dezembro de 2013. <https://bitchmedia.org/post/an-interview-with-rookie-editor-tavi-gevinson>.

Malala Yousafzai

Blumberg, Naomi. "Malala Yousafzai." *Encyclopædia Britannica. Encyclopædia Britannica Online.* Encyclopædia Britannica Inc., 2015. 21 de outubro de 2015.

Brenner, Marie. "The Target." *Vanity Fair.* Abril de 2013. Condé Nast. <http://www.vanityfair.com/news/politics/2013/04/malala-yousafzai-pakistan-profile>.

Bryant, Ben. "Malala Yousafzai recounts moment she was shot in the head by Taliban." *The Telegraph.* Telegraph Media Group, 2015. 13 de outubro de 2013. <http://www.telegraph.co.uk/news/worldnews/asia/pakistan/10375633/Malala-Yousafzai-recounts-moment-she-was-shot-in-the-head-by-Taliban.html>.

Couric, Katie. "'He Named Me Malala': An inside look at Davis Guggenheim's new film." *Global Anchor.* 1º de outubro de 2015. From Yahoo! News. <https://www.yahoo.com/katiecouric/he-named-me-malala-an-inside-look-at-davis-130276827663.html>.

Dias, Chelsea. "10 Ways Malala Yousafzai Has Changed the World." *Policy.Mic.* 23 de julho de 2013. Mic Network. <http://mic.com/articles/55333/10-ways-malala-yousafzai-has-changed-the-world>.

Fantz, Ashley. "Malala at U.N.: The Taliban failed to silence us." *CNN.* CNN, 2015. 12 de julho de 2013. <http://www.cnn.com/2013/07/12/world/united-nations-malala>.

Husain, Mishal. "Malala: The girl who was shot for going to school." *BBC News.* BBC, 2015. 7 de outubro de 2013. <http://www.bbc.com/news/magazine-24379018>.

Jordan, Carol. "16-year-old Malala Yousafzai wins Sakharov Prize for Freedom of Thought." *CNN.* CNN, 2015. 10 de outubro de 2013. <http://www.cnn.com/2013/10/10/world/malala-wins-sakharov-prize/>.

Kallon, Baindu. "12 incredible Malala quotes that will make you want to give her the Nobel Peace Prize all over again." *Salon.* Salon Media Group, 2015. 11 de outubro de 2014. <http://www.salon.com/2014/10/11/12_incredible_malala_quotes_that_will_make_you_want_to_give_her_the_nobel_peace_prize_all_over_again_partner/>.

Kwan, Amanda. "Young fashion bloggers are worrisome trend to parents." *USA Today.* USA Today, 2015. 13 de agosto de 2008. <http://usatoday30.usatoday.com/tech/webguide/internetlife/2008-08-12-girl-fashion-blogs_N.htm>.

MacQuarrie, Brian. "Malala Yousafzai addresses Harvard audience." *Boston Globe*. Boston Globe Media Partners, 2015. 28 de setembro de 2013. <https://www.bostonglobe.com/metro/2013/09/27/malala-yousafzai-pakistani-teen-shot-taliban-tells-harvard-audience-that-education-right-for-all/6cZBan0M4J3cAnmRZLfUmI/story.html>.

"Malala Day 2015." *Global Women's Institute*. George Washington University. 12 de julho de 2015. <http://globalwomensinstitute.gwu.edu/malala-day-2015>.

"Malala gets Mother Teresa Memorial Award." *The Nation*. Nawaiwaqt Group of Newspapers, 2015. 10 de dezembro de 2012. <http://nation.com.pk/national/10-Dec-2012/malala-gets-mother-teresa-memorial-award>.

"Malala Yousafzai to receive Anne Frank courage award." *BBC News*. BBC, 2015. 29 de janeiro de 2014. <http://www.bbc.com/news/uk-25951120>.

Meikle, James. "Malala Yousafzai's father appointed to diplomatic job at UK consulate." *The Guardian*. Guardian News and Media, 2015. 3 de janeiro de 2013. <http://www.theguardian.com/world/2013/jan/03/malala-yousafzai-father-given-diplomatic-role-uk>.

Mosbergen, Dominique. "Malala Yousafzai Tells CNN's Christiane Amanpour: 'I Want To Be Prime Minister' (VIDEO)." *The Huffington Post*. TheHuffingtonPost.com, 2015. 12 de outubro de 2013. <http://www.huffingtonpost.com/2013/10/12/christiane-amanpour-malala_n_4089844.html>.

Mullin, Gemma. "Nobel Peace Prize winner Malala Yousafzai given two 24-hour armed guards after 'terror death threats." *Daily Mail*. Associated Newspapers. 22 de agosto de 2015. <http://www.dailymail.co.uk/news/article-3207225/Nobel-Peace-Prize-winner-Malala-Yousafzai-two-24-hour-armed-guards-terror-death-threats.html>.

"The Nobel Peace Prize for 2014 – Press Release." *Nobelprize.org*. Nobel Medi a AB, 2014. 10 de outubro de 2014. <http://www.nobelprize.org/nobel_prizes/peace/laureates/2014/press.html>.

Simpson, David and Ben Brumfield. "Malala Yousafzai turns the other cheek to the Taliban." *CNN*. CNN, 2015. 9 de outubro de 2013. <http://www.cnn.com/2013/10/07/world/asia/taliban-malala/>.

Smith-Spark, Laura. "Malala Yousafzai and Kailash Satyarthi share Nobel Peace Prize." *CNN*. CNN, 2015. 14 de outubro de 2014. <http://www.cnn.com/2014/10/10/world/europe/nobel-peace-prize/>.

United Nations. "The Millennium Development Goals Report 2015." Junho de 2015. <http://www.un.org/millenniumgoals/2015_MDG_Report/pdf/MDG%202015%20rev%20(July%201).pdf>.

Walsh, Declan. "Girl Shot by Taliban in Critical Condition After Surgery." *The New York Times*. The New York Times Company, 2015. 10 de outubro de 2012. <http://www.nytimes.com/2012/10/11/world/asia/girl-shot-by-taliban-in-critical-condition-after-surgery.html>.

Yousafzai, Malala. *I Am Malala: The Girl Who Stood Up for Education and Was Shot by the Taliban*. Little, Brown, 2013.

Bibliografia dos Perfis Brasileiros

Nísia Floresta

Bernardes, Maria Thereza Caiuby Crescenti. *Mulheres de Ontem?*. Rio de Janeiro, Século XIX. São Paulo: T. A. Queiroz, 1988.

Brito, Rafaella. "Nísia Floresta, a Primeira Feminista Brasileira". Blogueiras Feministas, 2014.<http://blogueirasfeministas.com/2014/08/nisia-floresta-a-primeira-feminista-brasileira/>

Nísia Floresta – Projeto Memória Arte. <http://www.projetomemoria.art.br/NisiaFloresta/fra.html>

"Nísia Floresta". Memória Viva. <http://www.memoriaviva.com.br/nisiafloresta/>

Pallares-Burke, Maria Lúcia Garcia. *Nísia Floresta, O Carapuceiro e outros Ensaios de Tradução Cultural*. Editora Hicitec, 1996. <http://www.scielo.br/scielo.php?pid=S0034-77011997000200008&script=sci_arttext>

Schumaher, Maria Aparecida. *Dicionário Mulheres do Brasil: De 1500 até a Atualidade*. Zahar Editores, 2000.

Francisca Senhorinha

Andrade, Fernanda Alina de Almeida de. "Estratégias e Escritos: Francisca Diniz e o Movimento Feminista no Século XIX (1873-1890)". UFMG, 2006.

Bernardes, Maria Thereza Caiuby Crescenti. *Mulheres de Ontem?*. Rio de Janeiro, Século XIX. São Paulo: T. A. Queiroz, 1988.

Neto, Renato Drummond Tapioca. "Transgressão Feminina na Imprensa Brasileira: as Jornalistas do Século XIX". Rainhas Trágicas, 2015. <https://rainhastragicas.com/2015/11/21/as-jornalistas-do-seculo-xix/>

Schumaher, Maria Aparecida. *Dicionário Mulheres do Brasil: De 1500 até a Atualidade*. Zahar Editores, 2000.

Chiquinha Gonzaga

Chiquinhagonzaga.com<http://chiquinhagonzaga.com/wp/>

Chiquinha Gonzaga, TV Globo, 1999. <http://memoriaglobo.globo.com/programas/entretenimento/minisseries/chiquinha-gonzaga.htm>

Diniz, Edinha. *Chiquinha Gonzaga: uma História de Vida*. Zahar Editores, 1984.

Santana, Ana Elisa. "Chiquinha Gonzaga: a Vanguarda da Mulher na Música Brasileira". Portal EBC, 2015. <http://www.ebc.com.br/cultura/2015/02/80-anos-sem-chiquinha-gonzaga>

Schumaher, Maria Aparecida. *Dicionário Mulheres do Brasil: De 1500 até a Atualidade.* Zahar Editores, 2000.

Anália Franco

Franco, Anália. Álbum das Meninas: Revista Literária e Educativa Dedicada às Jovens Brasileiras. Edições 1, 2, 3, 4 e 5, 1898.

Modelli, Laís. *As (Outras) Mulheres Brasileiras Sobre quem Deveríamos Aprender na Escola.* BBC Brasil, 2017. <http://www.bbc.com/portuguese/salasocial-39462016>

Monteiro, Eduardo Carvalho. *Anália Franco – a Grande Dama da Educação Brasileira.* Madras, 2004.

Schumaher, Maria Aparecida. *Dicionário Mulheres do Brasil: De 1500 até a Atualidade.* Zahar Editores, 2000.

Bertha Lutz

"Bertha Lutz". Portal Brasil, Governo do Brasil, 2012. <http://www.brasil.gov.br/cidadania-e-justica/2012/04/bertha-lutz>

Costa, Cida. "Bertha Lutz, uma História de Luta e Conquistas de Direitos da Mulher no Brasil". *O Globo*, 2016. <http://acervo.oglobo.globo.com/em-destaque/bertha-lutz-uma-historia-de-luta-conquistas-de-direitos-da-mulher-no-brasil-20102421>

Schumaher, Maria Aparecida. *Dicionário Mulheres do Brasil: De 1500 até a Atualidade.* Zahar Editores, 2000.

Valverde, Daniela. "Bertha Lutz e o Voto Feminino". Blogueiras Feministas, 2011. <http://blogueirasfeministas.com/2011/08/bertha-lutz/>

Eugênia Moreira

Abreu, Alzira Alves de. *Dicionário Histórico-Biográfico Brasileiro.* CPDOC/FGV, 2001.

Almeida, Lara Monique de Oliveira. "Eugênia Brandão: A Primeira Repórter do Brasil", UFRGS, 2007. <http://paginas.ufrgs.br/alcar/encontros-nacionais-1/6o-encontro-2008-1/EUGENIA%20 BRANDaO.pdf>

"Dia do Voto Feminino no Brasil Comemora os 83 anos da Conquista". *Guia do Estudante*, 2015. <https://guiadoestudante.abril.com.br/estudo/dia-do-voto-feminino-no-brasil-comemora-os-83-anos-da-conquista/>

Moreyra, Álvaro. *As Amargas Não...* Editora Lux, 1954.

Rouchou, Joelle. "Um Arquivo Amoroso: Alvaro e Eugênia Moreira". FCRB/UniverCidade, 2009. <http://www.intercom.org.br/papers/nacionais/2009/resumos/R4-4025-1.pdf>

Sodré, Nelson Werneck. *História da Imprensa no Brasil*. Mauad, 1999.

Schumaher, Maria Aparecida. *Dicionário Mulheres do Brasil: De 1500 até a Atualidade*. Zahar Editores, 2000.

Adalzira Bittencourt

Bittencourt, Adalzira. "Sua Excelência: a Presidente da República no Ano 2500". In: Susan C. Quinlan & Peggy Sharpe. *Duas Modernistas Esquecidas: Adalzira Bittencourt e Ercília Nogueira Cobra: Visões do Passado, Previsões do Futuro*. Rio de Janeiro: Tempo Brasileiro; Goiânia: Editora da UFG, 1996.

Ramos, Maria Bernardete. "Ao Brasil dos meus Sonhos: Feminismo e Modernismo na Utopia de Adalzira Bittencourt". *Revista Estudos Feministas*, Ano 10, n.1, 1º semestre de 2002. <http://www.scielo.br/pdf/ref/v10n1/11627.pdf>

Schumaher, Maria Aparecida. *Dicionário Mulheres do Brasil: De 1500 até a Atualidade*. Zahar Editores, 2000.

Pagu

Campos, Augusto de. *Pagu – Vida – Obra*. Companhia das Letras, 2014.

Galvão, Patrícia. "Contribuição ao Julgamento do Congresso da Poesia". *Diário de S. Paulo*, 1948. <http://www.antoniomiranda.com.br/ensaios/contribuicao_ao_julgamento_do_%20congresso_de_poesia_1948.html>

———. *Paixão Pagu – uma autobiografia precoce de Patrícia Galvão*. Editora Ediouro, 2005.

Schumaher, Maria Aparecida. *Dicionário Mulheres do Brasil: De 1500 até a Atualidade*. Zahar Editores, 2000.

Clarice Lispector

Mambrini, Verônica. "A Mulher segundo Clarice Lispector". IG, 2012. <http://delas.ig.com.br/comportamento/a-mulher-segundo-clarice-lispector/n1597697340447.html>

"Quinze Frases (Verdadeiras) de Clarice Lispector". *Folha de S. Paulo*, 2016. <http://www1.folha.uol.com.br/ilustrada/2016/03/1750490-quinze-frases-verdadeiras-de-clarice-lispector-para-citar-na-internet.shtml

Schumaher, Maria Aparecida. *Dicionário Mulheres do Brasil: De 1500 até a Atualidade*. Zahar Editores, 2000.

"Vida – Clarice Lispector". Clarice Lispector: <https://claricelispectorims.com.br/vida/>

Rose Marie Muraro

Boff, Leonardo. "Rose Marie Muraro: a Saga de uma Mulher Impossível". leonardoboff.com, 2014. <https://leonardoboff.wordpress.com/2014/06/22/rose-mrie-muraro-a-saga-de-uma-mulher-impossivel/>

"Escritora Rose Marie Muraro Morre aos 83 anos no Rio de Janeiro". UOL, 2014.

Lucena, Eleonora de. "Quero Empoderar as Mulheres de Baixa Renda". *Folha de S.Paulo*, 2011. <http://www1.folha.uol.com.br/fsp/cotidian/ff0803201116.htm>

"Morre aos 83 anos a intelectual Rose Marie Muraro". *O Globo*, 2014.

Muraro, Rose Marie. "Moral?". *Folha de S.Paulo*, 2006. <http://www1.folha.uol.com.br/fsp/opiniao/fz1209200608.htm>

Schumaher, Maria Aparecida. *Dicionário Mulheres do Brasil: De 1500 até a Atualidade*. Zahar Editores, 2000.

Heleieth Saffioti

Bertoni, Estêvão. "Heleieth Iara Bongiovani Saffioti (1934-2010) – Defendeu os Direitos das Mulheres". *Folha de S. Paulo*, 2010. <http://www1.folha.uol.com.br/cotidiano/845815-heleieth-iara-bongiovani-saffioti-1934- 2010---defendeu-os-direitos-das-mulheres.shtml>

Saffioti, Heleieth. *A Mulher na Sociedade de Classes*. Editora Vozes, 1976.

———. "Contribuições Feministas para o Estudo da Violência de Gênero". *Cadernos Pagu*, Núcleo de Estudos de Gênero-Pagu/Unicamp, 2001, pp.115-136. <http://www.scielo.br/pdf/cpa/n16/n16a07.pdf>

Senkevics, Adriano. "O Conceito de Gênero por Heleieth Saffioti: dos Limites da Categoria Gênero". Geledés, 2013. <https://www.geledes.org.br/o-conceito-de-genero-por-heleieth-saffioti-dos-limites-da-categoria-genero/>

Schumaher, Maria Aparecida. *Dicionário Mulheres do Brasil: De 1500 até a Atualidade*. Zahar Editores, 2000.

Leila Diniz

"A Entrevista de Leila Diniz para *O Pasquim*". <http://www.omartelo.com/omartelo23/musas.html>

Santos, Joaquim Ferreira. *Leila Diniz*. Companhia das Letras, 2008.

Schumaher, Maria Aparecida. *Dicionário Mulheres do Brasil: De 1500 até a Atualidade*. Zahar Editores, 2000.

Maria da Penha

Acayaba, Cíntia. "'Se Houver Mudanças na Lei, Mulheres Serão Prejudicadas', diz Maria da Penha." G1, 2017. <https://g1.globo.com/sao-paulo/noticia/se-houver-mudanca-na-lei-mulheres-serao-prejudicadas-diz-maria-da-penha.ghtml>

Duarte, Gabriele. "Entrevista com Maria da Penha: Quando a Lei Sai do Papel, Também Tem que se Pensar no Agressor". *Diário Catarinense*, 2016. <http://dc.clicrbs.com.br/sc/estilo-de-vida/noticia/2016/09/entrevista-com-maria-da-penha-quando-a-lei-sai-do-papel-tambem-tem-que-se-pensar-no-agressor-7557935.html>

Galina, Décio. "Maria da Penha É uma Sobrevivente". *Revista TPM*, edição 82, 2009. <https://revistatrip.uol.com.br/tpm/maria-da-penha>

"Maria da Penha". Portal Brasil, Governo do Brasil, 2012. <http://www.brasil.gov.br/governo/2012/04/maria-da-penha-1>

"Quem é Maria da Penha Maia Fernandes", Compromisso e Atitude, 2012. <http://www.compromissoeatitude.org.br/quem-e-maria-da-penha-maia-fernandes/>

Senna, Cristiane. "Maria da Penha: Lutei 19 anos e Seis Meses por Justiça". *Marie Claire*, 2017. <http://revistamarieclaire.globo.com/Mulheres-do-Mundo/noticia/2017/08/maria-da-penha-lutei-19-anos-e-seis-meses-por-justica.html>

Unifem BR – Maria da Penha Maia Fernandes, 2010. <https://www.youtube.com/watch?v=capw5BbMYTM>

Sueli Carneiro

Carneiro, Sueli. "Movimento Negro no Brasil: Novos e Velhos Desafios". Caderno CRH, Salvador, n. 36, p. 209-215, 2002. <https://www.geledes.org.br/movimento-negro-no-brasil-novos-e-velhos-desafios-por-sueli-carneiro/>

———. "Mulheres em Movimento". São Paulo, 2003. <http://www.scielo.br/scielo.php?script=sci_arttext&pid=S0103-40142003000300008>

Prêmio Itaú Cultural 30 anos, junho de 2017. <https://issuu.com/itaucultural/docs/folder-premio-ic-30anos-issuu>

Santana, Bianca. "Sobrevivente, Testemunha e Porta-voz". *Revista Cult*, maio de 2017. <https://revistacult.uol.com.br/home/sueli-carneiro-sobrevivente-testemunha-e-porta-voz/>

Zaidan, Patrícia. "Dia das Mulheres Negras, Julho das Pretas: o Tributo a Sueli Carneiro". *Revista Claudia*, julho de 2016. <https://claudia.abril.com.br/noticias/dia-das-mulheres-negras-julho-das-pretas-o-tributo-a-sueli-carneiro/>

Djamila Ribeiro

Novaes, Marina. "É Preciso Discutir Por Que a Mulher Negra é a Maior Vítima de Estupro no Brasil". *El País*, 2016. <https://brasil.elpais.com/brasil/2016/07/14/politica/ 1468512046_029192.html>

Odara, Norma. "Djamila Ribeiro é Nomeada Secretária-adjunta de Direitos Humanos de São Paulo". *Brasil de Fato*, 2016. <https://www.brasildefato.com.br/2016/05/18/djamila-ribeiro-e-nomeada-secretaria-adjunta-de-direitos-humanos-de-sao-paulo/>

Redação da Fundação Roberto Marinho. "Djamila Ribeiro: É Preciso Sair da Bolha para Conseguir se Comunicar". *Revista Época*, 2017. <http://epoca.globo.com/educacao/noticia/ 2017/06/djamila-ribeiro-e-preciso-sair-da-bolha-para-conseguir-se-comunicar.html>

Ribeiro, Djamila. "A Luta de Djamila Ribeiro". *Revista TPM*, 2015. <https://revistatrip.uol.com.br/tpm/a-luta-de-djamila-ribeiro>

———. "Ser Oprimido Não é Desculpa para Legitimar Opressão". Blogueiras Negras, 2013. <http://blogueirasnegras.org/2013/09/03/ser-oprimido-nao-e-desculpa/>

AGRADECIMENTOS DE LAURA BARCELLA

Agradeço a Massiel Torres, por seu tempo, dedicação e ajuda na pesquisa. Agradeço a minha pequena, mas poderosa turma de verdadeiros amigos. Agradeço a minha mãe, por ser legal comigo 99,9% do tempo, mesmo quando eu não mereço. Agradeço ao meu falecido pai, pelo orgulho inabalável que ele sentia de tudo o que eu fazia, dizia ou criava. Agradeço a minha falecida cachorrinha Henny, por sua suave companhia e resignação, e a minha falecida gata Joon, por me permitir ser sua grande amiga durante dezesseis anos perfeitos.

Impresso por :

Graphium
gráfica e editora

Tel.:11 2769-9056